LE NOUVEAU
MANUEL DE
L'AQUARIUM

LE NOUVEAU MANUEL DE L'AQUARIUM

Thierry MAITRE-ALLAIN

SOLAR

AVIS AUX LECTEURS

La signification des abréviations mentionnées dans les tableaux relatifs aux espèces figurent page 320.

Avec la participation de :
Laurence Borot, Stéphanie Castaing, Anne Guillemain, Josiane Saintis, Isabelle Véret, Odile Wolfstirn.

© ATP, Chamalières - France - 1992
© Éditions Solar, Paris, pour la présente édition - 1992

3ᵉ réimpression

ISBN : 2-263-01938-3
N° éditeur : 2029
Dépôt légal : septembre 1992

Imprimé en Italie par Milanostampa S.p.A - Farigliano (CN)

Introduction

Loisir, passion, art, amusement : l'aquariophilie est très certainement un subtil mélange de toutes ces notions.

L'image d'un poisson rouge tournant tristement dans son bocal rond doit être aujourd'hui oubliée, mais il ne faut pas tomber dans l'autre extrême. L'aquariophilie n'est pas une science, mais un outil au service de la recherche et de l'enseignement : un aquarium a un rôle écologique (au sens scientifique du terme) destiné à nous faire comprendre les lois qui régissent le milieu aquatique. Dans certains cas, l'aquariophilie peut même amener sa contribution à la protection et à la préservation de certaines espèces menacées.

Plus particulièrement destiné à ceux qui veulent débuter, ce livre a été conçu selon un plan chronologique progressif. Après présentation des êtres vivants et du milieu dans lequel ils vivent, il vous guidera pour concevoir votre premier aquarium sans difficultés. Petit à petit, vous apprendrez à élever des poissons résistants, puis des espèces plus particulières.

Vous aurez alors acquis assez d'expérience pour vous diriger, dans les chapitres suivants, vers la construction d'un bac en verre collé, puis la réalisation de différents types d'aquariums.

Vous serez alors devenu un amateur confirmé qui pourra s'intéresser, dans la dernière partie, à des domaines beaucoup plus spécialisés.

Cet ouvrage se veut donc un guide permanent destiné à vous accompagner pour réaliser vos désirs. Conçu dans une optique volontairement généraliste, il n'a pas la prétention de cerner tous les domaines de l'aquariophilie : c'est pourquoi il se termine par des adresses utiles qui vous permettront de découvrir d'autres aspects de ce passe-temps.

Que les scientifiques, les spécialistes et les puristes nous pardonnent les noms qui ne respectent pas certaines règles ; leur utilisation est destinée à permettre aux lecteurs l'accès à d'autres ouvrages et au secteur commercial.

Sommaire

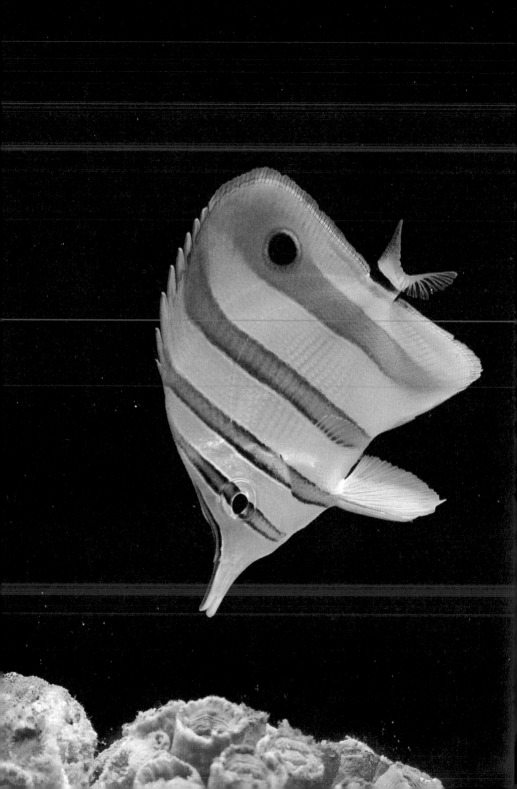

Les poissons

Il existe sur notre planète environ 30 000 espèces de poissons
(soit environ autant que les autres vertébrés réunis).
41 % d'entre eux peuplent les eaux douces, 59 % vivent en mer,
quelques centaines d'espèces fréquentent des eaux
à salinité intermédiaire ou peuvent passer de l'eau douce
à l'eau salée (et inversement).
A priori, qu'y a-t-il de commun entre un poisson rouge,
un guppy et un hippocampe ? Les poissons constituent un groupe
très hétérogène, ce qui se manifeste par une grande disparité
de taille et une diversité de forme étonnante ; mais un certain
nombre de caractères ont permis de les réunir
dans un même groupe zoologique.

Les scientifiques ont adopté une classification
basée sur l'anatomie interne et externe.
Les poissons que l'on rencontre
en aquarium appartiennent au groupe
des téléostéens, caractérisés par :
- un squelette complètement ossifié ;
- des branchies recouvertes d'un opercule,
assurant la respiration dans l'eau ;
- un corps recouvert d'écailles ;
- une température interne variable.
En dehors de ces points communs, on note
des différences dans leur comportement.
C'est ce que nous allons essayer de vous montrer
dans ces quelques pages, en considérant
qu'il est très important d'acquérir
des connaissances sur la biologie et l'écologie
d'un poisson, pour lui offrir les meilleures
conditions de captivité et favoriser sa reproduction.

PRÉSENTATION GÉNÉRALE

LA FORME

Elle renseigne très souvent sur la biologie et l'écologie de l'animal. Le tableau ci-dessous nous en donne quelques exemples. La forme la plus classique montre un corps allongé, fuselé, typiquement hydrodynamique.

Les poissons de ce type offrent donc une faible résistance à l'eau, sont bons nageurs et fréquentent les eaux courantes ; ils vivent en général en pleine eau.
D'autres espèces sont plus trapues, plus ou moins comprimées latéralement, nagent moins vite et sont adaptées aux eaux plus calmes ou stagnantes.

LA FORME DU CORPS DES POISSONS

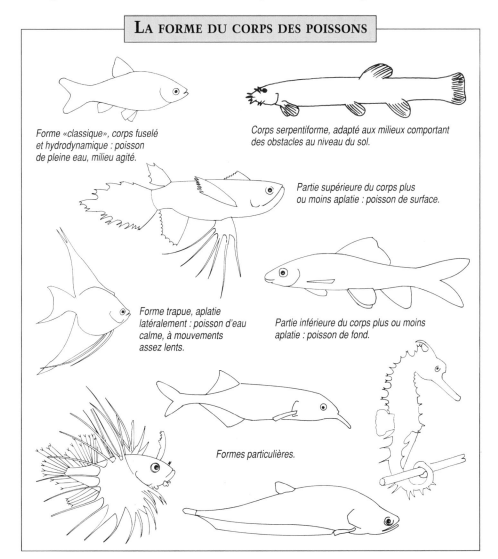

Forme «classique», corps fuselé et hydrodynamique : poisson de pleine eau, milieu agité.

Corps serpentiforme, adapté aux milieux comportant des obstacles au niveau du sol.

Partie supérieure du corps plus ou moins aplatie : poisson de surface.

Forme trapue, aplatie latéralement : poisson d'eau calme, à mouvements assez lents.

Partie inférieure du corps plus ou moins aplatie : poisson de fond.

Formes particulières.

Les autres formes indiquent un mode de vie particulier :
- corps serpentiforme : adaptation à la vie près ou sur le sol, ou en milieu présentant de nombreuses cachettes non accessibles aux poissons de forme plus «traditionnelle» ;
- corps plus ou moins aplati dorso-ventralement ; en général, la partie inférieure du corps est plutôt plate et nous indique une vie très liée au substrat, notamment pour la prise de nourriture. Parfois, c'est la partie supérieure qui est droite, les yeux placés sur le haut de la tête, ce qui signifie que nous avons affaire à un poisson vivant sous la surface.
Il existe d'autres formes plus particulières (hippocampe, rascasse) reflétant un mode de vie particulier.

Les nageoires

Elles sont constituées par des membranes tendues sur des rayons épineux ou mous. Le nombre de ces rayons, le nombre et la position des nageoires servent parfois de caractères distinctifs pour la reconnaissance de certaines espèces.
Les nageoires sont mobiles, leurs rayons sont articulés.
On distingue :

- des nageoires symétriques (ou paires) : les pectorales, en arrière de l'opercule, en position plus ou moins haute (elles correspondent aux membres supérieurs des mammifères) ; les pelviennes, situées sous le ventre, en position plus ou moins avancée (elles correspondent aux membres inférieurs des mammifères) ;
- des nageoires impaires ;
- une ou deux dorsales, dont la longueur varie suivant les espèces ;
- une nageoire anale, située en arrière de l'anus ;
- une nageoire caudale (souvent appelée à tort queue), de forme variable, parfois dissymétrique. Elle est plus développée chez les bons nageurs.
Une famille particulière de poissons, les Characidés (très courants en Amérique du Sud), possède une deuxième dorsale, petite et sans rayons.
La forme et la taille des nageoires varient suivant les espèces, et on peut parfois observer de notables modifications :
- chez les espèces sauvages ou peu modifiées par les élevages successifs, il s'agit d'adaptations naturelles ;
- chez les variétés sélectionnées, il s'agit de modifications volontaires obtenues par de patientes sélections, à partir d'une mutation naturelle.

┤ L'anatomie externe ├

Le corps d'un poisson comprend trois parties, en fait assez peu différenciées :
- la tête, qui comporte certains organes des sens ;
- le corps, qui porte les nageoires et présente sur chaque flanc une ligne latérale ;
- la queue, qui comprend le pédoncule caudal et la nageoire caudale.

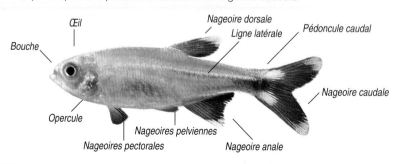

Œil

Nageoire dorsale

Ligne latérale

Pédoncule caudal

Bouche

Nageoire caudale

Opercule

Nageoires pelviennes

Nageoires pectorales

Nageoire anale

L'ANATOMIE INTERNE

Chez ce poisson particulier, la transparence du corps nous permet d'observer la colonne vertébrale et la place relativement peu importante (dans ce cas précis) des viscères.

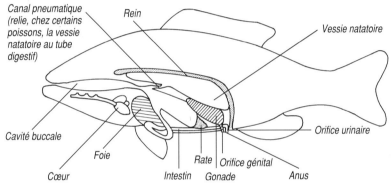

Canal pneumatique (relie, chez certains poissons, la vessie natatoire au tube digestif)

Rein

Vessie natatoire

Cavité buccale

Orifice urinaire

Cœur

Foie

Rate

Orifice génital

Intestin

Gonade

Anus

ÉCAILLES, PEAU, MUCUS

Presque tous les poissons possèdent des écailles (pas aux premiers stades d'alevins), mais contrairement à ce que l'on croit souvent, elles ne sortent pas du corps : elles sont incluses dans la peau, ce qui veut dire que, si un poisson perd ses écailles, la peau a été abîmée.

Elles se recouvrent les unes les autres, une partie seulement est visible. Elles sont très utiles au scientifique :
- leur nombre (à un endroit précis du corps) permet la distinction, dans certains cas, d'espèces proches ;
- grandissant avec le poisson, elles peuvent indiquer son âge.

Notons que les écailles ne sont pas imperméables aux substances chimiques.

La peau comprend deux parties principales :
- l'épiderme, vers l'extérieur du poisson ;
- le derme, dans lequel sont incluses les écailles.

Certaines cellules (les chromatophores) contiennent des pigments qui, étalés, donnent aux poissons leur coloration ; lorsqu'ils sont concentrés, la cellule apparaît incolore.

Les colorations de camouflage et de livrée nuptiale sont sous contrôle hormonal lent, et les marques de fuite ou d'agressivité apparaissent sous contrôle nerveux rapide.

D'autres cellules contiennent des cristaux qui réfléchissent la lumière, ce qui entraîne une teinte générale argentée, souvent brillante.

13

LA COULEUR DES POISSONS

La coloration brillante et argentée des poissons est due à la présence de cristaux réfléchissant la lumière dans certaines cellules.

Des pigments présents dans d'autres cellules (les chromatophores) donnent les couleurs, parfois très vives, de la plupart des espèces. Les teintes de camouflage et de parade nuptiale sont sous contrôle hormonal lent, tandis que les marques de fuite ou d'agressivité se trouvent sous contrôle nerveux rapide.
Lorsque les poissons sont stressés, les couleurs s'estompent temporairement.

Si les pigments sont concentrés, la cellule n'apparaît pas colorée.

Lorsqu'ils sont dispersés dans la cellule, les pigments la colorent.

La coloration varie suivant les espèces et le sexe.
Chez les guppys, par exemple, le mâle est nettement plus coloré que la femelle (chez cette espèce, cette coloration a été obtenue après de patientes sélections ; les mâles guppys sauvages sont plus ternes).

Chez certains poissons (comme ce *Pomacanthus imperator* des récifs coralliens), la coloration des juvéniles est nettement différente de celle des adultes.

P. imperator *juvénile,* à *gauche ;* P. imperator *adulte, à droite.*

Pour d'autres espèces, la coloration varie au moment de la reproduction. C'est le cas pour *Cichlasoma meeki*, cichlidé d'Amérique centrale. La gorge rouge du mâle, en plus de ses opercules écartés, est destinée à écarter les concurrents et les autres espèces.

Le corps des poissons en bonne santé est recouvert d'un mucus visqueux et transparent. Ce mucus joue un triple rôle :
- il diminue la résistance à l'eau (en «lissant» en quelque sorte le poisson), ce qui diminue les efforts lors de la nage ;
- il empêche la pénétration des parasites ;
- il empêche la pénétration de substances toxiques.
Il est donc impératif de ne jamais manipuler un poisson avec les mains, et de prendre des précautions avec une épuisette.

LA TÊTE

Chez les poissons de forme classique, elle est généralement conique, plus ou moins massive, peu mobile, et porte plusieurs organes importants :

La bouche
Sa position renseigne souvent sur le régime alimentaire :
- bouche en position supérieure : les proies seront capturées en surface (insectes dans le milieu naturel) ;
- bouche en position inférieure : poisson «brouteur» ou se nourrissant à partir du sédiment ;
- bouche en position terminale : poisson chasseur de pleine eau.
Les poissons carnivores et prédateurs possèdent une grande bouche, garnie de dents pointues et nombreuses, souvent recourbées vers l'arrière pour maintenir les proies. Les espèces omnivores ou herbivores présentent une bouche plus petite et des dents aplaties pour broyer les aliments.

Les yeux
Les yeux, plus ou moins mobiles, ne possèdent pas de paupières. Leur taille est plus importante chez les poissons chasseurs, vivant en eau claire, que chez les poissons omnivores des eaux plus ou moins troubles. Les espèces vivant dans ou sur le sédiment, ou sous la surface, ont les yeux positionnés vers le haut de la tête.

Les narines
Situées en avant des yeux, au-dessus de la bouche, elles ne servent pas à la respiration : elles communiquent avec des sacs olfactifs et permettent la perception et la reconnaissance des odeurs. L'eau y pénètre et sort par deux orifices différents.

L'opercule
Il protège les branchies et assure la circulation de l'eau pour la respiration. Les ouïes désignent les ouvertures des opercules.

Les barbillons
Situés sur les mâchoires (le plus souvent la mâchoire inférieure), en nombre et en taille variables, ils jouent un rôle important dans la recherche et la reconnaissance des proies.

Organes divers
Certaines espèces possèdent des appendices charnus, des lambeaux de peau, qui leur permettent de mieux se camoufler.

LA TÊTE DES POISSONS

La position des yeux et de la bouche sur la tête d'un poisson peut souvent renseigner sur son mode de vie.
Sur cette photo, nous sommes en présence de deux poissons aux yeux assez bien développés et à la bouche en position terminale :
ce sont des carnivores, chasseurs en pleine eau (Astronotus ocellatus et Cichlasoma synspilum).
Les narines, dont le rôle est uniquement olfactif, sont bien visibles.

LES BRANCHIES

Portée par un os, chaque branchie est constituée de deux fines lamelles très richement irriguées par le sang, d'où leur couleur rouge vif. Ce sont des organes très performants, permettant de capter l'oxygène dissous dans l'eau (voir p. 20).
Certaines espèces présentent de petites épines sur l'os porteur. Dans le cas où elles sont longues et fines, elles constituent un tamis qui filtre l'eau et retient des particules planctoniques destinées à l'alimentation.
Quelques espèces de poissons d'aquarium possèdent, en plus des branchies, des organes remarquablement adaptés à la prise d'air atmosphérique ; cela représente une adaptation à certains milieux particuliers où l'oxygène dans l'eau est parfois rare. C'est le cas des Anabantidés, famille dont sont issus les bettas et les gouramis.

LE SYSTÈME DIGESTIF

L'estomac, souvent en forme de U, est parfois extensible. Il se prolonge par un intestin court chez les carnivores, beaucoup plus long chez les omnivores et les herbivores (dans certains cas, il mesure plusieurs fois la longueur du corps).
Les poissons possèdent un organe particulier, que l'on ne trouve pas chez les autres animaux, souvent relié au tube digestif : la vessie natatoire.
Contrairement à ce que son nom laisse supposer, cet organe n'a aucun rôle dans l'excrétion. C'est une poche remplie de gaz, jouant en quelque sorte un rôle de ballast pour assurer la flottaison du poisson.

LES ORGANES REPRODUCTEURS

Le mâle possède deux testicules, plus ou moins lisses et blanchâtres, prolongés par deux canaux déférents, s'unissant avant de déboucher par un pore génital situé juste en avant de l'anus.
Les organes génitaux d'une femelle sont constitués par deux ovaires, plus ou moins granuleux, de couleur rosée en raison du grand nombre de vaisseaux sanguins qui les irriguent.
Quelques rares espèces (appartenant à la famille des Pœciliidés) possèdent des organes génitaux externes, utilisés pour la reproduction.

LES ORGANES DES SENS

Le cerveau
Le cerveau, assez simple chez les poissons, se compose principalement de deux parties importantes :
- les lobes olfactifs, en relation avec les narines, qui analysent les odeurs ;
- les lobes optiques, bien développés, ce qui souligne l'importance de la vision.

Les yeux
En général assez volumineux par rapport à la taille de la tête, ils sont bien adaptés à la vision sous l'eau. Ils sont en fait peu différents de ceux des vertébrés supérieurs, mais ne possèdent pas de glandes lacrymales. La rétine comporte des cellules permettant la vision des couleurs.

La ligne latérale
Elle est visible chez presque tous les poissons sur chaque flanc, de l'arrière de l'opercule au pédoncule caudal. Elle est en fait constituée d'une succession de pores traversant la peau et les écailles, reliés à un canal interne. Celui-ci est pourvu de cellules sensorielles reliées à un nerf aboutissant au cerveau. L'eau du milieu environnant baigne donc les cellules sensorielles.

Autres organes des sens
Les poissons disposent d'autres possibilités sensitives :
- des papilles gustatives situées, selon les espèces, sur les lèvres, le palais, les barbillons ;
- des organes tactiles sur la surface extérieure du corps.
L'équilibre dans l'eau (position verticale, dos dirigé vers la surface) est assuré par l'oreille interne (qui n'a aucun rôle auditif), où de petits os – les otolithes – reposent sur des cellules sensitives.

BIOLOGIE - ÉCOLOGIE DES POISSONS

Flottaison

La vessie natatoire permet au poisson de flotter entre deux eaux. Remplie de gaz, son volume peut changer et fait donc varier la densité du poisson, jouant en quelque sorte le rôle d'un ballast. Les poissons dont la vessie natatoire est reliée au tube digestif ont la possibilité de capter l'air atmosphérique ; chez les autres espèces, les gaz diffusent à travers la paroi de la vessie natatoire à partir du sang.

Locomotion et déplacements

Chaque nageoire joue un rôle précis lors des mouvements des poissons, et il existe des types de nages différents suivant la forme du poisson :

NAGE ET NAGEOIRES

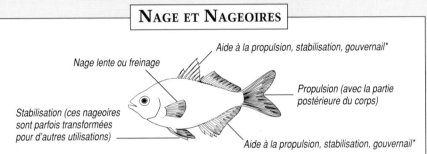

Nage lente ou freinage

Aide à la propulsion, stabilisation, gouvernail*

Stabilisation (ces nageoires sont parfois transformées pour d'autres utilisations)

Propulsion (avec la partie postérieure du corps)

Aide à la propulsion, stabilisation, gouvernail*

* Pour les poissons les plus hydrodynamiques, ces nageoires sont repliées le long du corps lors des déplacements rapides. A faible vitesse ou à l'arrêt, elles jouent un rôle identique à celui de la quille d'un bateau.

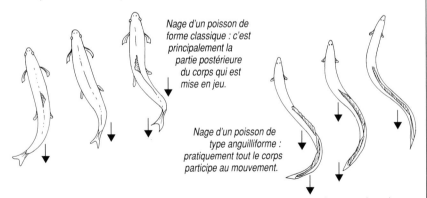

Nage d'un poisson de forme classique : c'est principalement la partie postérieure du corps qui est mise en jeu.

Nage d'un poisson de type anguilliforme : pratiquement tout le corps participe au mouvement.

Les flèches indiquent le sens de la pression exercée sur l'eau et qui pousse le poisson en avant.

Les poissons se déplacent rapidement grâce aux mouvements latéraux de leur nageoire caudale, parfois renforcés par les ondulations des nageoires anale et dorsale. Ces dernières sont avant tout des gouvernails. Les pectorales servent à avancer lentement ou à freiner. Les nageoires pelviennes sont des stabilisateurs.

- les poissons fusiformes, hydrodynamiques, ondulent grâce à la partie postérieure de leur corps (et pas seulement la nageoire caudale) en exerçant une poussée sur l'eau ;
- cela est souvent moins visible chez les poissons plus trapus, dont la vitesse maximale est plus lente que celle des précédents ;
- les poissons de type anguilliforme avancent par ondulation de tout le corps (dans le plan horizontal) ;
- les poissons n'appartenant pas aux trois groupes précédents nagent peu, sur de courtes distances, et assez lentement.

COMMENT L'AQUARIOPHILE EST-IL PERÇU PAR SES PENSIONNAIRES ?

Très souvent, il est tout d'abord détecté par les vibrations du sol provoquées par ses pas, transmises à l'eau de l'aquarium, et perçues par la ligne latérale des poissons. Ensuite, le poisson détecte une forme qui s'avance et, dans certains cas, la reconnaît lorsqu'elle arrive devant l'aquarium. Il arrive parfois que certaines espèces manifestent ainsi une activité à l'approche de la personne qui les nourrit habituellement, mais restent plus discrètes en présence d'hôtes inhabituels.

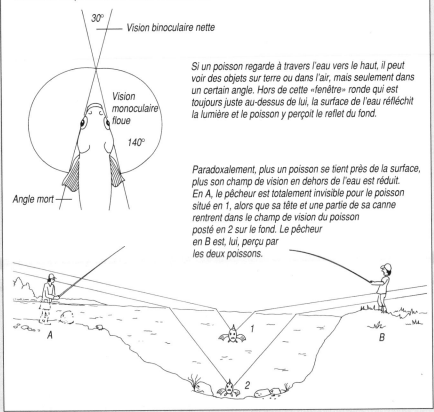

30° — Vision binoculaire nette

Vision monoculaire floue

140°

Angle mort

Si un poisson regarde à travers l'eau vers le haut, il peut voir des objets sur terre ou dans l'air, mais seulement dans un certain angle. Hors de cette «fenêtre» ronde qui est toujours juste au-dessus de lui, la surface de l'eau réfléchit la lumière et le poisson y perçoit le reflet du fond.

Paradoxalement, plus un poisson se tient près de la surface, plus son champ de vision en dehors de l'eau est réduit. En A, le pêcheur est totalement invisible pour le poisson situé en 1, alors que sa tête et une partie de sa canne rentrent dans le champ de vision du poisson posté en 2 sur le fond. Le pêcheur en B est, lui, perçu par les deux poissons.

A   1   B
2

Perception de l'environnement

Les poissons n'entendent pas, mais perçoivent les vibrations de l'environnement. Selon le milieu où ils vivent, leur vision est plus ou moins performante, mais ils possèdent tous un sens de l'odorat assez développé.

La vision

Chez les poissons vivant en eau claire (eaux courantes, dans les premières zones après les sources), la vision est très développée ; c'est le principal sens qui va leur permettre de détecter proies et prédateurs. Les espèces vivant en eau trouble (étangs, marécages, partie inférieure des cours d'eau charriant des matières en suspension) ont une vision moins performante, plus ou moins compensée par d'autres sens.

Le champ visuel des poissons est très important, tant dans le plan horizontal que dans le plan vertical. Horizontalement, la vision s'étend assez loin en arrière du corps, grâce à la position et à la mobilité des yeux. Dans le plan vertical, et à cause du changement de direction des rayons lumineux entre l'air et l'eau, les poissons pourront voir des objets ou des personnes sur une berge. Partiellement immergés, ils sortiront du champ de vision, mais seront détectés par d'autres sens.

On peut considérer que les poissons sont myopes, ils voient bien de près ; au-delà de 1 m, ils vont plutôt distinguer les déplacements d'objets relativement volumineux. Ils perçoivent bien les variations d'intensité lumineuse (même faibles) et pourraient, dans certains cas, distinguer les couleurs.

L'olfacto-gustation

Les deux fonctions d'odorat et de goût sont très liées et bien développées chez les poissons. On admet que la truite de nos rivières a une fonction gustative mille fois plus développée que la nôtre ; le saumon retrouve la rivière où il est né, pour se reproduire, en partie grâce à son odorat.

L'olfacto-gustation permet aux poissons de repérer les proies, de les goûter, de se diriger et de détecter des substances chimiques (par exemple des polluants).

La perception des vibrations

Dans l'eau, les sons sont transmis sous forme de vibrations perçues par la ligne latérale. Les poissons détectent ainsi les autres êtres vivants, la force des courants, les obstacles.

Les poissons aveugles cavernicoles *(Anopichthys jordani)* ne butent jamais sur un obstacle ou évitent la main de l'aquariophile dans l'eau grâce à cette ligne latérale.

Les vibrations peuvent également être perçues par l'oreille interne.

Le tétra aveugle (Anopichthys jordani) vit dans des eaux souterraines. Ses yeux ont progressivement disparu au cours de l'évolution, mais le développement de son odorat et de son sens tactile lui permet de se renseigner efficacement sur son milieu.

Les Poissons

Le toucher et la sensibilité à la douleur

Le toucher est peu développé chez les poissons ; ils sont plus sensibles à la pression et aux vibrations de l'eau. Néanmoins, certains organes peuvent jouer un rôle tactile : les barbillons, les nageoires pelviennes ou pectorales modifiées (elles sont alors allongées, parfois réduites à un filament), le ventre (pour les espèces vivant sur le fond).

Il semble que les terminaisons nerveuses sensibles à la douleur soient peu nombreuses chez les poissons, mais les connaissances dans ce domaine sont encore fragmentaires.

Respiration et circulation sanguine

Certains poissons sont très exigeants en oxygène, d'autres supportent de faibles quantités, mais la consommation varie en fonction de l'activité et de la prise de nourriture : elle augmente après les repas (n'oublions pas que l'oxygène est amené aux organes où il brûle les aliments dégradés dans le tube digestif ou dégage de l'énergie nécessaire à la croissance ou à la reproduction).

Un poisson agrandit sa cavité buccale pour aspirer l'eau, puis la contracte pour l'expulser vers les branchies, l'eau sort ensuite grâce aux mouvements des opercules. Malgré un rythme apparent, l'eau baigne toujours les branchies.

Des branchies, le sang riche en oxygène est distribué aux organes où il se charge en gaz carbonique. Il revient au cœur qui le pulse vers les branchies.

Un organe performant pour capter l'oxygène

L'eau est un milieu moins favorable que l'air pour la respiration : en effet, elle ne contient qu'environ 1 % d'oxygène (contre 21 % dans l'air). Les poissons (et d'autres animaux aquatiques) ont donc développé des organes spécialisés, les branchies.

Constituées de filaments réunis en lamelles, elles sont très richement irriguées et l'eau y circule à contre-courant du sang, ce qui permet à certaines espèces de capter jusqu'à 80 % de l'oxygène contenu dans l'eau.

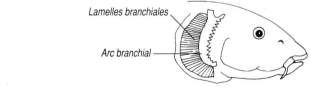

Lamelles branchiales

Arc branchial

Comment les poissons tirent leur oxygène de l'eau

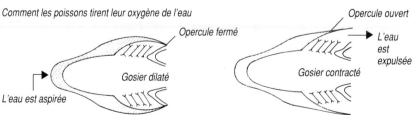

Opercule fermé

Opercule ouvert

L'eau est expulsée

Gosier dilaté

Gosier contracté

L'eau est aspirée

Ces dessins montrent l'appareil respiratoire du poisson et, en particulier (dessins du bas), la phase où il «aspire» l'eau et celle où il la «refoule».

LES BESOINS ALIMENTAIRES DES POISSONS

Ils sont assez proches de ceux des vertébrés supérieurs, mais en diffèrent cependant sur certains points.

	Besoins	Observations
Protéines	Élevés.	Jusqu'à 40 % de la ration pour certaines espèces.
Graisses	Peu importants.	Sont surtout utilisées pour les basses températures.
Sucres	Faibles.	-
Vitamines	A, C, D en faible quantité.	La carence en vitamine C n'est pas rare chez les poissons captifs (élevage, aquariophilie) et peut entraîner une déformation de la colonne vertébrale.
Éléments minéraux	Indispensables en faible quantité.	Besoins en calcium et phosphore moins importants que pour les vertébrés terrestres (squelette plus léger, proportionnellement au poids du corps).

Alimentation

L'alimentation des poissons varie suivant l'âge et la taille. Chez les adultes, on peut distinguer trois principaux régimes :
- les carnivores, qui se nourrissent de proies animales, vivantes ou sous forme de cadavres ;
- les herbivores, qui préfèrent les végétaux ;
- les omnivores, à régime varié : proies animales, végétaux, débris divers.

La distinction n'est pas toujours nette ; les poissons mangent souvent ce qu'ils trouvent, en général les organismes les plus abondants.

Les proies animales les plus courantes sont les insectes, les petits crustacés, les poissons de petite taille.

Les poissons utilisent tous leurs sens pour la recherche de la nourriture : vue, olfaction, vibrations reçues par la ligne latérale, barbillons.

Les alevins à peine éclos vivent pendant quelques jours grâce à leurs réserves (la vésicule vitelline), puis capturent de petits organismes, proportionnés à la taille de leur bouche. Au fur et à mesure de leur croissance, la taille des proies augmente, le régime se rapprochant de celui des adultes.

D'une manière générale, la ration diminue avec l'âge et varie suivant la température. En cas de jeûne, les poissons vivent sur leurs réserves un certain temps, maigrissent et, dans le pire des cas, meurent. Toutefois, en milieu naturel, il est rare qu'un poisson ne trouve jamais de nourriture, même aux périodes où la richesse du milieu est faible.

Les différents modes de reproduction chez les poissons

Les ovipares

La grande majorité des poissons.
- ponte d'ovules fécondés en pleine eau (ce n'est qu'après ce stade qu'on peut parler d'œufs).

Les ovovivipares

- quelques poissons d'aquarium, certaines espèces de requins ;
- fécondation interne ;
- pas de relation entre les embryons et la mère ;
- les jeunes naissent formés.

Les vivipares

- quelques rares espèces de poissons d'aquarium, quelques requins ;
- fécondation interne ;
- il y a une relation plus ou moins poussée entre la mère et les embryons ;
- les jeunes naissent formés.

Croissance

Elle varie beaucoup d'une espèce à l'autre, mais, contrairement aux mammifères, elle ne s'arrête pas : un poisson grandit toute sa vie et tend vers une taille limite. La croissance se ralentit avec l'âge, elle est donc plus rapide pour les jeunes.

La croissance varie également selon le sexe ; chez certaines espèces, le mâle est plus grand ou plus petit que la femelle, ce qui permet parfois de les distinguer l'un de l'autre.

D'autres facteurs augmentent ou ralentissent la croissance, notamment la température et la nutrition.

On manque parfois de données sur la longévité des poissons d'aquarium, mais on estime qu'elle est de l'ordre de quelques années, chiffre qui varie suivant les espèces. Certains aquariums publics possèdent des poissons marins depuis plus de 10 ans ; on admet en aquariophilie que la durée de vie des poissons peut atteindre des valeurs élevées si ceux-ci sont placés dans de bonnes conditions (espace, nutrition, pathologie, etc.).

Reproduction

Les poissons sont ovipares, la fécondation a lieu dans l'eau, mais il existe des exceptions notamment dans la famille des Pœciliidés.

Les sexes sont séparés (sauf de rares exceptions) et il est souvent difficile de reconnaître le mâle de la femelle en dehors de la période de reproduction. Pendant cette dernière, c'est souvent plus aisé, le ventre de la femelle devenant plus rebondi qu'en temps normal. De plus, la reproduction s'accompagne de modifications de couleur et de comportement, facilitant cette distinction (avec un peu d'habitude, on peut ensuite reconnaître les sexes en dehors de la reproduction, après avoir noté quelques détails particuliers).

Il existe une grande diversité suivant les familles de poissons : certains pondent sur le sol, d'autres sur un support, et certains parents protègent œufs et alevins dans leur bouche ! Le nombre d'œufs varie de quelques dizaines à quelques centaines, et leur taille est peu importante (de l'ordre du millimètre). La nature fait bien les choses, puisque, lorsque les œufs sont protégés, ils sont pondus en petite quantité ; par contre, certaines espèces en produisent un plus grand nombre pour compenser d'éventuelles pertes (dispersion par les courants marins, prédation, etc.). Le nombre d'œufs est souvent proportionnel à la taille des femelles ; il semble cependant exister une limite.

Une fois pondus, les œufs incubent pendant une durée variable, puis éclosent et les alevins sortent. Ils possèdent une vésicule vitelline, remplie de réserves, qui leur permet de subsister quelques jours (parfois moins), le temps qu'ils capturent les minuscules proies planctoniques dont ils se nourrissent. En général peu mobiles pendant cette période, ils sont la proie de poissons adultes (parfois leurs propres parents). Leur croissance est rapide, et ils adoptent peu après des comportements identiques à ceux des adultes.

Adaptation au milieu

Les poissons doivent survivre dans un milieu parfois hostile et ont développé des mécanismes d'adaptation (toutefois limités dans certains cas).

Nous avons déjà évoqué les formes (adaptation à la nage), les branchies (adaptation respiratoire), les organes des sens (perception du milieu aquatique), mais il en existe beaucoup d'autres.

L'adaptation à la température

Dans le cas de la température, ils ne peuvent vivre que dans une certaine marge, des valeurs extrêmes étant dangereuses (apparition de maladies), ou mortelles ; en effet, il ne faut pas oublier que ces animaux ne régulent pas leur température interne comme les mammifères, mais subissent celle du milieu.

L'OSMORÉGULATION

Les liquides internes d'un poisson possèdent une concentration différente en sels par rapport au milieu extérieur. Les sels vont diffuser pour tenter d'équilibrer (phénomène d'osmose), mais les poissons maintiennent leur taux de sel à une concentration quasi constante : c'est l'osmorégulation.

Cas des poissons d'eau douce :
Milieu intérieur plus concentré en sels
que le milieu extérieur

Cas des poissons marins :
Milieu intérieur moins concentré en sels
que le milieu extérieur

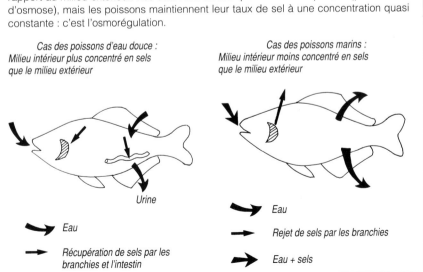

Urine

➥ *Eau*

➡ *Récupération de sels par les branchies et l'intestin*

➥ *Eau*

➡ *Rejet de sels par les branchies*

➡ *Eau + sels*

LE CAMOUFLAGE

Les poissons ont développé plusieurs méthodes pour passer inaperçus aux yeux de leurs proies ou de leurs prédateurs :

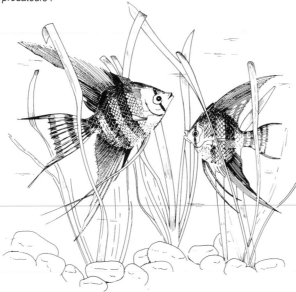

Les bandes verticales noires du scalaire ▲ (Pterophyllum scalare) l'aident à se dissimuler parmi les végétaux à feuilles rubanées, parmi les branches et les racines, dans lesquels le poisson se sent en sécurité.

◀ Les poissons plats (sur cette photo, une plie de nos côtes) sont passés maîtres dans l'art du camouflage : ils s'enfouissent presque entièrement dans le sédiment, ne laissant dépasser que leurs yeux, pour chasser à l'affût.

▶

Les rascasses des zones tempérées et tropicales nagent mal et vivent sur le fond. Elles s'intègrent parfaitement dans l'environnement et restent immobiles jusqu'à ce qu'une proie s'aventure à leur portée : elles la happent alors rapidement.

L'adaptation à la salinité

Inutile d'essayer d'élever un poisson rouge en eau de mer ou un poisson corallien en eau douce !

Les liquides dans le corps des poissons sont légèrement salés (un peu comme notre sang ou nos larmes). Les poissons marins vont avoir tendance à perdre de l'eau et à en absorber continuellement, et avec elle des sels qu'ils rejettent par les branchies pour garder constante la composition de leur milieu intérieur. A l'inverse, les poissons d'eau douce doivent absorber beaucoup d'eau (toujours pour garder la même quantité de sels dans leur corps), les sels étant récupérés par la voie intestinale ou par les branchies. Un poisson d'eau douce ne peut donc pas vivre en eau de mer, et inversement. Certains poissons d'eau douce peuvent néanmoins supporter des eaux légèrement salées, quelques espèces y vivent même pratiquement en permanence (cas des estuaires et des embouchures) ; quelques poissons marins résistent à des variations de salinité parfois importantes.

Voir sans être vu...

... pour manger sans être mangé ! Pour cela, les poissons essaient parfois de se confondre avec le milieu grâce à des formes adaptées (c'est le mimétisme), en prenant des couleurs voisines de celles de l'environnement (c'est l'homochromie), parfois même en devenant presque totalement transparents ! Vous rencontrerez tous ces cas de figure au long de cet ouvrage.

Bancs, groupes

Si certains poissons vivent isolés au point de ne pas supporter un congénère, d'autres espèces se groupent (on parle alors de comportement grégaire) ou forment des bancs plus ou moins importants.

Ces bancs sont très souvent composés d'individus de même espèce et de même taille (donc souvent du même âge).

LES COMPORTEMENTS GRÉGAIRES

Ces bancs permettent une certaine protection vis-à-vis des ennemis, désorientés quand ils croient avoir affaire à un seul individu, et qui voient une masse se disperser devant eux. Dans certains cas, les groupes ou les bancs augmentent les chances de réussite lors de la reproduction. La cohésion d'un ensemble de poissons est réalisée grâce à la perception de divers «signaux», très souvent imperceptibles pour l'œil humain.

Les poissons solitaires sont parfois territoriaux et empêchent l'approche d'individus de la même espèce ou d'une autre espèce, en permanence ou temporairement (notamment pendant la reproduction).

Le danio rerio vit habituellement en bancs dans son milieu d'origine, le Sud-Est asiatique.
En aquarium, il est préférable de le garder en groupe d'au moins une dizaine d'individus.

Les principaux groupes de poissons d'aquarium

Si la classification des poissons s'impose
comme évidente pour les scientifiques,
il n'en est pas de même pour les aquariophiles.
Par souci de simplification, nous avons regroupé
certaines familles sans vraiment respecter
la classification exacte.
Celle-ci est fondée sur des critères anatomiques :
nombre et forme des nageoires, position
des dents, présence ou absence de certains
organes (barbillons), etc.
Les poissons d'un même groupe possèdent donc
des caractéristiques anatomiques proches
(avec bien sûr des exceptions) et, très souvent,
des comportements biologiques et écologiques
fort comparables.
Nous traiterons successivement les principaux
groupes de poissons d'eau continentale et d'eau
de mer, en présentant leurs caractéristiques
générales, sans entrer toutefois
dans les particularités de chaque espèce.

LES POISSONS D'EAU CONTINENTALE

Parmi les centaines d'espèces tropicales pouvant se rencontrer en aquarium, quelques dizaines sont très connues et très courantes. Elles appartiennent à des familles dont les principales sont :
- les Cyprinidés, grande famille largement répandue, à laquelle appartient le célèbre poisson rouge ;
- les Cobitidés, poissons de fond ;
- les Characidés, petits poissons souvent très colorés, en majorité originaires d'Amérique du Sud ;
- les Cichlidés, qui possèdent un certain «caractère» ;
- les cyprinodontidés ovipares, dont les œufs de quelques espèces se conservent hors de l'eau (mais en milieu humide) ;
- les Cyprinodontidés vivipares, dont les alevins naissent déjà éclos ;
- les Anabantidés, protégeant leurs œufs dans un nid de bulles ;
- les poissons-chats, à l'allure particulière.

LES CYPRINIDÉS

Cette famille, qui représente le plus grand groupe des poissons d'eau douce (plus de 20 000 espèces), est largement répandue dans le monde.

Les plus petites espèces se rencontrent en aquariophilie, et les plus grandes (certaines mesurent plus de 1 m) constituent souvent des ressources alimentaires (pêche et élevage) dans certaines régions du globe. Quelques espèces bien connues des pêcheurs de nos régions appartiennent à ce groupe : carpe, gardon, tanche.

Répartition géographique : assez large ; Europe, Asie, Amérique du Nord.

Caractéristiques générales : forme allongée ou trapue, comprimée latéralement. Les écailles sont généralement grandes et bien visibles. La nageoire dorsale unique est plutôt courte, sans rayons épineux. Un certain nombre d'espèces possèdent des barbillons en nombre pair. Pas de dents sur les mâchoires, mais présence de pièces broyeuses dans le pharynx.

Habitat : cours d'eau peu profonds, plus ou moins rapides, généralement pourvus d'une végétation abondante.

Biologie-écologie : les Cyprinidés se rencontrent très souvent en banc. Omnivores, ils se nourrissent de proies vivantes et de végétaux. Les œufs, libres ou adhésifs selon les espèces, sont souvent appréciés comme nourriture par les parents.

Principaux genres : les barbus sont des poissons actifs, aux œufs adhésifs, assez faciles à reproduire. Les danios sont parmi les plus courants et les plus populaires des poissons d'aquarium ; leurs œufs sont libres ! Ils sont recommandés aux débutants pour leur résistance. Les rasboras sont parfois plus délicats à reproduire. Toutes ces espèces sont résistantes en aquarium et d'un prix modique ; quelques autres sont également très connues et courantes : les labeos, le *Tanichthys*.

Répartition géographique des Cyprinidés
Les Cyprinidés sont largement répartis sur le globe, principalement en Europe, en Asie et en Afrique. Les plus courants en aquariophilie (barbus, danios, rasboras) sont originaires du Sud-Est asiatique.

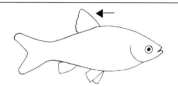

Les Cyprinidés sont caractérisés par une nageoire dorsale unique, courte, sans rayons épineux, et par des écailles bien visibles.

Les Cobitidés

Ce sont des poissons assez proches des Cyprinidés, mais qui vivent près ou sur le fond.

Répartition géographique : assez vaste ; Europe, Asie, Afrique du Nord.

Caractéristiques générales : forme plutôt allongée, partie inférieure du corps assez rectiligne, présence de plusieurs barbillons.

Habitat : eaux calmes ou stagnantes, parfois turbides et pauvres en oxygène.

Biologie-écologie : poissons de fond, souvent timides et peu visibles. Ils se nourrissent en fouillant le sol avec leurs barbillons pour y trouver de petites proies, mais acceptent les nourritures artificielles. La reproduction est délicate.

Principales espèces : le kuhli, très apprécié pour son allure serpentiforme, demeure très discret. Les botias sont agréablement colorées, également discrètes ; les plus grands individus de l'espèce la plus courante, le botia-clown, sont parfois remuants.

Les Characidés

Après les Cyprinidés, ils constituent une des plus grandes familles de poissons d'eau douce. Souvent de petite taille et peuplant des régions parfois peu accessibles (l'Amazonie, par exemple), certaines espèces restées longtemps inconnues sont régulièrement découvertes.

Répartition géographique : la plupart des Characidés se rencontrent sur le continent américain, notamment dans la région amazonienne ; quelques genres sont localisés en Afrique.

Caractéristiques générales : les nageoires ne possèdent pas de rayons épineux ; les Characidés disposent d'une nageoire supplémentaire par rapport aux autres poissons, située en arrière de la dorsale : la nageoire adipeuse, sans rayons.

Habitat : petits cours d'eau et mares, souvent densément plantés et ombragés ; eau douce et acide, parfois colorée par des substances humiques (eau brune).

Biologie-écologie : les Characidés vivent en banc. Ce sont des omnivores à prédo-

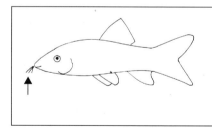

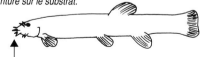

Proches des Cyprinidés, les Cobitidés sont des poissons de fond, de forme plutôt allongée, possédant des barbillons qui leur servent à détecter leur nourriture sur le substrat.

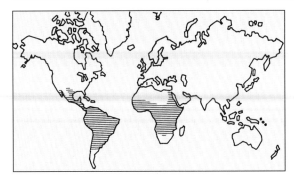

Répartition géographique des Characidés
Les espèces les plus prisées, certaines étant vivement colorées, sont originaires du bassin amazonien, région où l'on découvre régulièrement de nouveaux poissons.

minance carnivore : ils se nourrissent de larves, d'insectes, de petits alevins et acceptent les nourritures artificielles. Selon les espèces, la reproduction est plus ou moins aisée, et les sexes sont difficiles à distinguer. La ponte se fait généralement sans lumière vive, les œufs semi-adhésifs étant susceptibles d'être utilisés comme nourriture par les parents.

Principaux genres : parmi les *Hemigrammus* et les *Hyphessobrycon*, il existe des espèces très colorées produisant un bel effet en aquarium lorsqu'elles évoluent en groupe ou en petit banc. Ces poissons sont courants en aquariophilie, ainsi que quelques espèces apparentées (poisson-hachette, poisson-crayon).

*Les Characidés sont caractérisés par une nageoire sans rayons (nageoire adipeuse) située entre la dorsale et la caudale.
La bouche, de petite taille, est garnie de dents.*

LES CICHLIDÉS

C'est un groupe de poissons assez proche de la perche de nos régions sur le plan anatomique. Ils sont très appréciés de certains amateurs qui considèrent qu'ils ont du «caractère» ou une certaine «personnalité», même si quelques-uns jouent parfois au bulldozer dans les aquariums !

Répartition géographique : Amérique et Afrique, quelques espèces en Inde.

Caractéristiques générales : taille atteignant, voire dépassant, la dizaine de centimètres (excepté pour quelques espèces qualifiées de Cichlidés nains). Les nageoires anale et dorsale sont souvent longues et pointues ; la dorsale est divisée en deux parties, la plus en avant étant soutenue par des rayons épineux.

Habitat : eaux plutôt calmes, pourvues de cachettes (roches, racines, bois, excavations, bouquets de plantes).

Biologie-écologie : ces poissons sont très vivaces, parfois agressifs entre eux ou envers d'autres espèces. Certains n'hésitent pas à «remodeler» le décor de l'aquarium, notamment au moment de la reproduction. Carnivores et voraces, ils apprécient les proies vivantes ou les nourritures fraîches, mais acceptent également les aliments artificiels. La reproduction varie suivant les genres : œufs déposés sous ou sur des roches, ou incubation buccale. Les œufs et les jeunes sont protégés par les parents.

Principaux genres et espèces :
On distingue :
- les Cichlidés américains, pondeurs sur substrat. Parmi eux, le scalaire est très courant, mais sa reproduction n'est pas aisée ; le discus, plus rare et plus cher, est considéré comme l'un des plus beaux et des plus délicats parmi les poissons d'aquarium d'eau continentale ;
- les Cichlidés africains, que l'on rencontre dans les grands lacs de l'est de ce continent, en eau dure et basique. Ce sont les plus remuants et les plus agressifs, mais très appréciés d'un certain nombre

Répartition géographique des Cichlidés
On distingue deux groupes principaux suivant l'origine : les Cichlidés américains et les Cichlidés africains.

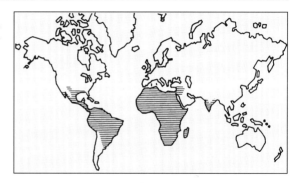

d'amateurs réunis en clubs ou en associations. Destinés à un aquarium spécifique ou régional, ils ne sont pas vraiment conseillés aux débutants.

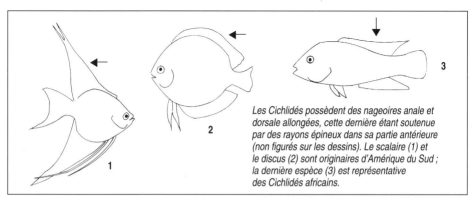

Les Cichlidés possèdent des nageoires anale et dorsale allongées, cette dernière étant soutenue par des rayons épineux dans sa partie antérieure (non figurés sur les dessins). Le scalaire (1) et le discus (2) sont originaires d'Amérique du Sud ; la dernière espèce (3) est représentative des Cichlidés africains.

LES CYPRINODONTIDÉS
OVIPARES

Ce sont des espèces vivement colorées, dont la reproduction particulière intéresse beaucoup d'amateurs.

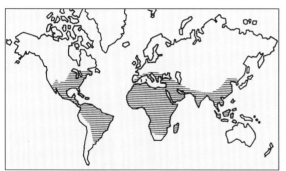

Répartition géographique : Afrique (genres *Aphyosemion* et *Roloffia*), Amérique (genres *Fundulus* et *Rivulus*).

Caractéristiques générales : poissons de petite taille, à tête aplatie. Nageoires souvent développées, coloration vive et variée.

Habitat : mares et cours d'eau avec plantes, pas trop ensoleillés. Les caractéristiques du milieu varient au cours de l'année : eau douce et acide, subissant l'influence des fortes pluies, ou grande sécheresse en période chaude, température de 21 à 28 °C.

Répartition géographique des Cyprinodontidés ovipares
La plupart des espèces d'aquarium sont originaires de l'Amérique du Sud et de l'Afrique. Elles ne sont pas toujours courantes dans le commerce.

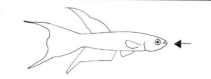

Les Cyprinodontidés ovipares (ici un mâle d'Aphyosemion) sont caractérisés par une tête aplatie, une bouche en position supérieure, des nageoires dorsale, anale et caudale développées, des couleurs vives (surtout chez les mâles).

Biologie-écologie : en général agressifs entre eux, ils peuvent également sauter hors de l'eau. Leur nourriture est en général composée de petites proies vivantes. Certaines espèces sont dites annuelles (durée de vie : 1 an), elles ne peuvent subsister en période d'assèchement des eaux. Pour perpétuer l'espèce, les œufs à l'abri dans la vase éclosent aux premières pluies. Cela rend la reproduction en aquarium assez facile, car les œufs se transportent en milieu humide. Les sexes sont facilement identifiables.

Principales espèces : il en existe un assez grand nombre, parfois délicates à distinguer, mais qui ne sont pas courantes dans le commerce ; les amateurs s'échangent les œufs par voie postale ! L'espèce la plus connue est le cap-lopez *(Aphyosemion australe)*, très joliment coloré.

LES CYPRINODONTIDÉS VIVIPARES (OU PŒCILIIDÉS)

C'est un groupe de poissons très populaires et très intéressants, car les petits naissent vivants. Comme ils sont élevés depuis de nombreuses années, on trouve actuellement dans le commerce des souches sélectionnées très colorées, assez différentes des poissons sauvages.

Répartition géographique : Amérique du Nord, centrale et du Sud. Une espèce, la gambusie, a été importée dans les pays bordant la Méditerranée pour participer à la «démoustication» ; elle se nourrit en effet de larves de moustiques. En France, elle est présente dans le sud du pays.

Les formes rencontrées en aquariophilie ont été modifiées par sélection : colorations variables et vives, nageoires allongées. La principale caractéristique de ces poissons est la modification de la nageoire anale du mâle en un organe reproducteur (ici, un mâle de guppy, Poecilia reticulata).

Caractéristiques générales : ce sont des poissons généralement petits, qui sont plus vivement colorés que les espèces sauvages. Les formes commercialisées sont issues d'élevages, où la sélection produit des individus répondant à différents critères (forme et longueur des nageoires, coloration).

Habitat : zones calmes bien plantées, eau basique et dure, parfois légèrement saumâtre pour certaines espèces.

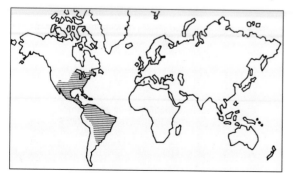

Répartition géographique des Cyprinodontidés vivipares
Les formes sauvages des poissons vivipares d'aquarium, ainsi que d'autres espèces rarement importées, sont originaires du continent américain.

Biologie-écologie : ce sont des poissons assez paisibles (sauf exception), vivant en groupe. Ils ont un régime alimentaire omnivore et «broutent» parfois les plantes les plus fines. La différenciation des sexes est facile : les mâles voient leur nageoire anale transformée en organe reproducteur. La fécondation est en effet interne : les œufs se développent dans la mère, les petits naissent vivants. Chez quelques espèces, les femelles peuvent se transformer en mâles.

Principaux genres et espèces : les guppys, les xiphos, les platys, les mollies sont très connus et appréciés pour leurs coloris et leur reproduction aisée. Les amateurs sélectionnent leurs propres souches et réalisent des croisements entre différentes espèces (hybridation). Il existe quelques espèces de poissons vivipares appartenant à d'autres familles.

LES ANABANTIDÉS
(OU LABYRINTHIDÉS)

Les poissons de cette famille possèdent un organe original, le labyrinthe (d'où leur nom), qui leur permet d'utiliser l'oxygène de l'atmosphère, capté en surface. Complémentaire des branchies, cet organe leur permet de résister dans des eaux où l'oxygène dissous est rare.

Répartition géographique : Afrique, Asie.

Caractéristiques générales : poissons de taille moyenne, atteignant 10-12 cm, à nageoires dorsale et anale allongées. Les pectorales sont transformées en filaments chez de nombreuses espèces.

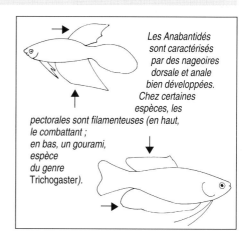

Les Anabantidés sont caractérisés par des nageoires dorsale et anale bien développées. Chez certaines espèces, les pectorales sont filamenteuses (en haut, le combattant ; en bas, un gourami, espèce du genre Trichogaster).

Habitat : eaux turbides et troubles, parfois peu oxygénées (mares, ruisseaux lents, rizières, petits canaux d'irrigation). Ils ne sont pas particulièrement exigeants vis-à-vis de la qualité de l'eau.

Biologie-écologie : ce sont des espèces calmes, à régime omnivore. La reproduction est particulière : chez la plupart des espèces, le mâle construit un nid de bulles sous la surface de l'eau, au sein duquel il déposera les œufs pondus par la femelle. Il surveille le nid et les œufs, mais peut parfois dévorer les alevins.

Principaux genres et espèces : le plus populaire des Anabantidés est le combattant, qui doit son nom à son attitude : les mâles se supportent rarement et peuvent attaquer les femelles après la ponte. Les gouramis et les colisas sont plus sociables.

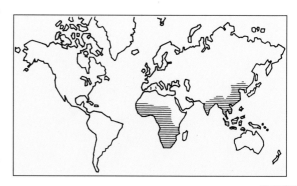

Répartition géographique des Anabantidés
Les espèces les plus courantes en aquarium sont originaires du Sud-Est asiatique.

LES POISSONS-CHATS

Sous ce nom sont regroupées des familles qui ont une allure générale semblable, notamment due à la présence de barbillons. Ce sont des poissons primitifs (du point de vue de leur évolution) et résistants. Parmi eux, on rencontre des espèces de grande taille (dont le fameux silure, connu des pêcheurs et qui peuple les eaux d'Europe centrale et de l'est de la France).

Répartition géographique : Amérique, Afrique, Europe et Asie.

Caractéristiques générales : ils ont souvent une nageoire adipeuse comme les Characidés, mais s'en distinguent par la présence de barbillons. Certaines espèces possèdent des piquants sur les nageoires.

Habitat : eaux calmes, parfois turbides et pauvres en oxygène.

Biologie-écologie : ils vivent sur le fond et sont assez paisibles (même si les plus grandes espèces «dérangent» parfois le décor

LES AUTRES FAMILLES

Il serait fastidieux de toutes les décrire, certaines ne comprenant que quelques espèces rencontrées en aquarium, parfois même une seule. Certains de ces poissons sont parfois intéressants (nous attirerons alors l'attention du lecteur au fil des chapitres), que ce soit pour leur comportement, leur forme ou leur coloration.

de l'aquarium). Omnivores, ils se nourrissent de proies et de débris divers qu'ils trouvent sur le substrat, et peuvent être considérés comme éboueurs ou nettoyeurs. Les sexes sont difficiles à distinguer, et la reproduction se révèle délicate.

Principaux genres : les petites espèces de la famille des Callichthyidés, les corydoras, sont très appréciées ; elles cohabitent logiquement avec les Characidés, car ils fréquentent les mêmes régions. Ces poissons ont la particularité de posséder des plaques osseuses sur la tête. Il existe d'autres espèces de poissons-chats, certains pouvant revêtir des formes assez originales.

Il existe de nombreuses espèces de poissons-chats dans le monde, mais toutes ne conviennent pas en aquariophilie (espèces d'eau tempérée, espèces de grande taille).

Les poissons-chats (ici un corydoras, de la famille des Callichthyidés) possèdent une nageoire adipeuse, des plaques osseuses sur la tête ainsi que des barbillons.

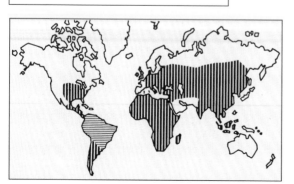

Répartition géographique des Callichthyidés

Répartition géographique des espèces regroupées sous le nom de poissons-chats

LES POISSONS MARINS

Les poissons marins que l'on rencontre en aquariophilie proviennent en général de l'océan Indien et de l'océan Pacifique (on parle souvent de la zone indo-pacifique), quelques espèces sont originaires de l'océan Atlantique tropical et d'Australie. Ce sont très souvent des poissons des récifs coralliens, habitués à une eau d'une certaine qualité (transparence, température, salinité), qu'il faudra donc reconstituer en aquarium. Ils sont très appréciés pour leurs couleurs éclatantes, souvent plus diversifiées que celles des poissons d'eau continentale ; ils sont moins nombreux que ces derniers dans le commerce aquariophile et coûtent plus cher. Les poissons marins les plus courants sont regroupés dans une vingtaine de familles, dont certaines ne comportent que quelques espèces.

LES ACANTHURIDÉS
(CHIRURGIENS)

Les chirurgiens doivent leur nom à l'épine érectile en forme de scalpel qu'ils portent de chaque côté de la queue. Dressée, cette épine se révèle une arme efficace contre un éventuel attaquant, mais aussi contre un aquariophile bienveillant : il est impératif d'utiliser une épuisette !

Répartition géographique : zone indo-pacifique.

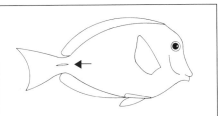

L'épine sur le pédoncule caudal (symbolisée sur ce dessin) a valu aux Acanthuridés le surnom de chirurgiens.

Caractéristiques générales : corps élevé dans sa partie antérieure et très comprimé latéralement. Pédoncule caudal bien différencié portant une épine érectile de chaque côté, qui peut se dresser perpendiculairement au corps.

Habitat : récifs coralliens, zones rocheuses recouvertes d'algues, eau en général agitée.

Biologie-écologie : ce sont des poissons nageurs, aimant les grands espaces. Ils ont un comportement intra et interspécifique agressif. Leur nourriture se compose d'éléments de petite taille : végétaux, crustacés.

Principaux genres : *Acanthurus, Zebrasoma, Naso.* Ce sont des poissons plutôt délicats, pas forcément faciles à acclimater, peu recommandés aux débutants.

LA PROVENANCE DES POISSONS MARINS

Contrairement aux poissons d'eau continentale (très souvent élevés dans des entreprises spécialisées, ce qui limite les prélèvements en milieu naturel), les poissons marins proviennent quasi exclusivement de récoltes dans leur milieu d'origine, parfois dans des conditions douteuses (emploi de poisons ou d'explosifs). Pour un poisson arrivant dans nos bacs, combien sont tués lors de la capture, pendant le transport et au cours de la chaîne de distribution ?
Il y a là un délicat problème, difficile à résoudre, dont les solutions dépendent à la fois des récoltants (bonnes conditions de capture), des importateurs et distributeurs (acclimatation dans les meilleures conditions), mais aussi des amateurs (tentatives de reproduction, contacts avec des scientifiques).

LES SIGANIDÉS

Assez proches des précédents, les Siganidés ont une bouche particulière et se nourrissent d'algues vertes. Les rayons épineux de la dorsale sont venimeux, ils peuvent piquer sans conséquences graves. L'espèce la plus courante en aquariophilie, *Lo vulpinus* (poisson à tête de renard), est facile à acclimater, en solitaire ou en petit groupe.

LES CHÉTODONTIDÉS
(POISSONS-PAPILLONS)

Ce sont des poissons très appréciés pour leurs couleurs vives, très intéressants en aquarium. Ils sont parfois délicats à acclimater, en raison de leur régime alimentaire particulier.

Répartition géographique : zone indo-pacifique, mer Rouge ; largement répandus.

Caractéristiques générales : corps élevé et très aplati latéralement, coloration très vive (parfois différente entre le jeune et l'adulte).

Habitat : récifs coralliens, milieux rocheux, parfois en lagon.

Biologie-écologie : leur corps comprimé facilite leur passage entre les blocs de coraux où on les rencontre en banc ou en solitaire, suivant les espèces. Ils préfèrent la nourriture fraîche ou vivante (algues et

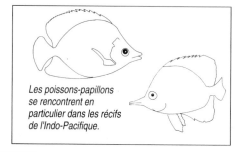

Les poissons-papillons se rencontrent en particulier dans les récifs de l'Indo-Pacifique.

micro-organismes) ; quelques-uns acceptent les nourritures du commerce.

Principaux genres : *Chaetodon, Chelmon, Forcipiger, Heniochus.* Actifs, les poissons-papillons ont besoin d'un grand volume et de cachettes. En général sociables avec leurs congénères et avec d'autres espèces, mais pas avec certains invertébrés. Quelques espèces sont délicates à acclimater.

LES POMACANTHIDÉS
(POISSONS-ANGES)

Proches des poissons-papillons, les poissons-anges sont également très appréciés pour leur coloration, d'autant plus que celle des jeunes et celle des adultes sont différentes. Cela a d'ailleurs parfois conduit à des erreurs de détermination, car on considérait que jeune et adulte n'appartenaient pas à la même espèce.

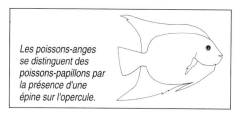

Les poissons-anges se distinguent des poissons-papillons par la présence d'une épine sur l'opercule.

Répartition géographique : zone indo-pacifique, mer Rouge.

Caractéristiques générales : assez semblables à celles des poissons-papillons, mais corps plus trapu et présence d'une épine sur l'opercule.

Habitat : récifs coralliens et milieux rocheux.

Biologie-écologie : ce sont des poissons territoriaux et solitaires, qui sont agressifs avec leurs congénères mais s'entendent assez bien avec d'autres espèces. La plupart du temps, ils acceptent des nourritures fraîches ou congelées, ainsi que les paillettes du commerce.

Principaux' genres : Pomacanthus, Centropyge, Euxiphipops. Ils ne doivent pas être conservés entre eux, mais cohabitent avec des espèces plus petites. Ils ont besoin d'un grand volume et de repères pour délimiter leur territoire.

LES ZANCLIDÉS

Le porte-enseigne *(Zanclus canescens)* est délicat à conserver en raison de son alimentation : de petites proies adaptées à sa bouche, de forme assez particulière. C'est un poisson au corps développé en hauteur (nageoire dorsale prolongée en filament) et qui a besoin de calme et d'espace.

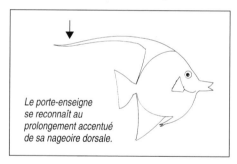

Le porte-enseigne se reconnaît au prolongement accentué de sa nageoire dorsale.

LES BALISTIDÉS (BALISTES)

Ils sont courants en aquarium, car faciles à conserver. Leurs dents sont robustes (attention aux mains dans l'aquarium !) ; le premier rayon de la nageoire dorsale peut se bloquer en position dressée.

Répartition géographique : zone indo-pacifique et mer Rouge ; Atlantique tropical pour le *Balistes vetula.*

Caractéristiques générales : corps plus ou moins losangique, bouche avec des dents formant un bec, capables de briser du corail, des carapaces de crustacés ou des coquilles de mollusques.

Habitat : récifs coralliens, parfois lagunes, en eau généralement peu profonde.

Biologie-écologie : actifs, ces poissons n'hésitent pas à creuser le sol et à déplacer les éléments du décor. Vivant en solitaire, ils sont territoriaux et parfois agressifs.

Principaux genres : Balistes, Balistoides, Odonus. Les balistes ne sont pas difficiles à conserver en aquarium et acceptent bien la plupart des aliments.

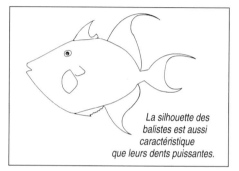

La silhouette des balistes est aussi caractéristique que leurs dents puissantes.

LES OSTRACIONIDÉS
(POISSONS-COFFRES)

Leur forme et leur nage malhabile les rendent attrayants pour l'amateur, mais pas forcément pour d'éventuels congénères : leur peau peut en effet sécréter une substance toxique.

Répartition géographique : zone indo-pacifique, mer Rouge.

Caractéristiques générales : corps plus ou moins anguleux, petites nageoires ; plaques osseuses rigides sous la peau.

Habitat : récifs coralliens, lagunes.

Biologie-écologie : mauvais nageurs, les poissons-coffres se révèlent néanmoins actifs. Dotés d'une petite bouche, ils ne peuvent capturer que des proies de taille réduite.

Principaux genres : Ostracion, Lactoria. Ces poissons, faciles à alimenter avec de la nourriture fraîche ou congelée, deviennent rapidement familiers.

LES TÉTRAODONTIDÉS (POISSONS-BALLONS)

Les poissons-ballons ont la propriété de se gonfler d'eau, ce qui constitue un moyen de défense assez particulier. Ils sont faciles à maintenir en aquarium et acceptent des aliments frais ou congelés (d'origine animale et végétale). Quelques espèces appartenant au genre *Arothron* sont disponibles sur le marché.

LES DIODONTIDÉS (POISSONS-HÉRISSONS)

Assez proches des précédents, ils se gonflent également pour se défendre ; de plus, leur peau est couverte d'épines. On les rencontre, hélas ! plus souvent gonflés et secs, vendus comme souvenirs, que dans nos aquariums. Le poisson-hérisson tacheté *(Diodon hystrix)* est assez courant dans toutes les mers chaudes du globe, et se rencontre parfois en Méditerranée.

LES LABRIDÉS (LABRES)

Cette famille regroupe plusieurs centaines d'espèces, dont quelques-unes fréquentent nos côtes atlantiques et méditerranéennes. Néanmoins, la plupart des espèces proviennent des eaux tropicales.

Répartition géographique : assez large. Les espèces commercialisées proviennent de la zone indo-pacifique et de la mer Rouge.

Caractéristiques générales : corps allongé, bouche dotée de lèvres épaisses et s'étirant en avant.

Habitat : récifs coralliens, lagunes, zones où se développent des algues.

Biologie-écologie : jeunes, ils vivent en groupe ; adultes, ils sont plus solitaires.

Les Labridés sont très appréciés pour leurs couleurs et pour leur incessante activité.

Toujours actifs, ils chassent pour se nourrir de petites proies vivantes. Certaines espèces se dissimulent dans le sable.

Principaux genres : Coris, Thalassoma. Ce sont des poissons faciles à garder en captivité. Mentionnons particulièrement le poisson-nettoyeur *(Labroides dimidiatus),* qui débarrasse certains poissons de leurs parasites externes.

LES POMACENTRIDÉS (POISSONS-CLOWNS ET DEMOISELLES)

Cette famille comprend (entre autres) les populaires poissons-clowns et les demoiselles. La reproduction des premiers est actuellement assez bien maîtrisée pour que l'on trouve sur le marché des juvéniles issus d'élevages.

Répartition géographique : zone indo-pacifique, mer Rouge. La demoiselle bleue se rencontre également aux Philippines et en Australie.

Caractéristiques générales : poissons de taille réduite, aux couleurs vives.

Habitat : récifs coralliens, lagunes.

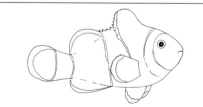

Les poissons-clowns et leurs anémones sont sûrement les animaux marins tropicaux les plus célèbres en aquariophilie.

Biologie-écologie : les poissons-clowns entretiennent avec les anémones de mer des rapports très étroits (on parle de symbiose). Ils forment des couples fidèles qui se reproduisent au pied d'une anémone. Les demoiselles vivent en solitaire ou en groupe, se réfugiant dans les coraux ou les roches lorsqu'elles sont effrayées.

Principaux genres : Chromis, Pomacentrus, Glyphidodontops, Dascyllus (demoiselles), Amphiprion (poissons-clowns). Les poissons-clowns doivent être conservés avec des anémones et peuvent se reproduire en aquarium. Les Pomacentridés sont conseillés aux débutants en aquariophilie marine.

LES SCORPÉNIDÉS
(RASCASSES, POISSONS-LIONS OU POISSONS-SCORPIONS)

Élégantes et superbes, les rascasses sont néanmoins dangereuses. Les rayons des nageoires, piquants, sont reliés à des glandes à venin. En cas de piqûre, il est impératif de consulter immédiatement un médecin.

Répartition géographique : zone indo-pacifique et mer Rouge.

L'allure majestueuse des rascasses ne doit pas faire oublier le danger qu'elles représentent en cas de piqûre.

Caractéristiques générales : nageoires très développées, à longs rayons ; appendices sur les mâchoires.

Habitat : récifs coralliens, rochers.

Biologie-écologie : ce sont des poissons solitaires, souvent dissimulés, qui ne s'éloignent guère de leur territoire. Très voraces, ils se nourrissent de petits crustacés et de petits poissons.

Principaux genres : c'est surtout le genre Pterois que l'on rencontre en aquarium. Les rascasses sont des poissons sociables, pouvant cohabiter entre elles ou avec d'autres espèces.

LES ÉPHIPPIDÉS (OU PLATACIDÉS, POISSONS-CHAUVES-SOURIS)

Ils ont un corps mince et élevé, aux nageoires dorsale et anale très allongées. Le poi-chauve-souris rouge (Platax pinnatus) est facile à conserver en aquarium.

LES SERRANIDÉS

Cette famille regroupe, entre autres espèces, les mérous. Seuls les plus petits (genre Chromileptes, Cephalopholis) peuvent être gardés en aquarium ; ils sont assez voraces.

LES SYNGNATHIDÉS

Les représentants de cette famille sont les hippocampes originaires de l'Indo-Pacifique. Leur comportement caractéristique, calme et paisible, les rend populaires, mais ils sont délicats à nourrir. La reproduction particulière – le mâle incube les œufs – peut se produire en aquarium, mais l'élevage des jeunes est très délicat.

Les eaux

On dit souvent que l'eau est source de vie ;
toutefois, sous sa forme la plus pure, elle ne
permet le développement d'aucun organisme.
Ce sont en fait les substances qu'elle contient
qui vont favoriser la présence de végétaux
et d'animaux, et qui vont donc nous aider
à élever nos poissons d'aquarium.
Mais attention, tout est question de dosage :
un certain nombre de composants de l'eau
sont indispensables à très faible concentration ;
plus abondants, ils peuvent devenir des poisons...
sans parler de la pollution qu'ils entraînent !

Origine et cycle de l'eau

*Il n'existe pas «une» eau, mais différents types
d'eaux selon leur origine et leur passé.
Tout commence au-dessus des océans,
où les nuages sont poussés vers les continents.
Les eaux de pluie qu'ils libèrent suivent
deux voies principales :
- elles s'infiltrent lorsque le sol est perméable,
traversent des terrains variables
et aboutissent aux nappes phréatiques
qui vont à leur tour donner naissance
aux sources ;
- elles ruissellent lorsque le sol
est imperméable, transportant alors différentes
matières en suspension et rejoignant ruisseaux,
rivières et fleuves pour aboutir à la mer.
L'eau qui arrive à nos robinets diffère donc
suivant les régions et les traitements qu'elle
a subis pour être potable. Elle contient parfois
des substances polluantes pouvant poser des
problèmes pour la consommation humaine.*

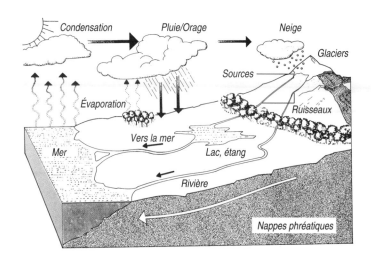

LES DIFFÉRENTS TYPES D'EAU

L'EAU DOUCE (OU EAU CONTINENTALE)

On a l'habitude de l'appeler eau douce, par opposition à l'eau salée. C'est une erreur, car l'eau douce n'est qu'un type particulier d'eau : il vaut mieux parler d'eau continentale.

Les eaux continentales courantes (ruisseaux, rivières, fleuves) sont plus pures, plus transparentes, plus oxygénées près des sources. A ce niveau, la température varie peu au cours de l'année, mais l'amplitude (écart entre la température la plus basse et la plus haute) s'accentue au fur et à mesure qu'on descend vers la mer. En même temps, les eaux se chargent progressivement en matières en suspension et en substances dissoutes pour devenir très troubles et moins oxygénées au niveau des embouchures. Les activités humaines, agricoles et industrielles accentuent ce phénomène, c'est la pollution. Les eaux continentales stagnantes (marais, marécages, mares, étangs) sont caractérisées par une température très variable dans l'année et dans la journée, et par des dépôts provenant d'organismes vivants (c'est la matière organique).

Les lacs, moins chargés en matières organiques, présentent souvent une stratification thermique : eau plus chaude en surface l'été, plus froide en hiver.

Ces différents milieux se rencontrent sur pratiquement tous les continents, et chacun d'eux abrite une faune de poissons caractéristique.

L'EAU DE MER

Bien entendu, elle est salée. Au large, en pleine mer, les caractéristiques des eaux sont assez stables, tandis que près des côtes les variations sont plus importantes et souvent dues aux influences continentales. Les eaux sursalées, peu intéressantes en aquariophilie, se rencontrent dans les marais salants (abandonnés, ou encore en activité).

LES EAUX INTERMÉDIAIRES (A SALINITÉ VARIABLE)

Ce sont les eaux d'estuaires et d'embouchures, de marais et d'étangs littoraux. Elles sont caractérisées par une salinité variable dans le temps et l'espace et souvent par une faune et une flore spécifiques, inexistantes ailleurs. Néanmoins, certains animaux d'eau douce ou marins fréquentent plus ou moins régulièrement ces eaux, souvent qualifiées de saumâtres.

A la frontière des eaux continentales et des eaux marines, il existe des milieux intermédiaires où la salinité varie dans le temps et dans l'espace. Ici, un marais côtier en Camargue.

CARACTÉRISTIQUES DES EAUX CONTINENTALES

LA TEMPÉRATURE

C'est un paramètre très important pour la vie aquatique : développement des végétaux, croissance des animaux, influence sur l'oxygène et de nombreux autres facteurs.

Les poissons sont des animaux à sang froid, au contraire des mammifères, dont la température interne est quasi constante. Leur température varie donc selon celle du milieu environnant.

La très grosse majorité des poissons d'aquarium est originaire de pays chauds et donc adaptée à des températures plus élevées que les poissons de notre pays, de l'ordre de 22 à 28 °C. Au-dessous de ce seuil, les poissons diminuent leur activité, se nourrissent moins, sont plus sensibles aux maladies et, dans le pire des cas, meurent. Au-delà de ce seuil, des problèmes physiologiques se posent également ; de plus, l'oxygène devient moins abondant dans l'eau.

D'une espèce à l'autre, l'influence de la température n'est pas la même. Si un certain nombre de poissons supportent des variations de quelques degrés, d'autres sont beaucoup plus sensibles aux changements de température.

En aquariophilie, il importe donc d'obtenir une juste température, et également d'éviter les brusques variations, notamment lors des changements d'eau.

LA MINÉRALISATION ET LA DURETÉ

En fonction des terrains qu'elles ont traversés, les eaux continentales se sont plus ou moins chargées en différents minéraux, ce qui leur confère une certaine dureté. Certaines eaux potables, dites minérales, contiennent de grandes quantités de différents minéraux ; l'eau distillée n'en contient pas, sa dureté est nulle. Ce sont principalement les sels de calcium et de magnésium qui sont responsables de la dureté des eaux ; leur concentration dépend des terrains calcaires et des roches magnésiennes qu'elles ont traversés.

On distingue plusieurs types de dureté ; seule la dureté totale est couramment employée en aquariophilie, et les eaux sont classées en différents groupes selon la quantité de sels qu'elles contiennent.

Les eaux peu chargées en sels sont dites douces (d'où la confusion avec les eaux douces en général).

En France, on les rencontre en Bretagne, dans le Massif central, dans les Vosges, dans les Landes, en général dans des régions peu calcaires. Dans les pays tropicaux, on trouve des eaux douces en Amérique du Sud par exemple.

Les eaux riches en sels de calcium et de magnésium sont dites dures, on parle aussi d'eaux calcaires.

Elles sont typiques de la Normandie, de la Picardie, de la Champagne, du Périgord et, hors de nos frontières, des grands lacs africains.

Que ce soit dans les zones à eau dure ou à eau douce, les variations locales sont parfois importantes, à quelques kilomètres de distance.

La mesure de la dureté

Pour mesurer la dureté des eaux, on utilise des réactifs colorés qui donnent le taux de carbonate de calcium $(CaCO_3)$ en degré TH (titre hydrotimétrique) :

$1\ °TH = 10$ mg/l de $CaCO_3$ (ou 4 mg/l de calcium).

Pour compliquer les choses, il existe des unités étrangères différentes dont les correspondances figurent dans le tableau ci-contre et au fil des pages suivantes.

Les eaux trop dures sont impropres à la consommation humaine (sauf de rares cas), mais peuvent être adoucies. A l'inverse, on peut augmenter la dureté des eaux trop douces.

Dénomination	°TH français	°DH allemand	Observations
Eau très douce	0-5	0-2,8	Eau distillée ; eau de pluie ; certaines eaux appelées à tort minérales.
Eau douce	6-10	3,3-5,6	Vosges, Bretagne.
Eau moyennement dure	11-15	6,1-8,4	Landes, Pyrénées atlantiques.
Eau dure	16-30	8,9-16,8	Région parisienne, Normandie. Certaines eaux dites minérales. Début de problèmes pour usage domestique vers 30 °TH.
Eau très dure	> 30	> 16,8	Impropre à la consommation humaine (sauf certains cas thérapeutiques), impropre à l'aquariophilie, précipitation de calcaire (sources incrustantes).
	> 60	> 33,6	Eau impropre à tout usage.

LE pH

Le pH mesure l'acidité d'une eau. Il peut prendre des valeurs entre 0 et 14. De 0 à 7, les eaux sont acides, au-dessus elles sont basiques (ou alcalines). La valeur 7 caractérise une eau neutre, ni acide ni basique, telle que l'eau distillée par exemple.

Un pH acide correspond très souvent à une eau douce, un pH basique à une eau moyennement dure à dure.

Le pH d'une eau varie suivant son origine (terrains traversés), selon sa nature et suivant un certain nombre de phénomènes biologiques. Les limites de la vie aquatique se situent entre 5 et 9, le pH ne doit donc subir que de faibles variations. Sans entrer dans des détails chimiques, précisons qu'une eau chargée en carbonate de calcium (donc possédant une certaine dureté) ne va pas connaître d'importantes fluctuations du pH. A l'inverse, les eaux contenant de faibles quantités de ce sel sont sujettes à de plus grandes variations (c'est le cas de certaines eaux acides de Bretagne).

Le pH se mesure grâce à des indicateurs colorés, substances dont la couleur varie en fonction du pH ; l'une d'entre elles permet de couvrir l'étendue de la gamme (de 0 à 14), d'autres, plus précises, sont spécifiques de certaines valeurs que l'on rencontre couramment dans les milieux aquatiques.

Suite p. 50

LES OLIGO-ÉLÉMENTS

Ce sont des substances que l'on trouve en très petite quantité dans les eaux (en grec, *oligo* veut dire *peu* ; on dit également qu'on les rencontre à l'état de traces), mais indispensables à la vie. Le fer, par exemple, entre dans la composition de l'hémoglobine, pigment rouge du sang qui transporte l'oxygène des branchies aux organes. D'autres métaux font partie des oligo-éléments : lithium, cuivre, zinc, manganèse, plomb. Leurs concentrations sont en général de l'ordre de quelques mg/m³, c'est-à-dire quelques millièmes de mg/l !

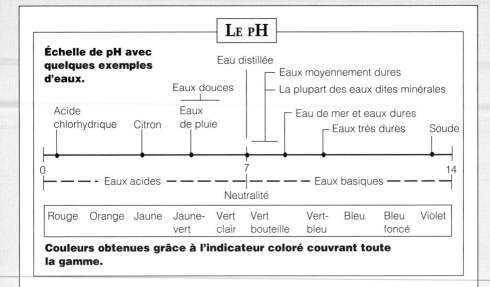

LE pH

Échelle de pH avec quelques exemples d'eaux.

Eau distillée — Eaux moyennement dures — La plupart des eaux dites minérales

Eaux douces

Eau de mer et eaux dures — Eaux très dures

Acide chlorhydrique   Citron   Eaux de pluie   Soude

0   7   14

— — — Eaux acides — — — — — | — — — Eaux basiques — — — —

Neutralité

Rouge	Orange	Jaune	Jaune-vert	Vert clair	Vert bouteille	Vert-bleu	Bleu	Bleu foncé	Violet

Couleurs obtenues grâce à l'indicateur coloré couvrant toute la gamme.

LE pH, INDICATEUR DU MILIEU

La valeur du pH dépend de nombreux paramètres ; des variations lentes et faibles ne sont pas anormales :
- Le jour, les plantes produisent de l'oxygène et consomment du gaz carbonique, le pH a tendance à augmenter.
- La nuit, plantes et poissons respirent, ils consomment de l'oxygène et du gaz carbonique, le pH diminue.
- Le brassage de l'eau, notamment en surface, favorise les échanges gazeux avec l'atmosphère, le gaz carbonique est éliminé, l'oxygène de l'air se dissout dans l'eau, le pH monte.

Par contre, des variations brusques et importantes peuvent refléter un déséquilibre biologique ou chimique. Il faudra donc dans ce cas rechercher la ou les causes de variations et y remédier, plutôt que de modifier artificiellement la valeur du pH.

Le pH est donc une donnée importante en aquariophilie, considérée comme un indicateur de l'équilibre du milieu.

SI L'EAU EST TROP ACIDE OU TROP BASIQUE...

… On peut modifier son pH en ajoutant certains acides dans les eaux trop basiques (par exemple, du phosphate acide de soude), ou certaines bases dans les eaux trop acides (par exemple du bicarbonate de soude). Les produits sont disponibles dans le commerce aquariophile.

Il ne faut cependant pas oublier que le pH d'une eau dépend de nombreux facteurs et est un des reflets de l'équilibre dans l'aquarium.

De plus, il est susceptible de se modifier dans la journée, et à plus longue durée.

Dès la conception de l'aquarium, il est préférable d'utiliser une eau dont le pH est compatible avec nos plantes et nos poissons.

Ensuite, en cas de variations brusques, il est plus sage de rechercher l'origine de ces variations plutôt que de modifier le pH à l'aide de diverses substances. Il ne faut pas jouer au «petit chimiste» avec la nature !

DIFFÉRENTES UNITÉS DE MESURE DE LA DURETÉ DES EAUX

Il existe différentes unités utilisées pour la mesure de la dureté des eaux :

- Le degré français (symbole : °TH) équivaut à une concentration de carbonate de calcium ($CaCO_3$) de 10 mg/l. Il est employé dans les pays francophones.

- Le degré allemand (symbole : °DH ou GH) représente 10 mg/l de chaux (CaO). Il est utilisé principalement en Allemagne et aux Pays-Bas.

- Les mesures anglaise et américaine sont peu employées chez nous :
  - 1° anglais = 1,43 °TH = 0,8 °DH
  - 1 ppm USA = 0,1 °TH = 0,056 °DH

Le tableau suivant donne la conversion entre degré français et degré allemand :

Unité française °TH	Unité allemande °DH	Unité allemande °DH	Unité française °TH
1	0,56	1	1,78
5	2,8	3	5,3
10	5,6	6	10,6
15	8,4	9	15,8
20	11,2	12	21,1
25	14	15	26,4
30	16,8	18	31,7
35	19,6	21	37
40	22,4	24	42,2

LA DURETÉ DES EAUX

	Sels caractéristiques	Observations
Dureté totale (ou titre hydrotimétrique, ou degré hydrotimétrique)	Sels de calcium et de magnésium (carbonates, bicarbonates, sulfates, chlorures).	1 °TH = 10 mg/l de $CaCO_3$ (carbonate de calcium) = 4 mg/l de calcium.
Dureté carbonatée (ou dureté temporaire)	Carbonates et bicarbonates de calcium et de magnésium.	Disparaît après ébullition.
Dureté permanente	Sulfates et chlorures de calcium et de magnésium.	Demeure après ébullition.

En pratique, seule la dureté totale est couramment utilisée en aquariophilie.
Dureté totale = dureté temporaire + dureté permanente.

Fabrication d'une eau ayant une dureté précise

Supposons que l'on dispose de deux eaux ayant une dureté de 20 °TH (eau A) et 6 °TH (eau B) et que l'on souhaite obtenir une eau intermédiaire à 10 °TH, on calcule :

- Dureté eau A – dureté eau souhaitée : 20 – 10 = 10 ; on utilisera 10 l de cette eau.
- Dureté souhaitée – dureté eau B : 10 – 6 = 4 ; on utilisera 4 l de cette eau.
- On obtient 14 litres d'eau à 10°TH.

Pour remplir un aquarium de 300 l, il faudra :
300 : 14 = environ 22 fois ce mélange,
soit : 22 x 10 = 220 l d'eau A
22 x 4 = 88 l d'eau B

Avec les mêmes eaux A et B, pour remplir un aquarium de 200 l d'eau à 15 °TH, on aura :
- 20 – 15 = 5 ; 5 l d'eau A
- 15 – 6 = 9 ; 9 l d'eau B, qui donneront toujours 14 l de mélange.
- 200 : 14 = environ 14
Il faudra 14 x 5 = 70 l d'eau A ; 14 x 9 = 126 l d'eau B.

Adoucir une eau trop dure...

Il existe des techniques efficaces, mais coûteuses, qui permettent l'extraction des sels de calcium et de magnésium à l'aide de résines. En aquariophilie, on utilise des solutions plus simples :
- récolte d'eau naturelle ; cela peut poser des problèmes évoqués plus loin ;
- coupage ou mélange avec des eaux douces :
    • récoltées en milieu naturel (eau de pluie, avec réserves, voir plus loin) ;
    • disponibles dans le commerce : eau distillée, eau déminéralisée, certaines eaux de boisson (la minéralisation et le pH figurent sur l'étiquette – l'eau de marque Volvic est une des plus intéressantes) ;
    • eau de fonte des neiges (neige propre, bien entendu) ;
    • eau de dégivrage du réfrigérateur.
Il ne faut pas utiliser l'eau des adoucisseurs domestiques, qui échangent simplement le calcium des eaux trop dures par du sodium.

... ou augmenter la dureté d'une eau trop douce

C'est un cas plus rare que le précédent, mais nécessaire pour l'élevage et la reproduction de certains poissons. On peut procéder de trois manières :
- coupage avec une eau plus dure :
    • récoltée en milieu naturel ;
    • certaines eaux de boisson ;
- utilisation de roches calcaires et de craie jusqu'à obtention de la dureté voulue ;
- coupage avec de l'eau de mer (5 à 10 %).

Comment reconnaître une eau très dure

C'est très simple : le savon mousse beaucoup moins qu'avec une eau douce. Pour comparer, il faut utiliser de l'eau distillée ou déminéralisée vendue dans le commerce.

Mélange d'eaux de dureté différente

En mélangeant, à volume égal, deux eaux de dureté différente, on obtient une eau dont le volume est la somme des deux précédents et dont la dureté est la moyenne de celles des eaux d'origine.
On a ainsi, par exemple :

1 l d'eau à 20 °TH + 1 l d'eau à 10 °TH = 2 l d'eau à 15 °TH

Pour des mélanges à volume différent, on peut utiliser les tableaux suivants :

En mélangeant ce % d'eau à 0 °TH (eau distillée ou déminéralisée)								
10	20	30	40	50	60	70	80	90

Avec ce % d'eau dont la dureté vaut (en °TH)								
°TH / 90	80	70	60	50	40	30	20	10
5 — 4,5	4	3,5	3	2,5	2	1,5	1	0,5
10 — 9	8	7	6	5	4	3	2	1
15 — 13,5	12	10,5	9	7,5	6	4,5	3	1,5
20 — 18	16	14	12	10	8	6	4	2
25 — 22,5	20	17,5	15	12,5	10	7,5	5	2,5
30 — 27	24	21	18	15	12	9	6	3

On obtient de l'eau dont la dureté figure à l'intersection de la ligne et de la colonne prises en compte.

On obtient 3 l d'eau dont la dureté figure à l'intersection de la ligne et de la colonne prises en compte.

avec 1 l d'eau de dureté	En mélangeant 2 l d'une eau de dureté						
	0	5	10	15	20	25	30
0	0	3,3	6,7	10	13,3	16,7	20
5	1,6	5	8,3	11,7	15	18,3	21,7
10	3,3	6,7	10	13,3	16,7	20	23,3
15	5	8,3	11,7	15	18,3	21,7	25
20	6,7	10	13,3	16,7	20	23,3	26,7
25	8,3	11,7	15	18,3	21,7	25	28,3
30	10	13,3	16,7	20	23,3	26,7	30

avec 1 l d'eau de dureté	En mélangeant 3 l d'une eau de dureté						
	0	5	10	15	20	25	30
0	0	3,75	7,5	11,25	15	18,75	22,5
5	1,25	5	8,75	12,5	16,25	20	23,75
10	2,5	6,25	10	13,75	17,5	21,25	25
15	3,75	7,5	11,25	15	18,75	22,5	26,25
20	5	8,75	12,5	16,25	20	23,75	27,5
25	6,25	10	13,75	17,5	21,25	25	28,75
30	7,5	11,25	15	18,75	22,5	26,25	30

On obtient 4 l d'eau dont la dureté figure à l'intersection de la ligne et de la colonne prises en compte.

L'oxygène et le gaz carbonique

L'oxygène est un gaz indispensable à tous les êtres vivants. Dissous dans l'eau, il est absorbé par les animaux, passe dans le sang et est distribué aux organes. Là, il est utilisé dans des réactions chimiques pour brûler les aliments et produire ainsi de l'énergie. Celle-ci servira à fabriquer des protéines pour la croissance, permettra le développement des gonades, fera fonctionner le corps (mouvement, respiration, etc.). Ces phénomènes produisent du gaz carbonique véhiculé dans le sang puis rejeté dans l'eau.

L'oxygène a une autre fonction dans les eaux : il participe à la destruction de matières organiques provenant des êtres vivants (excréments, cadavres, débris végétaux) ou des surplus d'aliments non utilisés (voir le cycle de l'azote p. 54).

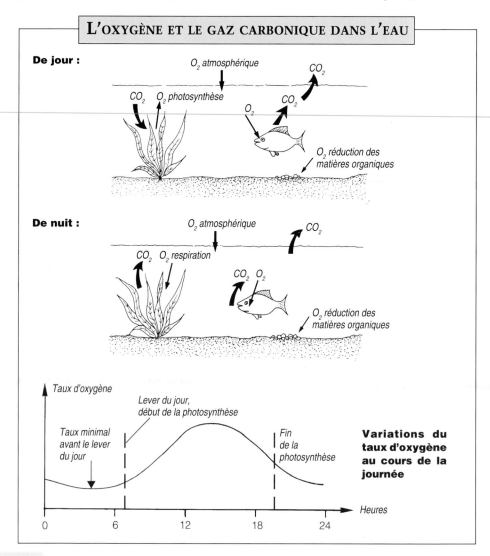

L'OXYGÈNE ET LE GAZ CARBONIQUE DANS L'EAU

De jour :

O_2 atmosphérique

CO_2

CO_2 O_2 photosynthèse

O_2

CO_2

O_2 réduction des matières organiques

De nuit :

O_2 atmosphérique

CO_2

CO_2 O_2 respiration

CO_2 O_2

O_2 réduction des matières organiques

Taux d'oxygène

Lever du jour, début de la photosynthèse

Taux minimal avant le lever du jour

Fin de la photosynthèse

Variations du taux d'oxygène au cours de la journée

Heures

0   6   12   18   24

VARIATIONS DU TAUX D'OXYGÈNE DANS L'EAU EN FONCTION DE LA TEMPÉRATURE

Les valeurs du tableau correspondent à la quantité maximale d'oxygène (en ml/l) que peut contenir l'eau (valeur de saturation).

Température (°C)	0	5	10	15	20	25	30
Valeur de saturation de l'oxygène (ml/l)	10,22	8,93	7,89	7,05	6,35	5,77	5,28

A saturation, une eau à 25 °C contient 18 % d'oxygène en moins qu'une eau à 15 °C.

L'origine de l'oxygène dissous dans l'eau

Il provient, d'une part, de l'oxygène atmosphérique qui diffuse dans l'eau. Ce phénomène est accéléré par le mouvement des eaux : plus une eau est brassée et agitée, plus elle contient d'oxygène jusqu'à une limite appelée valeur de saturation.

Il est produit, d'autre part, par les végétaux aquatiques qui absorbent le gaz carbonique et dégagent de l'oxygène : c'est la photosynthèse. Cela se produit uniquement de jour, et, bien que les végétaux respirent comme tous les êtres vivants (absorption d'oxygène et dégagement de gaz carbonique), c'est la photosynthèse qui domine.

La nuit, la photosynthèse n'a pas lieu, les plantes ne produisent plus d'oxygène, mais continuent à respirer et à le consommer comme les poissons, ce qui peut parfois conduire à un abaissement de la concentration de ce gaz.

Le taux d'oxygène dans l'eau résulte donc de la différence entre la production évoquée ci-dessus et la consommation par les êtres vivant dans l'eau et pour l'oxydation des matières organiques. De plus, il varie également en fonction de la température et de la salinité.

L'influence de la température sur l'oxygène dissous

Un certain nombre de phénomènes physiques et chimiques font que l'eau ne contient pas la même quantité d'oxygène selon sa température :
- plus une eau est chaude, moins elle peut contenir d'oxygène, son taux de saturation est plus bas que celui d'une eau froide ;
- une eau tropicale contient donc moins d'oxygène qu'une eau de nos régions, on ne peut donc théoriquement pas y faire vivre autant de poissons.

La teneur d'une eau en oxygène varie également avec la pression atmosphérique : elle diminue lorsque la pression s'élève. Ce phénomène important en pisciculture (les éleveurs de truites nourrissent peu ou pas leurs poissons par temps d'orage) l'est moins en aquariophilie.

L'oxygène en aquariophilie

Il est prudent de maintenir un taux d'oxygène maximal dans un aquarium. Si les plantes en produisent le jour, il ne faut pas oublier qu'elles en consomment la nuit, les poissons le respirant continuellement. Un manque d'oxygène provoque tout d'abord chez les poissons des troubles physiologiques (c'est-à-dire concernant le fonctionnement général de l'organisme), une diminution de croissance, ainsi qu'une moindre résistance aux maladies, et dans le pire des cas une asphyxie entraînant la mort.

En aquariophilie, on maintient un bon taux d'oxygène en favorisant la dissolution de l'oxygène atmosphérique par agitation plus ou moins prononcée de l'eau.

Le gaz carbonique

En brassant l'eau, on élimine le gaz carbonique nécessaire à la photosynthèse des végétaux.

Il peut donc manquer, surtout si l'aquarium est très planté : on remarque un léger dépôt blanchâtre (de carbonate de calcium) sur les vitres et sur les feuilles. Il est prudent dans ce cas de diminuer le brassage des eaux ; à ce titre, certains aquariophiles chevronnés diffusent du gaz carbonique dans un type d'aquarium particulier pour permettre aux végétaux de se développer harmonieusement.

LES COMPOSÉS AZOTÉS

L'azote (N) est un élément important de la matière vivante, et, dans l'eau, il se rencontre dans différentes substances :
- l'azote gazeux (N_2), dont le rôle est peu important ;
- l'azote organique, dans les molécules composant la matière vivante. Les substances azotées provenant de l'excrétion des poissons ont une importance particulière en aquariophilie ;
- l'azote minéral, qui provient entre autres de la dégradation des substances azotées organiques. On le rencontre sous trois formes :
• l'ammoniac (NH_3 ou NH_4^+), très toxique pour les poissons ;
• les nitrites (NO_2^-), très toxiques pour les poissons ;
• les nitrates (NO_3^-).

L'ammoniac

Les composés organiques azotés qui se trouvent dans les urines, les excréments, les cadavres et les débris végétaux sont transformés en ammoniac grâce à différentes bactéries. On le rencontre sous deux formes, l'une étant nettement plus dangereuse que l'autre :
- NH_3, ou ammoniac libre, est un gaz dissous dont la toxicité est très élevée : les poissons ne supportent pas à long terme des concentrations supérieures à 0,01 mg /l ;
- NH_4^+, ou ammoniac ionisé, est environ 100 fois moins toxique.
La présence de l'une ou de l'autre forme dépend de la valeur du pH : NH_3 augmente lorsque le pH est supérieur à 7, et sa présence devient préoccupante au-dessus d'un pH de 8,5.

LA TOXICITÉ DE L'AMMONIAC

% de NH_4^+ moins toxique

% d'ammoniac moléculaire très toxique (NH_3)

10	90
20	80
30	70
40	60
50	50
60	40
70	30
80	20
90	10

pH
6 7 8 9 10

Avec un pH inférieur à 7, l'ammoniac moléculaire NH_3 est peu présent. Sa proportion augmente rapidement à partir d'un pH de 7,5.
La proportion des deux composés varie également avec la température : à un pH donné, plus l'eau est chaude, plus la forme très toxique NH_3 est présente. En aquariophilie, la température étant généralement constante, c'est donc le pH qui influe sur la présence d'ammoniac NH_3 très toxique.

POUVOIR ÉPURATEUR DES EAUX ET POLLUTION ORGANIQUE

L'eau contient des matières organiques (c'est-à-dire provenant d'êtres vivants) et des matières minérales (issues du sol ou du sous-sol).
Les matières organiques ont différentes origines :
- débris végétaux et animaux morts ;
- déchets liquides et solides d'animaux (urine, excréments) ;
- en milieu naturel s'y ajoutent des substances provenant des activités humaines (rejets d'eaux urbaines et industrielles).
Ces matières organiques sont de grandes molécules contenant du carbone lié à d'autres éléments (azote, oxygène, soufre, phosphore, etc.).

Que se passe-t-il normalement ?
Dans des conditions normales, l'eau contient assez d'oxygène et peu ou pas de matières organiques d'origine humaine (c'est donc le cas d'un aquarium).
Les molécules organiques se dégradent, elles se cassent pour devenir de plus en plus petites, de plus en plus simples, et s'oxydent pour donner des composés minéraux nécessaires aux plantes (les sels minéraux). Tout cela est possible grâce à la présence d'oxygène et de certaines bactéries.

Matières organiques $\xrightarrow{\quad O_2 + \text{bactéries} \quad}$ Composés minéraux
(grandes molécules) (petites molécules)

Ces phénomènes constituent le pouvoir épurateur des eaux.

**Que se passe-t-il lorsqu'il y a peu ou pas d'oxygène
(et parfois beaucoup de matières organiques d'origine humaine) ?**
Les bactéries précédentes, ayant épuisé l'oxygène pour réduire une partie seulement des matières organiques, font place à d'autres bactéries n'ayant pas besoin d'oxygène pour vivre (bactéries anaérobies). Celles-ci produisent, à partir des matières organiques, des produits de putréfaction, malodorants (l'un d'entre eux, l'hydrogène sulfuré, a une odeur caractéristique d'œuf pourri) et toxiques à faible dose pour les animaux. Ils caractérisent, en milieu naturel, des eaux polluées et désoxygénées, souvent stagnantes ; c'est une pollution organique. En aquariophilie, ces phénomènes sont rares, mais peuvent se produire dans le sol, qui prend alors une couleur noirâtre particulière.

Matières organiques $\xrightarrow[\text{bactéries anaérobies}]{\text{pas d'oxygène}}$ Produits de putréfaction
(dont un certain nombre (méthane, sulfures,
d'origine humaine) ammoniac)

Une légère augmentation du taux d'ammoniac peut passer inaperçue dans un aquarium, mais elle entraîne pour les poissons une croissance ralentie et une satiété rapide après les repas.
De fortes doses provoquent un gonflement des branchies, les lamelles se collent, la surface d'absorption de l'oxygène diminue, les poissons respirent difficilement et finissent par mourir.
En outre, l'ammoniac peut favoriser le développement de certains germes ou parasites responsables de maladies.
En milieu bien équilibré, l'ammoniac ne doit pas poser de problèmes, car il est alors transformé en nitrites.

Les nitrites

Les nitrites (NO_2^-) proviennent de l'oxydation (donc de l'oxygène est nécessaire) de l'ammoniac grâce à des bactéries et sont également très toxiques. Le seuil à ne pas dépasser en aquariophilie est de 0,1 mg/l, mais les poissons peuvent supporter brièvement des concentrations dix fois supérieures.

Les nitrites se combinent avec l'hémoglobine (pigment rouge du sang), qui ne peut alors transporter l'oxygène : les poissons présentent des troubles respiratoires et meurent. Les branchies présentent alors une couleur brun chocolat caractéristique. Toujours en milieu équilibré, les nitrites sont rapidement transformés en nitrates.

Les nitrates

Les nitrates (NO_3^-) proviennent de la transformation des nitrites grâce à des bactéries différentes des précédentes, toujours en présence d'oxygène. Ce sont les produits finaux du cycle de l'azote qui présentent un double intérêt :
- ils sont très peu toxiques (le seuil à ne pas dépasser est de l'ordre de quelques dizaines de mg/l, ils sont donc 100 à 1 000 fois moins toxiques que les nitrites). Atten-

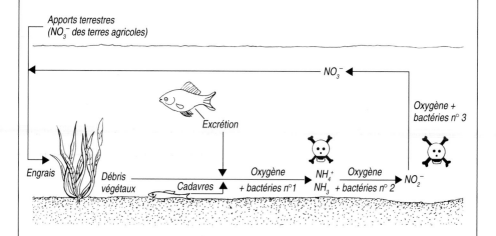

LE CYCLE DE L'AZOTE DANS LES EAUX NATURELLES

En temps normal, les substances azotées toxiques sont transformées par des bactéries, en présence d'oxygène, pour donner des nitrates (NO_3^-).
Toute modification importante de ce cycle peut avoir des conséquences graves sur le milieu (disparition de l'oxygène, fabrication de substances toxiques comme l'hydrogène sulfuré) et sur les êtres vivants (problèmes physiologiques, mortalité massive).

Apports terrestres
$(NO_3^-$ des terres agricoles)

NO_3^-

Oxygène +
bactéries n° 3

Excrétion

Engrais

Débris
végétaux

Cadavres

Oxygène
+ bactéries n°1

NH_4^+
NH_3

Oxygène
+ bactéries n° 2

NO_2^-

Les réactions de transformation se déroulent au niveau du sol.

Tête de mort : substances toxiques.

tion toutefois aux invertébrés qui sont plus sensibles aux nitrates que les poissons ;
- ils servent d'engrais aux plantes.
Actuellement, on assiste en France à une augmentation des taux de nitrates dans certaines eaux naturelles aboutissant à nos robinets.
L'origine de ces nitrates est multiple : lessivage par les pluies des sols agricoles comportant des engrais, rejets urbains ou industriels. Le problème est grave, car les eaux ne sont plus considérées, localement, comme potables.

Le cycle de l'azote dans les eaux

Il est représenté dans la figure ci-contre. Il apparaît évident qu'une eau bien équilibrée (dans la nature ou en aquarium) doit comprendre :
- les différentes bactéries participant au cycle ;
- de l'oxygène nécessaire aux réactions ;
- des plantes qui vont utiliser les nitrates et éviter leur accumulation. La transformation des matières azotées en nitrates est un des facteurs de ce que l'on appelle le «pouvoir épurateur des eaux».

LES PHOSPHATES

Les phosphates sont des substances contenant du phosphore, dont l'origine est variée :
- lessivage des sols agricoles contenant des engrais ou des sols naturels ;
- produits de décomposition de la matière vivante ;
- rejets urbains et industriels.
Actuellement, certaines eaux contiennent trop de phosphates qui sont souvent responsables de pullulations algales en milieu naturel, suivies d'une désoxygénation du milieu.
Sans rentrer dans la polémique qui sévit parfois en France entre certains industriels et autres groupements soucieux de préserver notre environnement, signalons cependant que les rejets de détergents libèrent environ 900 g de phosphate par habitant et par an, mais que l'excrétion humaine est loin d'être négligeable : 650 g par habitant et par an.
Les phosphates eux-mêmes sont rarement toxiques pour les poissons ; ce sont les effets qu'ils induisent qui peuvent provoquer leur mort.

AUTRES SUBSTANCES

Les eaux continentales contiennent un certain nombre de substances d'origine naturelle indispensables à la vie aquatique. Il serait fastidieux de vouloir toutes les citer, mais quelques-unes peuvent être notées pour leur importance : silicates, sulfates, sulfures, fer, magnésium, vitamines.
D'autres produits proviennent des activités humaines et sont dangereux pour la vie aquatique, même à faible concentration : outre les détergents, les hydrocarbures et les phénols se rencontrent souvent aux abords des zones industrielles.

TURBIDITÉ ET MATIÈRES EN SUSPENSION

La turbidité des eaux est provoquée par des matières en suspension vivantes (plancton) ou inertes (débris animaux et végétaux, particules de sédiment, etc.). Outre l'aspect peu esthétique de ces eaux, la turbidité a une influence écologique importante :
- diminution de la pénétration de la lumière et, par conséquent, diminution de la production de végétaux ;
- risque de colmatage des branchies des poissons ;
- risque de colmatage des zones de reproduction des poissons ;
- sédimentation sur le sol, d'où possibilité de problèmes de transformation des matières organiques ;
- par contre, on peut noter un effet positif : les eaux troubles permettent aux petites espèces et aux alevins d'échapper à leurs prédateurs.
En aquariophilie, des systèmes plus ou moins perfectionnés permettent de garder une eau d'une grande transparence et d'éviter certains de ces problèmes.

CARACTÉRISTIQUES DES EAUX CONTINENTALES POUVANT CONVENIR EN AQUARIOPHILIE

Ce tableau regroupe des données concernant les eaux potables et les eaux piscicoles.

Couleur	Incolore.	Détectable par des appareils spécialisés.
Turbidité	Eau cristalline et limpide.	Des appareils précis permettent des mesures fines.
Odeur	Pas d'odeur décelable.	Notamment pour les gaz provenant de la décomposition des matières organiques.
Saveur	Pas de goût particulier.	Comparées à une eau de référence, elles ne doivent pas en altérer le goût.
Température	< 25 °C	Il est préférable d'utiliser des eaux dont la température est comprise entre 5 et 15 °C.
pH	6-9	Limites couramment admises pour la vie aquatique.
Oxygène		Les eaux stagnantes, parfois peu oxygénées, ne conviennent pas.
Salinité	0 pour mille	Sauf pour les poissons d'eau saumâtre.
Dureté totale	15-30 °TH	Les eaux dures peuvent être adoucies. Au-delà de 30 °TH, les eaux ne sont généralement plus potables.
Nitrates	< 50 mg/l	Norme de potabilité. La plupart des poissons d'aquarium supportent jusqu'à 100 mg/l.
Nitrites	< 0,1 mg/l	Limite de potabilité, et seuil au-delà duquel il existe des risques pour les poissons.
Azote total	< 2 mg/l	Il s'agit de la somme de l'azote organique (provenant des organismes vivants) et de l'azote ammoniacal. Pour ce dernier, les valeurs sont : $NH_3 = 0$ mg/l $NH_4^+ < 0,4$ mg/l
Fer	< 200 mg/l	$1~\mu l = 1/1000$ de mg/l (soit 1 mg/m^3).
Hydrocarbures dissous	< 10 µg/l	Il peut exister des hydrocarbures naturels à l'état de traces.
Pesticides totaux	< 0,5 µg/l	Substances très dangereuses employées en agriculture.
Détergents	< 200 µg/l	Origine humaine et industrielle.

QUALITÉ ET ORIGINE DE L'EAU CONTINENTALE EN AQUARIOPHILIE

L'eau idéale n'existe pas en aquariophilie. Si certains poissons tropicaux supportent des eaux dont les caractéristiques n'ont que peu d'influence sur leur maintien, d'autres exigent des eaux dont la composition doit être la plus proche possible de celle de leur milieu d'origine. Ces eaux particulières seront traitées dans la partie de cet ouvrage concernant les différents types d'aquariums régionaux, en même temps que les poissons qui les peuplent. On peut néanmoins essayer de caractériser les eaux utilisables en aquariophilie en se basant sur des critères existant pour d'autres eaux, notamment les eaux potables et les eaux piscicoles. Dans les deux cas, il existe des normes strictes, et à partir du moment où une eau est potable, ou à partir du moment où elle convient pour l'élevage des truites (poissons robustes, mais exigeants sur certains points), elle a de grandes chances d'être utilisable en aquariophilie. Le moyen le plus simple pour obtenir de l'eau est bien sûr d'ouvrir son robinet... Toutefois, il peut exister d'autres possibilités, en fonction de la région où l'on habite.

L'EAU DU ROBINET

Ses principales qualités sont sa facilité d'emploi et son faible coût. Néanmoins, il peut exister certains problèmes.
L'eau, pour devenir potable, a pu subir plusieurs traitements dont l'action du chlore, de ses dérivés, ou d'autres substances. Cela n'est pas risqué pour nos aquariums si on prend la précaution de laisser reposer l'eau environ 24 h avant de l'utiliser (son stockage sera évoqué plus loin) : les produits chlorés passent dans l'atmosphère pendant ce laps de temps. De plus, l'eau du robinet est susceptible de contenir des gaz dissous en excès, qui passent rapidement dans l'atmosphère (cela est favorisé, ainsi que le dégagement de chlore, par l'agitation ou le brassage des eaux). En général (ce qui veut dire qu'il y a des exceptions), l'eau du robinet est souvent assez dure dans les grandes agglomérations ; elle peut ne pas convenir pour les aquariums dans de rares cas. Les installations domestiques sont parfois équipées d'un adoucisseur d'eau : l'eau qui en est issue est à proscrire en aquariophilie ; elle peut à la rigueur convenir si elle est utilisée en faible proportion, mélangée à d'autres eaux.

LES EAUX NATURELLES

Il y a de grandes différences de qualité d'eau entre le torrent de montagne, la rivière qui serpente dans la plaine et le fleuve au milieu de la grande agglomération. Toutes les eaux ne conviennent pas, certaines sont à proscrire, d'autres peuvent être utilisées (voir tableau p. 58).

LES EAUX DU COMMERCE

L'eau distillée et l'eau déminéralisée sont caractérisées par un pH neutre et une dureté nulle. Utilisées en grande quantité, elles peuvent être d'un coût prohibitif. Pourtant, elles sont très utiles pour mélanger à d'autres eaux trop dures (ou être utilisées pour la reproduction de certains poissons).

LES EAUX EN BOUTEILLE

Elles sont souvent appelées «eaux minérales» à tort, puisque certaines d'entre elles contiennent peu de minéraux et ont une dureté faible ; la minéralisation dépend de la localisation des sources, et donc des terrains traversés. Les eaux gazeuses et très dures (voir composition sur l'étiquette) sont à proscrire. Par contre, les eaux douces commercialisées par certaines marques, à pH neutre ou presque, peuvent convenir en aquariophilie dans certains cas (coupage d'une eau dure, compensation de l'eau évaporée, reproduction de certains poissons).

LES EAUX NATURELLES ET L'AQUARIOPHILIE

On peut récolter de l'eau destinée aux aquariums dans la nature, mais certains milieux sont à proscrire. Voici quelques exemples :

Localisation de l'eau	Caractéristiques (intéressantes ou peu favorables pour l'aquariophilie)	Observations
Eau de pluie.	- Légèrement acide à acide ; faible dureté.	- Présence de substances indésirables en zone urbaine ou industrielle (l'eau s'est chargée de produits toxiques dans l'atmosphère). - A récolter impérativement en récipient neutre, et non à l'aide de gouttières métalliques. - Utilisée dans certains types d'aquariums, pour les changements d'eau partiels ou en mélange.
Eau de source et de ruisseau de montagne.	- En général oxygénée et peu minéralisée (mais ses caractéristiques dépendent des terrains traversés). - Peu (ou pas) de matières en suspension.	- Convient, sauf si présence d'une grande densité de conifères (famille des pins et sapins) à proximité.
Eau de source et de ruisseau de plaine.	- Caractéristiques variables suivant les terrains traversés. - Souvent plus minéralisée que les précédentes.	- Utilisable si elle est recueillie hors des zones urbaines et industrielles.

Les eaux naturelles récoltées dans ce type de milieu sont en général utilisables pour nos aquariums, après une filtration préalable (par précaution).

Localisation	Caractéristiques	Observations
Éau de rivière, et de fleuve.	- Caractéristiques variables, mais souvent turbide.	- A proscrire en aquariophilie. - Risque pathologique. - Risque de pollution.

L'eau récoltée à ce niveau est formellement à proscrire en aquariophilie. Plus loin, épurée et traitée, elle sera distribuée dans nos canalisations.

Localisation	Caractéristiques	Observations
Eau de forage, de puits artésien, de puits et de fontaine de village.	- Variables, selon la nappe phréatique.	- L'eau peut parfois contenir certains éléments en trop grande quantité (fer, par exemple).
Eaux stagnantes (marais, marécages, mares, étangs).	- Souvent chargées en matières organiques dissoutes et particulaires. - Présence possible de micro-organismes indésirables. - Présence possible de gaz (notamment, l'hydrogène sulfuré).	- Risque pathologique assez élevé ; à proscrire formellement.

Même si elle apparaît propre, l'eau d'un étang peut poser des problèmes si on l'utilise en aquariophilie.

Il est souvent inutile d'aller chercher une eau en milieu naturel à quelques kilomètres de chez vous : en général, elle aura des caractéristiques proches de celle qui coule de votre robinet. De plus, l'eau du robinet convient parfaitement dans la plupart des cas. Dans une éventualité de récolte d'eau en milieu naturel, il est conseillé de l'analyser sommairement ou de recueillir des données sur sa qualité auprès de certains organismes et de la filtrer avant utilisation.

CARACTÉRISTIQUES DES EAUX SALÉES

Elles sont caractérisées par la présence de différents sels en plus ou moins grande quantité qui leur confèrent des particularités importantes. Néanmoins, certains phénomènes sont communs aux eaux continentales et aux eaux salées.

LA SALINITÉ

L'eau de mer et les eaux saumâtres contiennent plusieurs types de sels : des chlorures (dont le chlorure de sodium, notre sel de cuisine), des iodures, des bromures, etc., ainsi que d'autres éléments en faible ou très faible quantité, mais indispensables à la vie marine. La salinité d'une eau se mesure en grammes de sels totaux par litre d'eau de mer : g/l (on dit aussi «pour mille» : 1 g/l = 1 ‰ = 1 pour mille). Au large, en pleine mer, la salinité est de 34-35 ‰ dans les régions tempérées, plus faible près des côtes et des régions polaires (apports d'eau douce qui dessalent), plus élevée dans les régions chaudes (l'évaporation y est plus intense ; la vapeur d'eau n'étant pas salée, l'eau de mer se concentre donc en sels). Les eaux saumâtres ont des salinités variables :
- dans une embouchure ou un estuaire, l'eau se dessale au fur et à mesure que l'on remonte le fleuve ;

- la salinité varie également en fonction du débit des fleuves, variable suivant les saisons. A un endroit donné, la salinité est plus basse à la saison des pluies, quand le débit du fleuve augmente (et donc pendant les crues).
Quelle que soit la valeur de la salinité, la proportion des différents éléments est quasi identique, c'est une propriété importante des eaux salées.
Il existe plusieurs techniques de mesure de la salinité ; en aquariophilie, la plus pratique passe par la mesure de la densité.

LA DENSITÉ DES EAUX SALÉES

La densité d'une eau est égale à :

$$\frac{\text{poids d'un litre d'eau de mer à 4 °C}}{\text{poids d'un litre d'eau distillée à 4 °C}} \times 1000$$

c'est une valeur sans unité. On obtient par exemple :

$$\text{densité (d)} = \frac{1030}{1000} \times 1000 = 1030$$

Dans la pratique, on utilise parfois uniquement les deux derniers chiffres.
La densité varie avec la température et la salinité :
- elle diminue avec la température ;
- elle augmente avec la salinité.

LES PRINCIPAUX COMPOSANTS DE L'EAU DE MER

Éléments (par ordre d'importance décroissant)	Concentration (en g/l)	% par rapport à la masse totale des sels
chlore	19	54,7
sodium	10,5	30,2
magnésium	1,3	3,7
soufre	0,88	2,5
calcium	0,4	1,15
potassium	0,38	1,1
brome	0,065	0,19
carbone	0,03	0,09

L'eau de mer contient plus de soixante composants dont certains, en très faible quantité, sont des oligo-éléments à l'état de traces (fluor, cuivre, iode, phosphore, entre autres), et même de l'or (quelques grammes par kilomètre cube !).

LE DENSIMÈTRE

Plus une eau est salée, plus la poussée d'Archimède est importante. Nous ne donnerons pas ici la définition de cette poussée, mais disons simplement que l'eau salée favorise la flottaison d'un corps.

Le densimètre est un instrument flottant verticalement dans l'eau, lesté et gradué. Plus l'eau est salée, plus la partie émergée est importante, et la graduation donne la valeur de la densité. Selon les modèles, cette graduation est plus ou moins précise ; généralement, les densimètres disponibles dans le commerce aquariophile sont suffisamment précis pour donner une mesure fiable. De plus, ils sont souvent couplés avec un thermomètre, ce qui est pratique pour le calcul de la salinité.

La lecture de la graduation est parfois délicate ; elle doit se faire dans une eau calme, selon le schéma suivant :

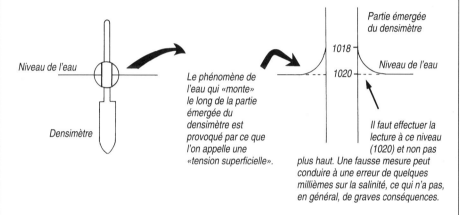

Niveau de l'eau

Densimètre

Le phénomène de l'eau qui «monte» le long de la partie émergée du densimètre est provoqué par ce que l'on appelle une «tension superficielle».

Partie émergée du densimètre

1018
1020

Niveau de l'eau

Il faut effectuer la lecture à ce niveau (1020) et non pas plus haut. Une fausse mesure peut conduire à une erreur de quelques millièmes sur la salinité, ce qui n'a pas, en général, de graves conséquences.

N.B. : Certains densimètres portent une graduation complète (1020, 1030), d'autres uniquement les derniers chiffres (20,30), et quelques-uns une graduation mixte (par exemple : 1000 et 1030 écrits en entier, les valeurs intermédiaires en abrégé : 5, 10, 15, 20, 25).

Pour vérifier qu'un densimètre est correct, il faut le plonger dans de l'eau distillée ou déminéralisée : il doit «afficher» 1000, ou 0 suivant le modèle. Cela vous permettra également de vérifier que vous faites la lecture de la mesure au bon endroit !

Il existe des tables donnant la densité des eaux en fonction de ces deux paramètres ; inversement, en connaissant la température et la densité d'une eau, on en déduit sa salinité, et c'est ainsi que l'on pratique en aquariophilie, la précision de cette mesure étant suffisante.

LA TEMPÉRATURE

Les températures des milieux marins tropicaux sont généralement comprises entre 20 et 28 °C. Cela entraîne une éva-

poration non négligeable qui, rappelons-le, se fait sous forme de vapeur d'eau non salée, ce qui provoque une augmentation de la salinité des eaux. Les températures élevées font diminuer la densité de l'eau et limitent le taux maximal d'oxygène dissous (valeur de saturation).

LE pH

Il est généralement compris entre 8 et 8,5, la moyenne mondiale des océans étant proche de 8,3. Rappelons que la valeur du pH influe sur la présence de l'ammoniac NH_3, très toxique, qui est plus abondant à pH > 7. Comme en eau continentale, le pH est susceptible de varier légèrement en fonction de l'équilibre de l'eau ; il ne doit pas descendre au-dessous de 8 dans un aquarium.

L'OXYGÈNE

Si la concentration de l'oxygène dans les eaux continentales diminue quand la température augmente, ce phénomène est accentué par la salinité : donc plus les eaux sont chaudes et salées, moins elles peuvent contenir d'oxygène. On remarquera que, très souvent, les bacs d'eau de mer sont moins pourvus en végétation que les aquariums d'eau continentale (bien qu'il existe des algues adaptées à nos bacs). La production d'oxygène et la consommation de gaz carbonique (la photosynthèse qui ne se produit que de jour) seront donc moins abondantes. Pour toutes ces raisons, il est préférable de brasser vigoureusement les eaux salées en aquariophilie.

LE GAZ CARBONIQUE

Il est en général en faible concentration dans l'eau de mer. En aquariophilie, il s'élimine par brassage de l'eau, ou en se combinant avec le calcaire présent dans le sol (sable corallien, débris de coquillages) pour donner des carbonates et des bicarbonates, qui limitent les variations du pH. En trop grande quantité, il est absorbé (en plus des plantes marines) par des algues plus ou moins microscopiques qui pourront alors avoir tendance à se développer jusqu'à envahir l'aquarium ; de plus, il entraîne une baisse du pH.

LES MATIÈRES AZOTÉES

Ammoniac et nitrites sont aussi toxiques pour les poissons marins que pour les poissons d'eau douce. Il faut donc également favoriser le fonctionnement du cycle de l'azote par une bonne oxygénation du sol. On verra, dans le chapitre consacré à l'aquarium marin, que le cycle de l'azote est parfois long à démarrer. Les nitrates, produits finaux du cycle de l'azote, peuvent se rencontrer en quantité plus grande que dans les bacs d'eau non salée, si l'aquarium marin comporte peu de végétaux pour les utiliser comme engrais. Ils sont alors disponibles pour des algues microscopiques, qui risquent de trop se développer (elles sont pourtant nécessaires aux coraux vivants).

VARIATIONS DU TAUX D'OXYGÈNE DANS L'EAU EN FONCTION DE LA TEMPÉRATURE ET DE LA SALINITÉ

Les valeurs du tableau correspondent à la quantité maximale d'oxygène (en ml/l) que l'eau peut contenir.

Température °C	Salinité ‰				
	0 (eau douce)	10	20	30	40
0	10,22	9,54	8,91	8,32	7,77
5	8,93	8,36	7,83	7,33	6,86
10	7,89	7,41	6,95	6,52	6,12
15	7,05	6,63	6,24	5,87	5,52
20	6,35	5,99	5,64	5,32	5,02
25	5,77	5,45	5,15	4,86	4,59
30	5,28	4,99	4,73	4,47	4,24

A 25 °C (température courante dans les aquariums), une eau salée à 30 ‰ contient environ 16 % d'oxygène de moins qu'une eau continentale (5,32 ml/l contre 6,35 ml/l).

QUALITÉ DE L'EAU DE MER
EN AQUARIOPHILIE

L'eau de mer est un liquide agressif (voir son effet sur de petites écorchures ou de petites coupures !) qui attaque les métaux. Dissous dans l'eau, ceux-ci sont des substances très toxiques pour tous les animaux marins : règle primordiale, pas de métal dans un aquarium marin. Les autres caractéristiques d'une eau de mer convenable sont réunies dans les tableaux au fil des pages suivantes.

Ensuite, une question importante se pose : doit-on utiliser une eau de mer récoltée en milieu naturel ou la fabriquer ?

EAU DE MER NATURELLE OU FABRIQUÉE ?

Il y a des avantages et des inconvénients dans les deux cas. Comme nous n'avons pas la possibilité de prélever l'eau de nos poissons dans leur milieu d'origine, nous ne pouvons qu'utiliser l'eau qui baigne nos côtes, ce qui peut poser des problèmes au niveau de sa qualité.

On considère donc actuellement qu'il vaut mieux reconstituer l'eau de mer pour nos aquariums.

AVANTAGES ET INCONVÉNIENTS DE L'EAU DE MER NATURELLE ET DE L'EAU DE MER RECONSTITUÉE

Les avantages de l'une constituent généralement les inconvénients de l'autre (et vice versa).

	Avantages	Inconvénients
Eau de mer naturelle	- Contient tous les éléments nécessaires à un bon équilibre. - Contient en faible quantité les bactéries nécessaires à la transformation des matières organiques. - Faible coût (si on la trouve à proximité !). - Peut recevoir plus ou moins rapidement des animaux.	- Contient : • des matières en suspension ; • des matières organiques dissoutes ; • des germes pathogènes et des substances toxiques dans certains cas (pollution). - Plus ou moins dessalée dans certaines zones côtières. - Contient du plancton qui, contrairement à ce qu'on croit, n'est pas indispensable en aquarium.
Eau de mer artificielle	- Ne contient pas de plancton, de matières dissoutes ou en suspension, de germes pathogènes, de substances toxiques. - Peut être fabriquée à la salinité voulue. - Peut être stockée sous forme concentrée.	- Manque (parfois) de certains oligo-éléments. - Absence de bactéries. - Coût plus élevé. - Doit être aérée 48 h après fabrication. - Ne doit pas recevoir d'animaux avant quelques semaines.

SALINITÉ DE QUELQUES MILIEUX MARINS

Océan Atlantique (France)	30-35 ‰, souvent < 30 ‰ à proximité des côtes et des embouchures.
Océan Atlantique (mer des Caraïbes)	34-35 ‰.
Méditerranée (France)	34-37 ‰, salinité parfois très inférieure à l'embouchure du Rhône.
Océan Pacifique (Philippines)	30-35 ‰, suivant les zones.
Zone indo-pacifique	30-34 ‰, dans les mers intérieures et les archipels.
Océan Indien (sud de l'Inde)	30-34 ‰.
Océan Indien (côte africaine)	33-35 ‰.
Mer Rouge	35-38 ‰, jusqu'à 40 ‰ dans certaines zones.
Mer Morte	250 ‰, la vie n'y est plus possible.

SALINITÉ DES EAUX (EN ‰ OU EN g/l) EN FONCTION DE LA TEMPÉRATURE ET DE LA DENSITÉ

densité Temp. en °C	1000	1005	1010	1015	1020	1025	1030
0	0	6,3	12,5	18,7	24,9	31,1	37,3
5	0	6,3	12,6	18,9	25,3	31,6	37,9
10	0	6,7	13,1	19,6	26,0	32,5	38,9
15	0	7,6	14,1	20,7	27,2	33,7	40,2
20	0	8,9	15,5	22,1	28,7	35,3	41,8
25	0	10,5	17,2	23,9	30,5	37,2	43,8
30	0	12,5	19,2	26,0	32,7	39,3	45,9

Exemple : une eau de densité 1010, à une température de 15 °C, a une salinité de 14,1 ‰ (ou g/l). Les eaux marines tropicales sont généralement situées dans la zone grisée.

DENSITÉ DES EAUX EN FONCTION DE LA SALINITÉ ET DE LA TEMPÉRATURE

Salinité (‰)	5	10	15	20	25	30	35
Temp. en °C 15	1004	1008	1011	1015	1019	1022	1026
20	1003	1008	1010	1014	1018	1021	1025
25	1003	1007	1008	1012	1016	1019	1023
30	1002	1006	1007	1011	1014	1018	1021

Une eau de salinité 35 ‰, à une température de 25 °C, possède une densité de 1023.
Les eaux marines en aquarium ont en général une densité comprise entre 1020 et 1025.

RÉCOLTE D'UNE EAU DE MER EN MILIEU NATUREL

- Si possible, effectuez une rapide analyse ou procurez-vous des analyses auprès des laboratoires.
- De préférence, prenez de l'eau au large ;
- Près des côtes, évitez :
• les zones dessalées (embouchure des fleuves et des rivières, et leur proximité) ;
• les marais salants abandonnés ou en activité, et leurs abords ;
• les zones susceptibles d'être polluées (proximité de villes, ports, industries) ;
• le vent qui souffle de la mer ;
• le printemps (période où se développe particulièrement le plancton qui risque de ne pas supporter le transport, donc de polluer l'eau) ;
- Filtrez l'eau avant utilisation.

Il est dangereux d'employer du sel de cuisine et même du sel brut provenant de marais salants, car bon nombre de substances nécessaires à un bon équilibre y font défaut. C'est d'ailleurs inutile, car l'aquariophilie étant un domaine où les innovations sont rapides, on dispose actuellement de sels spéciaux dans le commerce. Ils conviennent parfaitement, même si on peut parfois noter une absence ou une trop faible quantité de certains oligo-éléments. Il n'y a donc pas de problème à s'en servir, mais ils ont un défaut majeur : l'eau reconstituée avec ces sels est considérée comme stérile, car elle ne contient pas de bactéries, nécessaires à la transformation des matières organiques. Elle ne peut être utilisée avant quelques semaines, pour des raisons qui seront expliquées plus loin.

Dans le cas où l'on n'habite pas trop loin d'une zone marine considérée comme non polluée (il en reste !), on peut envisager un troisième choix : utiliser 90 % d'eau artificielle et 10 % d'eau naturelle prélevée dans les meilleures conditions (voir encadré ci-contre). Tout en gardant les avantages de chaque type d'eau, on introduit naturellement dans l'aquarium des bactéries en faible quantité, qui participeront à la formation d'un milieu bien équilibré.

TRANSPORT ET STOCKAGE DE L'EAU

Le transport se fait dans des récipients neutres, n'altérant pas la qualité de l'eau et n'en modifiant pas les caractéristiques. Certains plastiques conviennent parfaitement – c'est le cas des bidons ou jerricanes en polyéthylène – surtout s'ils sont dits de qualité alimentaire. Il vaut mieux les choisir ni trop volumineux (n'oubliez pas que 1 l d'eau = 1 kg !) ni trop petits pour éviter de nombreux aller-retour, et les rincer abondamment avant usage.

L'eau est stockée :
- soit brièvement (24 h) après prélèvement au robinet, pour dégazage et élimination des produits chlorés (dans ce dernier cas, on peut utiliser un aérateur pour brasser l'eau et accélérer le processus) ;

- soit pour une durée plus longue. On dispose alors d'une eau de caractéristiques identiques à celle qui a servi à remplir l'aquarium :
• pour des changements partiels d'eau (voir L'entretien de l'aquarium),
• pour mettre en service un bac de reproduction ou un aquarium-hôpital.
Dans tous les cas, le stockage se fera dans un local frais et ventilé, à l'abri de la lumière, dans des récipients neutres de volume assez grand (les bidons de polyéthylène utilisés pour le transport conviennent également). Il faut éviter de stocker l'eau dans un garage utilisé pour un véhicule, à cause des vapeurs d'essence et des gaz d'échappement.

Préparation de l'eau de mer artificielle

Il s'agit de dissoudre des sels, ou un mélange de sels, dans une eau d'origine continentale. Deux règles principales s'imposent :
- on n'utilise jamais de sel de cuisine ou de sel provenant de marais salants, car ils ne contiennent pas tous les éléments d'une eau de mer naturelle ;
- l'eau d'origine continentale sera de bonne qualité (voir encadré correspondant p. 56), d'une dureté la plus faible possible.

Reconstitution d'eau de mer à partir de sels spéciaux

Il s'agit d'un mélange disponible dans le commerce d'aquariophilie, contenant (généralement) tous les éléments dans leurs justes proportions, et on respectera la méthodologie prévue sur l'emballage.
On peut préparer l'eau hors de l'aquarium et en avance, mais il faut disposer de récipients et d'un lieu de stockage convenables. Pour des raisons pratiques, on prépare directement l'eau dans l'aquarium :
- le sol, le décor, les accessoires étant placés, il faut connaître le volume réel d'eau (ou volume net) :
volume net = volume brut (bac vide) – volume du décor et des accessoires.
Il se mesure en remplissant l'aquarium à son niveau définitif et en calculant le volume d'eau qu'on y a mis ;
- on retire environ 1/10 du volume de l'eau dans lequel sera préalablement dissoute la totalité des sels nécessaires ;
- la saumure ainsi obtenue est versée dans l'aquarium ;
- l'eau est vigoureusement brassée pour homogénéiser le mélange (ce qui permettra également de l'oxygéner).
Rappelons qu'on ne doit pas introduire d'animaux dans un bac d'eau de mer reconstituée avant quelques semaines. →

Comment réajuster la salinité d'une eau

Une eau de mer naturelle, ou reconstituée, peut présenter une salinité différente de celle souhaitée.
Pour dessaler l'eau :
- on utilise de l'eau la plus douce possible (c'est impérativement ce qu'il faut faire quand l'eau de mer s'évapore. Si on rajoute de l'eau salée, on augmente la salinité du bac, ce qui à la longue pourrait éventuellement poser quelques problèmes).

Pour augmenter la salinité :
- il est préférable d'utiliser les sels spéciaux. En cas d'urgence, ou en petite quantité, le sel de cuisine peut convenir ;
- on calcule la quantité de sel, que l'on dissout à part ;
- on introduit cette eau dans l'aquarium, et on facilite le mélange par brassage.
Exemple :
- votre bac de 200 l contient de l'eau à 30 ‰, vous voulez monter à 35 ‰ ;
- l'augmentation de 5 ‰ correspond environ à 5 g de sel par litre.

Utilisation de produits chimiques

On se procure les différents constituants de l'eau de mer (dans des magasins spécialisés en produits chimiques), on les mélange dans des proportions adéquates. C'est plus long et plus délicat que la méthode précédente, et le risque d'erreur de dosage est plus important, puisqu'il existe pour chaque produit. Nous renvoyons les amateurs intéressés par cette méthode à des ouvrages spécifiques consacrés à l'eau de mer (voir bibliographie).

Fabrication d'une eau saumâtre

Quelle que soit la salinité d'une eau, la proportion des sels est la même ; on peut donc parfaitement utiliser les sels spéciaux pour eau de mer, bien entendu à de plus faibles concentrations.

On peut également mélanger une eau de mer naturelle avec de l'eau continentale la plus douce possible, dans des proportions variables suivant la salinité désirée. Les tableaux suivants vous guideront.

Proportions d'eau de mer à 30 et 35 ‰ à utiliser pour obtenir une salinité voulue avec de l'eau continentale

Salinité finale désirée (‰)	5	7,5	10	12,5	15	17,5	20	22,5	25
Proportion eau de mer à 35 ‰ (en %)	14	21	29	36	43	50	57	64	71
Proportion eau de mer à 30 ‰ (en %)	16	25	33	42	50	58	67	75	83

Salinité obtenue en mélangeant de l'eau de mer à 30 et 35 ‰ avec de l'eau continentale

Proportion d'eau de mer (en %)	10	20	30	40	50	60	70	80	90
Proportion d'eau continentale (en %)	90	80	70	60	50	40	30	20	10
Salinité obtenue avec eau de mer 35 ‰	3,5	7	10,5	14	17,5	21	24,5	28	34,5
Salinité obtenue avec eau de mer 30 ‰	3	6	9	12	15	18	21	24	27

Dans certains cas où l'on a besoin d'eau peu saumâtre (quelques millièmes), il est plus simple d'utiliser du sel de cuisine, dissous à part ; le mélange obtenu est incorporé dans l'aquarium, et on contrôle la densité au fur et à mesure.

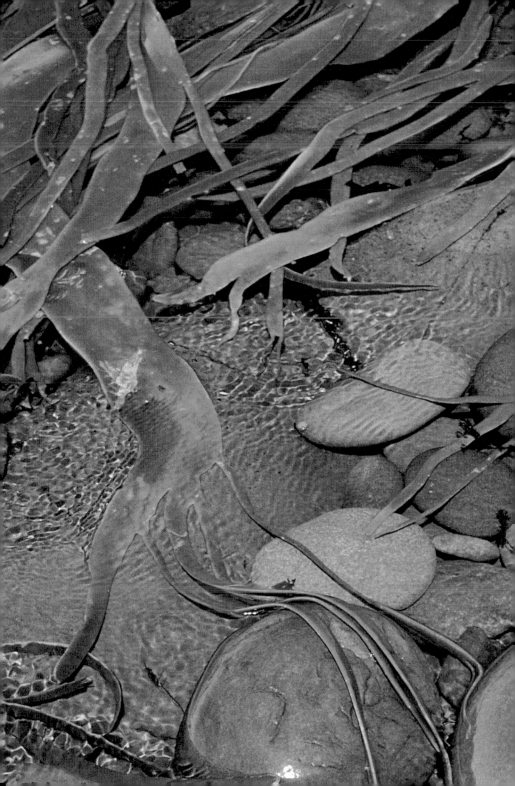

Le sol

On ignore souvent son rôle exact,
c'est pourquoi il n'est parfois considéré
que comme un élément du décor
et comme un support physique permettant
l'enracinement des plantes.
Mais c'est aussi un milieu vivant
qui contient de l'oxygène et des bactéries,
indispensable au bon équilibre
d'un aquarium. Les phénomènes
biologiques, chimiques et mécaniques
qui s'y déroulent dépendent
de sa composition, de la taille
des particules et de son épaisseur.

LES DIFFÉRENTS RÔLES DU SOL

Étant donné que l'on tente de recréer un morceau de nature en aquarium, le sol a sa place en tant qu'élément naturel et esthétique : on évitera donc les petits cailloux colorés des bocaux à poissons rouges ! Le sol est le site de fixation des plantes, à de rares exceptions près (plantes flottantes, fougères se fixant à d'autres supports). Il doit donc permettre la pénétration des racines et avoir une certaine épaisseur, ce qui veut dire un certain poids à ne pas négliger lorsqu'on choisit l'emplacement de l'aquarium ! Les plantes y puisant une petite partie des sels minéraux indispensables à leur croissance, le sol doit être nutritif sans excès. Trop riche, il peut provoquer un déséquilibre dans l'aquarium ; trop pauvre (ce qui est le cas pour la plupart des substrats commercialisés pour l'aquariophilie), il ne permettra pas la culture de certaines plantes exigeantes. Bien entendu, dans ce dernier cas, il est possible de compenser la pauvreté du sol par l'apport d'engrais liquides dans l'eau (après mise en service de l'aquarium) ou dans le sol (lors de la mise en service).

Il ne faut pas oublier que le sol va progressivement s'enrichir dans le temps grâce à la transformation, par les bactéries en présence d'oxygène, des composés organiques (débris divers, excréments, surplus de nourriture) en sels minéraux utilisés par les plantes.

Si l'oxygène ou les bactéries viennent à manquer, il y aura production de substances toxiques et le sol prendra une odeur caractéristique de putréfaction. Cela serait préjudiciable pour les poissons, mais également pour les plantes, qui ne disposeraient plus de sels minéraux.

Il y a donc un équilibre à respecter entre plantes, poissons et sol.

Le sol sert également à caler les roches qui composeront le décor. Celles-ci ne devront pas être posées sur le sol, mais placées avant lui et stabilisées par lui. En effet, pour différentes raisons (notamment la présence de poissons un peu turbulents),

---

LE POIDS D'UN SUBSTRAT...

... et le choc de l'aquarium qui tombe ! Si l'on est parfaitement conscient qu'un aquarium de 100 l contient 100 kg d'eau, on oublie parfois de compter le poids du bac lui-même, des roches et du sol. Le poids d'un substrat varie suivant sa granulométrie, à cause des interstices plus ou moins grands entre les particules. Pour les substrats les plus courants en aquariophilie, on peut se baser sur les valeurs suivantes :

poids de 1 l de substrat, à sec =
1,4 à 1,9 kg.

Pour un bac de 100 l, il faudra compter environ 30 kg de sédiment, l'aquarium complet pesant plus de 150 kg : attention au support !

---

le relief du sol peut se modifier, entraînant la chute de roches non calées.

UN AQUARIUM SANS SOL ?

Totalement inesthétique, il ne permet que la présence de plantes flottantes qui puisent les sels minéraux directement dans l'eau. Néanmoins, l'absence de sol s'avère utile, et même nécessaire, pour des raisons d'hygiène, dans les cas suivants :
- aquarium-hôpital, où les poissons seront traités par différentes substances, parfois des colorants ;
- aquarium de reproduction. Selon l'endroit où sont fixés ou déposés les œufs, on utilise différents supports naturels ou artificiels.

Les bacs des sociétés d'élevage et d'importation de poissons tropicaux sont dépourvus de substrat, ce qui évite l'entretien et limite les risques pathologiques.

Dans cet aquarium d'ensemble, on voit nettement que le sol permet l'enracinement des plantes ; par contre, la transformation des composés azotés en sels minéraux par les bactéries reste invisible à nos yeux.

Les appellations commerciales diffèrent parfois pour désigner un même substrat, ce qui entraîne des confusions. Il existe une classification précise, que nous vous proposons ici sous forme simplifiée. Les substrats les plus intéressants en aquariophilie sont ceux dont la granulométrie est comprise entre 1 et 4 mm, donc les graviers et les sables grossiers.

Taille des particules (en mm)	Dénomination du substrat
< 0,064	vase et vase sableuse
0,064 - 0,25	sable fin
0,25 - 0,5	sable moyen
0,5 - 2	sable grossier
2 - 4	gravier fin
4 - 8	gravier moyen
8 - 20	gravier grossier
20 -200	cailloux

Les plus fines particules ne conviennent pas, car elles risquent d'être souvent remises en suspension ; le gravier grossier et les cailloux sont utilisés pour des décors plus spécifiques.

1

2

3

En dehors de l'aspect esthétique d'un sol, la taille des particules qui le composent revêt une importance particulière, notamment pour l'action des bactéries.
Le sable de Loire (1) ne permet pas une bonne circulation de l'eau dans le sol trop compact.
Le quartz (2) et le gravillon (3) ne présentent pas cet inconvénient préjudiciable à l'oxygénation du sédiment.

Pour favoriser la croissance des plantes, on incorpore parfois (en quantité variable) des boulettes d'argile dans le sol, à proximité de leurs racines. Ce n'est pas un engrais au sens strict du terme, mais elles jouent un rôle dans l'absorption de certaines substances (dont des oligo-éléments) par les plantes.

UN SUBSTRAT PARTICULIER : LES ROCHES VOLCANIQUES CONCASSÉES

La forme des particules obtenues permet une bonne circulation de l'eau et un bon enracinement des plantes, et la structure favorise l'établissement des bactéries décomposant les matières organiques. La pouzzolane, roche siliceuse brun rougeâtre que l'on rencontre par exemple en Haute-Loire, confère un effet esthétique agréable, sa couleur mettant bien en valeur les plantes.

SABLE, QUARTZ, QUARTZITE, GRAVIER : QUELLES DIFFÉRENCES ?

Le quartz est un minéral composé de silice et d'oxygène (SiO_2, dioxyde de silice), un des plus courants au monde. Il fait partie de la composition des roches siliceuses, par exemple le granite et les graviers. Il raie le verre.

Le sable est une roche sédimentaire (qui se dépose) provenant de la décomposition d'autres roches. Il est constitué par des grains de quartz et d'autres minéraux. Les sables les plus blancs contiennent presque exclusivement de la silice, les autres sont colorés (beige à jaunâtre) par des oxydes de fer.

On trouve du sable dans de nombreux endroits ; il a deux principales origines :

- le sable fluviatile constitue le lit d'une partie des cours d'eau ; ses grains sont anguleux ;
- le sable éolien, qui constitue les dunes, a été transporté par le vent ; ses grains sont en général plus fins et plus érodés (plus ronds).

Le quartzite est à l'origine une roche composée de grains de quartz recristallisés, parfois avec du mica. On dénomme également quartzite un sédiment presque exclusivement composé de grains de quartz à arêtes aiguës. Ce type de substrat constitue en général un sol pauvre.

Les graviers proviennent de l'érosion des montagnes par la fonte des glaces. Charriés par les cours d'eau, ils sont composés de particules dont la dimension diminue et dont la forme s'érode au fur et à mesure que l'on descend les cours d'eau.

CARACTÉRISTIQUES DU SOL
D'UN AQUARIUM D'EAU CONTINENTALE

Il ne doit en aucun cas contenir de calcaire, qui augmentera la dureté de l'eau. Il faut donc rester prudent, éviter de récolter des sédiments en milieu naturel et utiliser les substrats habituellement commercialisés. Parmi eux, il faut choisir ceux dont la granulométrie est comprise entre 1 et 4 mm et dont les particules sont érodées : l'eau y circule mieux, oxygène le sédiment, et les plantes s'y fixent facilement. Les graviers fins sont particulièrement adaptés, les sables de quartz grossiers conviennent également.

Les sols plus fins peuvent être intéressants dans certains cas, notamment pour les poissons fouisseurs qui y trouvent leur nourriture. Toutefois, leurs particules peuvent être remises en suspension par les poissons : l'eau se trouble, les branchies peuvent être colmatées.

Un sol à granulométrie élevée sera parfois utilisé pour des poissons particuliers qui sont «remuants» et bouleversent le sol pour différentes raisons, notamment la préparation d'un site de ponte, ou pour faciliter la dissimulation d'œufs entre les particules grossières (ils échappent à la voracité de certains hôtes de l'aquarium).

COMMENT VÉRIFIER QU'UN SABLE (OU UNE ROCHE) CONTIENT DU CALCAIRE ?

C'est très simple : Il suffit de faire la petite expérience qu'un certain nombre d'entre nous ont réalisée à l'école avec de la craie (qui contient du calcaire). On y verse quelques gouttes d'acide chlorhydrique (dilué, ou plus prudemment du vinaigre) : s'il se produit une effervescence, la roche contient du calcaire et est à proscrire dans l'aquarium (sauf dans certains cas particuliers, par exemple pour augmenter la dureté de l'eau).

AVANTAGES ET INCONVÉNIENTS DES MATÉRIAUX LES PLUS UTILISÉS POUR LES SOLS D'AQUARIUMS

	Avantages	Inconvénients
Sable et quartz fin	- Couleur claire, aspect esthétique agréable. - Bon enracinement des plantes. - Intéressant pour les poissons fouisseurs, qui cherchent leur nourriture dans le substrat.	- Mauvaise circulation de l'eau, donc mauvaise oxygénation pouvant entraîner des problèmes pour la transformation des composés azotés. - Colmatage rapide de la couche superficielle. - Accumulation des déchets à la surface, très visibles sur fond clair. - Remise en suspension de particules fines par des poissons assez remuants.
Quartz grossier et gravier fin	- Bonne fixation des racines. - Bonne circulation de l'eau dans les interstices. - Les plus petits déchets sont moins visibles. - Pas de remise en suspension des particules.	- Couleur parfois plus sombre que le sable. - Parfois présence d'éléments fins (facilement éliminés par lavage). - Moins apprécié par les poissons fouilleurs de substrat.

CARACTÉRISTIQUES DU SOL D'UN AQUARIUM MARIN

Pour les mêmes raisons qu'en eau continentale, il doit permettre une bonne circulation de l'eau pour aider son oxygénation. Par contre, on peut recourir à des matériaux contenant du calcaire.

En milieu naturel, la composition du substrat varie suivant les régions. Dans les récifs coralliens, il est constitué en moyenne partie de débris de coraux ; ailleurs, il peut comporter des fragments de coquillages ou des particules d'origine terrestre (apportées par le vent ou les cours d'eau). Il n'existe donc pas de composition idéale pour les aquariums marins ; on utilise d'ailleurs souvent un mélange de différents matériaux. L'épaisseur sera un peu plus faible que pour les sols d'eau continentale (environ 5 cm pour limiter les risques d'apparition de composés toxiques à odeur de putréfaction).

MATÉRIAUX UTILISÉS POUR LE SOL EN AQUARIOPHILIE MARINE

- On n'utilise pas de sable fin.
- Le sable grossier ou gravier fin : de granulométrie identique à celui employé en eau non salée, il convient parfaitement. Il devra être préalablement bien nettoyé pour en éliminer les très fines particules.
- Le sable corallien : il est constitué de débris, plus ou moins grossiers, du squelette calcaire des coraux, persistant après leur mort. On le trouve dans le commerce.
- Le sable coquillier : il se compose de débris de coquillages, plus ou moins fins. On le trouve dans certaines régions côtières françaises. Il faut le laver pour en éliminer les plus fines particules.

Le sol d'un aquarium marin peut se présenter sous la forme d'un mélange de plusieurs de ces matériaux en différentes proportions. Si on ne dispose que de gravier ou de sable grossier, on peut y incorporer des coquilles d'huîtres concassées (elles contiennent du calcaire, en principe rare dans le sable grossier, nécessaire à l'équilibre de l'aquarium).

Le squelette calcaire de ces animaux proches des anémones de mer constitue, sous forme de débris, le sable corallien. La présence de calcaire empêche des variations trop importantes du pH.

Le sable de corail est le matériau de base pour un sol marin. Il peut être mélangé avec du quartz ou du sable coquillier, l'important étant toujours la taille des particules qui doit permettre une bonne oxygénation du sédiment.

Les éléments du décor

L'utilisation de roches, de bois, de racines
et de plantes permet une variété quasi illimitée
de types de décors.
La combinaison de ces éléments est souvent
le reflet des goûts de l'aquariophile, mais
ne doit pas donner un résultat trop hétéroclite.
Les plantes, en plus de leur rôle décoratif,
participent à l'équilibre général de l'aquarium,
en utilisant certaines substances et en produisant
de l'oxygène.

LES ROCHES

On trouve encore, pour décorer des aquariums, des scaphandriers et autres épaves de galions côtoyant des «cailloux», plus ou moins gros, de couleur souvent vive (ou fluo, c'est la mode). Tous les goûts sont dans la nature, mais celle-ci nous offre une grande variété de roches, pas forcément de couleur terne, qui peuvent harmonieusement orner un aquarium.

Composants inertes du milieu naturel et de l'aquarium, les roches n'ont pas seulement un rôle décoratif : elles sont souvent utilisées par les poissons et jouent un rôle dans l'écologie de certains végétaux.

LE RÔLE DES ROCHES

Complémentaires des êtres vivants, elles ont logiquement leur place dans nos bacs. Sur le plan décoratif, elles permettent de copier ou de recréer le milieu naturel, mettant ainsi plantes et poissons en valeur. On évitera donc les roches trop vivement colorées, qui produisent un effet peu naturel et focaliseront l'attention au détriment du reste de l'aquarium.

Les roches permettent également l'élaboration d'un décor peu monotone, en créant relief et volume : éboulements, falaises, grottes, surplombs ou terrasses judicieusement composés seront plus agréables à l'œil que quelques cailloux isolés.

Dans les cours d'eau, les roches brisent le courant et offrent des refuges calmes aux poissons adultes et aux alevins. Ce sera également le cas en aquarium où on les utilisera pour briser (éventuellement) le courant d'eau créé par la sortie du filtre, et pour offrir des abris à nos pensionnaires (soit parce que ce sont des espèces discrètes en permanence, soit parce qu'elles se

Décor à base de roches métamorphiques.
Celles-ci se séparent en plaques assez minces,
mettant en valeur les plantes aquatiques.

QUELQUES EXEMPLES DE ROCHES UTILISÉES EN AQUARIOPHILIE

Types	Observations
Roches sédimentaires	Ce sont des dépôts successifs marins ou d'eau douce (lacs, fleuves).
- calcaires	- A ne pas utiliser, sauf pour reconstituer un biotope d'eau saumâtre ou de grand lac africain.
- grès	- Convient, sauf le grès calcaire.
Roches métamorphiques	Issues des précédentes, recristallisées à forte chaleur et à pression élevée.
- schistes	- Très intéressants : faible épaisseur, donc volume limité, se travaillent, peuvent se séparer en feuilles. Il existe des schistes rouges ou verts donnant un bel effet.
- ardoise	- C'est un schiste particulier, de couleur noirâtre, qui se débite en plaques très minces. Attention aux ardoises à reflets dorés (présence de pyrite, minéral toxique).
Roches volcaniques	En fusion à grande profondeur, se solidifient à l'arrivée en surface.
- granites.....................................	- Les plus répandus. Intéressants mais lourds et coupants, à éroder.
- laves	- Regroupent divers matériaux : roches fondues, cendres volcaniques ou fragments projetés lors d'éruptions. Blocs plus ou moins arrondis, assez légers par rapport à leur taille. Couleur allant du rougeâtre au noir en passant par le brun : bel effet décoratif.
- basalte	- Fait partie des laves, mais plus lourd et présentant des arêtes coupantes. Couleur presque noire mettant bien en valeur les plantes.
Roches diverses - galets..	- Se rencontrent dans les parties hautes des rivières. Lourds, mais pratiques pour réaliser des empilements procurant refuges et caches aux poissons.
- bois silicifié .... (ou bois pétrifié)	- N'est pas un fossile, contrairement à ce que l'on croit souvent, ni vraiment une roche. Tous les composants organiques ont progressivement été remplacés par de la silice, mais on voit encore la structure fibreuse ; bel effet, s'il est harmonieusement disposé.

LES ROCHES VIVANTES EN EAU DE MER

Ce sont des roches, ou des fragments de corail, prélevées en mer et portant un certain nombre d'organismes vivants :
- algues microscopiques ou plus ou moins visibles ⎤
- éponges, petites anémones ⎦ fixées
- animaux divers, dont des petits crustacés, dissimulés dans les anfractuosités.
Ces roches vivantes, parfois vivement colorées, sont complémentaires du décor inerte.

Où se les procurer ?
Sur nos côtes, il est vivement déconseillé d'utiliser des roches en provenance des régions atlantiques, les espèces qui y sont fixées ne résistant pas en principe à la chaleur des bacs tropicaux. Originaires de Méditerranée, elles sont a priori mieux adaptées. Certains amateurs n'ont jamais rencontré de problèmes avec des roches vivantes prélevées en France, mais il faut se garder de généraliser.
Celles qui sont originaires des tropiques se trouvent dans le commerce aquariophile ; la faune et la flore fixées sont adaptées pour nos aquariums, mais le principal point négatif est leur prix.

dissimulent temporairement pour échapper à un risque quelconque).

Les roches servent également de repères à certains poissons, à l'occasion de leurs déplacements ou pour matérialiser leur territoire – notamment au moment de la reproduction. A ce moment-là, elles font parfois office de support pour les œufs adhésifs.

Certains végétaux, fougères et mousses, se fixent et se développent sur des roches plus ou moins rugueuses, ce qui apporte une touche d'originalité. D'autres plantes qui possèdent une partie souterraine peu importante peuvent être calées par des fragments de roche pour éviter leur déracinement.

Les roches ont également une fonction particulière pour l'aquariophile qui les utilise très souvent pour camoufler les accessoires de l'aquarium : chauffage, filtre, thermomètre ou tuyau d'aération.

CARACTÉRISTIQUES PRINCIPALES DES ROCHES COMPOSANT LE DÉCOR

Tout d'abord, elles ne doivent pas libérer de composants modifiant les caractéristiques de l'eau. On n'utilisera pas, dans un premier temps, de roches calcaires qui risquent à long terme d'augmenter la dureté de l'eau, surtout acide, en présence de gaz carbonique. Par contre, elles peuvent rendre service à un amateur confirmé pour la maintenance de certains poissons de lacs africains en eau dure, ainsi qu'en eau de mer. Ensuite, une roche ne doit pas libérer de substances toxiques. Or, certaines contiennent des métaux parfois visibles grâce à leurs reflets : elles sont à éliminer. C'est le cas de certaines ardoises à reflets dorés qui renferment de la pyrite. En cas de doute, mieux vaut ne pas utiliser une roche inconnue. Certaines roches ont des arêtes coupantes qu'il est conseillé d'éroder (par meulage, par exemple). En fait, la taille et la variété des roches composant le décor seront choisies non seulement pour leur rôle, mais aussi dans un souci d'esthétique : un aquarium n'est pas la vitrine d'un musée de minéralogie, et, en général, deux roches différentes sont suffisantes pour créer un décor et un relief intéressants.

En eau de mer, on peut utiliser les mêmes roches qu'en eau douce, sans oublier qu'elles n'existent pas toutes en milieu marin : les ardoises peuvent ainsi paraître un peu déplacées dans un aquarium marin, mais elles sont très utiles pour camoufler les accessoires.

Enfin, dernier point important, certaines roches sont parfois lourdes, facteur à ne pas négliger lors du choix du support de l'aquarium.

LES MATÉRIAUX D'ORIGINE VÉGÉTALE

Il s'agit de branches, de racines, d'écorces et également d'autres matériaux.

Présents dans les milieux naturels (mares, étangs, rivières), ils ont leur place dans un aquarium et complètent le décor rocheux. De même qu'on n'utilise pas trop de roches différentes, il ne faudra pas être tenté d'avoir recours à plusieurs types de bois au détriment de l'esthétique. Par contre, un aquarium décoré de plantes, de racines ou de branches, mais sans roches, possède un effet décoratif certain.

Le bois peut servir d'abri ou de refuge aux poissons ; il est parfois également utilisé par les poissons de fond qui se déplacent habituellement au niveau du sol. Parmi les végétaux, les mousses s'accrochent aux branches et aux racines (ainsi que sur les pierres), les recouvrant parfois entièrement : taillées selon le contour du bois, elles adoptent un aspect souvent très surprenant.

Les branches, racines et écorces doivent être traitées avant leur introduction dans l'aquarium (pour éviter champignons et moisissures) et lestées ou calées convenablement, à défaut de quoi on les retrouve flottant à la surface (voir ci-dessous).

CALAGE ET LESTAGE DU BOIS

Une racine, une branche, ou une écorce qui remonte à la surface, cela entraîne un certain désordre !

De plus, il faudra la recaler, donc risquer de provoquer des bouleversements dans l'aquarium. Cela fait deux bonnes raisons de prévoir sa fixation lors de la conception et du décor. Plusieurs solutions sont à envisager :

- la planter dans le sable. En général, ce n'est pas suffisant, on complète en calant avec une pierre ou même plusieurs ;

- la lester avec plusieurs petits cailloux soit glissés dans les anfractuosités du bois, soit attachés avec du fil de nylon (fil de canne à pêche, à l'exclusion de tout autre matériau) ;

- soit utiliser le «truc» suivant :

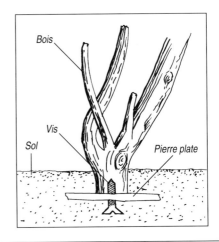

Bois

Vis

Sol

Pierre plate

Les différents matériaux d'origine végétale utilisables en aquariophilie

Bois divers (branches, racines)	Les plus intéressants sont ceux du chêne et du hêtre. Le cep de vigne a également un bel effet décoratif. Il est impératif de débarrasser les morceaux de bois des éléments indésirables (mousse, lichen, écorce) et de les traiter. Bien entendu, les bois morts seront préférés aux bois tendres, surtout s'ils ont déjà séjourné dans l'eau. Il ne faut pas utiliser ceux rejetés par la mer, ils sont gorgés de sels (ils peuvent néanmoins figurer dans les aquariums d'eau saumâtre). Les résineux sont à proscrire.
Écorce	Seule celle du chêne-liège (utilisée pour la décoration murale) convient, notamment pour dissimuler les vitres arrière et latérales. Très légère, l'écorce devra être fixée (notamment par de la colle aux silicones).
Bambous	Très intéressants, couplés à des plantes rubanées pour reconstituer certains milieux du Sud-Est asiatique.
Bois de tourbière	Parfois appelé racine de tourbière, il a séjourné plusieurs siècles dans cet endroit particulier ; ce n'est donc pas un bois fossile. Au contact de l'eau, il dégage des substances acides.
Tourbe	Ce n'est pas un bois à proprement parler ; il s'agit de végétaux transformés en fibres dans les tourbières, en milieu acide et sans oxygène, pendant plusieurs milliers d'années. Riche en substances organiques, la tourbe acidifie et colore l'eau (ce qui a un certain effet contre le développement des moisissures). On l'utilise avec certains poissons vivant en eau sombre et acide, notamment pour la reproduction. Elle doit être bouillie avant utilisation, et est généralement placée dans le filtre.

Le traitement des bois avant utilisation

Les bois, quelle que soit leur origine, doivent être traités avant d'être introduits dans l'aquarium, pour plusieurs raisons :

1. Il faut détruire les organismes présents (notamment bactéries et champignons) qui pourraient se développer en formant une couche plus ou moins blanchâtre, inesthétique. Par précaution, on traitera également les bois de tourbière issus du commerce, même si leur aspect extérieur semble plus «net» que celui des bois récoltés dans la nature.

2. Les bois libèrent dans l'eau des substances colorantes et acidifiantes, qu'on doit éliminer auparavant.

3. Même s'ils ont l'air d'être lourds, les bois flottent ! On va favoriser la pénétration de l'eau dans leurs cellules pour les alourdir.

Dans le cas 1, on va exercer une action désinfectante :
- soit avec une solution de sulfate de cuivre à 1g/l ;
- soit avec de l'eau de Javel (1 ml/l si elle est diluée, 1 ml/4 l si elle est concentrée) dans une eau à température ambiante ou, mieux, plusieurs heures dans l'eau bouillante.

Dans les cas 2 et 3, on immerge également les bois dans de l'eau à température ambiante, mais la libération des substances colorées et la pénétration de l'eau sont lentes. On peut accélérer les processus avec de l'eau bouillante.

Pour être le plus prudent possible, il vaut mieux effectuer l'action désinfectante en eau bouillante. Les bois seront ensuite rincés et brossés (pas trop vigoureusement pour les plus tendres).

LES CORAUX

A l'origine, ce sont des animaux proches des anémones de mer ; le corail a l'aspect d'une colonie de ces petits invertébrés et est souvent de couleur vive ; on en trouve de plus en plus couramment dans les aquariums marins, nous y reviendrons. La colonie peut se rétracter dans le squelette calcaire, ce qui explique la multitude de petites perforations que l'on peut observer lorsque le corail est mort. C'est en effet à ce stade qu'on l'utilise en tant qu'élément de décor inerte.

La couleur blanche plus ou moins nette peut être naturelle ou obtenue par traitement spécial ; elle disparaîtra à la longue en aquarium, les coraux se recouvrant progressivement d'algues vertes.

Il existe du corail rouge (vivant ou mort) que l'on rencontre dans certaines zones de Méditerranée. En régression, il devient rare (donc cher) : mieux vaut ne pas en acheter et contribuer ainsi à sa préservation en milieu naturel.

Les coraux sont fragiles, rugueux et coupants, il faut les manier avec précaution. En plus de leur aspect décoratif, ils jouent un rôle pour les poissons (territoire, cachette).

Les coraux sont d'origine marine, il ne serait donc ni logique ni naturel de les utiliser ailleurs que dans un bac marin ; de plus, ils sont susceptibles d'augmenter la dureté de l'eau.

LE TRAITEMENT DES CORAUX

Même s'ils présentent un aspect blanc et propre, ils peuvent contenir des particules d'origine vivante. Il est donc prudent de les nettoyer, par exemple dans une solution de soude caustique à 3 % (à manipuler avec précaution). On les rince et on les brosse, puis on les fait bouillir au moins une demi-heure.

Le corail est un animal vivant en colonies qui peut se rétracter dans son squelette calcaire, par des orifices très visibles sur un fragment mort, comme ceux utilisés pour le décor.

Aucune vie n'est possible, ni sur terre ni dans l'eau,
sans les végétaux : ils produisent de l'oxygène
(de jour) et sont à la base de la chaîne alimentaire.
Contribuant à maintenir un certain équilibre
dans un aquarium, ils sont aussi utilisés
par les poissons comme abri, comme substrat
de ponte ou comme aliment. Leur rôle est donc
plus fonctionnel que décoratif.
On peut d'ailleurs rencontrer
des bacs sans plantes, offrant néanmoins
un spectacle agréable grâce au décor inerte.

LES VÉGÉTAUX

Classification

La classification scientifique des végétaux, basée sur des caractères anatomiques, est trop longue et trop complexe pour être détaillée ici. Il est plus intéressant de les regrouper sur le plan écologique, en fonction de leurs positions ou suivant les mouvements de l'eau.

Quelle différence y a-t-il entre un animal et un végétal ?

On ne peut pas se baser sur l'immobilité : certaines plantes flottent, des animaux vivent fixés (coraux, par exemple).

On ne peut pas se référer à la respiration : tous les êtres vivants absorbent de l'oxygène et rejettent du gaz carbonique, même si ce phénomène n'est pas perceptible de jour pour les plantes à cause de la photosynthèse.

C'est en effet la différence principale entre les végétaux et les animaux :
- ceux-ci se nourrissent à partir de matière organique, d'origine vivante et contenant du carbone (autres animaux, plantes) ;
- les végétaux utilisent des substances minérales, les engrais ou les sels minéraux, provenant de la décomposition de matière organique, ne contenant pas de carbone.

Avec le carbone du gaz carbonique dissous dans l'eau, et en utilisant la lumière comme source d'énergie, les végétaux réalisent un certain nombre de réactions chimiques aboutissant à la fabrication de substances nécessaires à leur développement : c'est la photosynthèse, évoquée plus loin. Pour ces raisons, les plantes sont dites autotrophes, par opposition aux animaux, hétérotrophes (qui ont besoin de matière

La classification simplifiée des végétaux		
Groupes	**Caractéristiques**	**Exemples**
Plantes à fleurs et à graines	- Constituées par une tige, des vaisseaux véhiculant la sève, des feuilles, des racines. - La floraison se produit rarement en aquarium.	- Un grand nombre de plantes d'aquarium. Parmi les plus connues, citons la myriophylle et l'élodée.
Plantes sans fleurs et sans graines	- Tige, vaisseaux, feuilles, racines, pas de fleurs. - Pas de tige visible, pas de vaisseaux. - Ni tige, ni racines, ni feuilles, mais ce qu'on appelle un thalle : • contenant des pigments (dont la chlorophylle, pigment vert) ; • sans pigments.	- Fougères. - Mousses. - Algues. - Champignons.
Tous ces végétaux se rencontrent en aquariophilie, y compris les champignons, parfois peu visibles, responsables de certaines maladies des poissons.		

Classification écologique des végétaux d'aquarium

Selon la nature des eaux :	
Végétaux des eaux courantes	- Feuilles fines, en forme de ruban ou filiformes, pour résister aux courants. - Bien enracinés ou accrochés aux pierres.
Végétaux des eaux calmes et stagnantes	- Feuilles plus longues, à l'aspect robuste.
Selon leur position : **Végétaux aquatiques immergés**	- A feuilles totalement immergées. Ils tirent leurs substances nutritives dans le sol et dans l'eau, les échanges gazeux se font avec l'eau. - A feuilles flottantes. Les échanges gazeux se font en grande partie avec l'air atmosphérique. Les feuilles sont souvent larges et grandes, donnant ainsi des abris aux poissons (surtout les alevins), mais limitant la pénétration de la lumière en profondeur.
Végétaux partiellement immergés	- Ne supportent pas un milieu sans humidité. - Tige et feuilles émergent, mais le niveau d'émersion varie suivant le régime des eaux (pluies et inondations, sécheresse). Elles sont en fait peu intéressantes en aquarium, bien qu'on en trouve dans le commerce.
Végétaux flottants	- Reçoivent beaucoup de lumière (donc limitent sa pénétration en profondeur), se développent en général rapidement jusqu'à former des tapis denses à la surface. Ils utilisent les sels dissous dans l'eau et procurent des abris aux alevins.

organique d'origine vivante pour se développer).

Cette photosynthèse (voir p. 90) est rendue possible grâce à la présence de pigments, dont la chlorophylle bien connue, de couleur verte. Les pigments utilisant la lumière comme source d'énergie sont caractéristiques des végétaux, ce qui les différencie encore des animaux.

L'ANATOMIE DES VÉGÉTAUX AQUATIQUES

Notre propos n'est pas de faire ici un cours de biologie végétale, mais simplement de signaler quelques particularités des végétaux aquatiques par rapport aux végétaux terrestres.

Ces derniers possèdent des tissus de soutien qui les maintiennent dressés, tandis que la tige des premiers comporte de l'air qui va les aider à flotter et à se diriger vers la surface. Cela les rend plus fragiles, parfois cassants hors de l'eau, et donc délicats à manipuler (sauf exceptions).

Les plantes terrestres puisent l'eau et les substances nutritives dans le sol, et leurs racines sont plus ou moins longues en fonction de la qualité de celui-ci. Ce n'est pas le cas des végétaux aquatiques, qui utilisent en partie les éléments nutritifs qui se trouvent dans l'eau ; leurs racines sont en général plus courtes, et l'enracinement est par conséquent moins puissant. Le cas extrême est celui des plantes flottantes qui se fournissent entièrement en sels minéraux dans l'eau. Les plantes terrestres effectuent leurs échanges gazeux grâce à des pores (appelés stomates), tandis que, chez les plantes aquatiques, les gaz diffusent par l'épiderme (couche externe des cellules). Cela veut dire qu'a priori une plante terrestre de milieu humide, ou palustre (qui vit les pieds dans l'eau), ne peut pas être totalement immergée.

Pourtant, un certain nombre de plantes d'aquarium, vendues comme telles, sont en réalité palustres. On peut parfois même reconnaître dans le commerce des plantes d'appartement nécessitant beaucoup d'humidité vendues en tant que plantes aquatiques !

Les feuilles des plantes réellement aquatiques (toujours immergées) sont très souvent lobées ou finement divisées pour favoriser les échanges gazeux et l'absorption de sels minéraux. En revanche, les feuilles des plantes terrestres, palustres, ou les feuilles flottantes des plantes immergées, sont plus grandes et plus arrondies.

On peut remarquer que quelques espèces immergées produisent des feuilles aériennes très différentes des feuilles aquatiques, plus vastes et moins fines.

Cultivées par des entreprises spécialisées, les parties aériennes sont celles livrées dans le commerce. Lorsqu'elles seront plantées dans un bac, on assistera à une modification de la morphologie des feuilles.

Dernier détail : les plantes immergées des eaux courantes possèdent des feuilles allongées, rubanées, voire même réduites à un filament ; il s'agit d'une adaptation pour résister à la vitesse des eaux. Les plantes des eaux calmes sont parfois plus imposantes et épanouies, les feuilles étant plus larges et plus grandes.

La variété des végétaux aquatiques étant importante, chacun trouvera dans le commerce les plantes adaptées à chaque type d'aquarium (et à son goût).

Elles se développeront harmonieusement si elles disposent des éléments nécessaires (qualité et quantité de lumière, qualité de l'eau, sels nutritifs, gaz carbonique).

UN PEU DE VOCABULAIRE…

Selon la définition du dictionnaire, une plante est un végétal enraciné.
Nous considérerons dans cet ouvrage que les deux termes sont équivalents, les plantes non enracinées étant appelées plantes flottantes en aquariophilie.

LES BESOINS DES VÉGÉTAUX AQUATIQUES

Ils sont très variables selon les espèces. Bien qu'on l'oublie souvent, l'eau est un facteur primordial pour les végétaux aquatiques, et tous n'ont pas les mêmes exigences selon leur origine. On peut les classer en trois catégories :
- végétaux d'eau peu minéralisée, à pH inférieur à 7 ;
- végétaux des eaux dures, dont le pH est supérieur à 7 ;
- végétaux marins, en grande majorité des algues, qui peuvent supporter des variations de salinité et de pH dans des marges raisonnables.

Il est important d'adapter la qualité de l'eau aux plantes (ou vice versa), bien que certaines espèces soient assez peu exigeantes.

La température

On distingue globalement les végétaux d'eau froide (t < 20 °C) que l'on trouve dans nos régions, et ceux des eaux chaudes (t > 20 °C), originaires des régions tropicales, que nous utiliserons en aquarium. En milieu naturel, la température est liée à l'ensoleillement, donc à la lumière, ce qui n'est pas le cas en aquarium, où la température est préréglée à un niveau quasi constant. Cela ne veut pas dire que la lumière ne sert pas aux végétaux dans nos bacs ; au contraire, elle revêt une très grande importance.

La lumière

Pour se développer, les végétaux ont besoin d'énergie, fournie par la lumière. Celle-ci est absorbée par des cellules spéciales

LES VÉGÉTAUX,
PREMIERS MAILLONS DE LA VIE AQUATIQUE

Les plantes et les algues sont consommées par des animaux herbivores (invertébrés et poissons), ces derniers servant de nourriture aux poissons carnivores. Les cadavres des animaux et les débris de plantes sont transformés en substances minérales utilisées par les plantes, et le cycle est bouclé : c'est la chaîne alimentaire. L'ensemble est bien sûr plus complexe, il existe de nombreuses interactions entre les différents niveaux.

Le schéma classique de la chaîne alimentaire dans les eaux est le suivant :

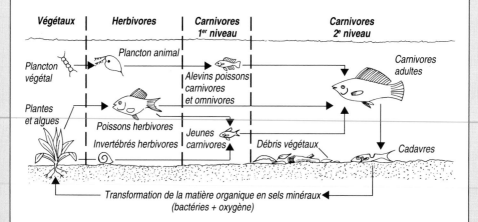

En aquarium, les chaînes alimentaires sont profondément modifiées, car :
- on évite la cohabitation de petites espèces avec de plus grandes susceptibles de s'en nourrir ;
- on introduit de la nourriture artificielle, même pour certains poissons qui broutent les végétaux (voir ci-dessous flèche en pointillé).

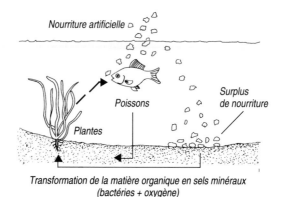

Transformation de la matière organique en sels minéraux
(bactéries + oxygène)

contenant des pigments, notamment la chlorophylle (on devrait d'ailleurs dire les chlorophylles, car il y en a plusieurs).

La photosynthèse, donc la production d'oxygène, augmente proportionnellement à la quantité de lumière, jusqu'à un certain seuil. La provenance de cette lumière a toutefois son importance.

La lumière solaire se compose de plusieurs radiations, correspondant à différentes couleurs. Si un objet nous apparaît d'une certaine couleur, c'est qu'il la réfléchit et qu'il absorbe les autres. Les végétaux verts, contenant de la chlorophylle, absorbent préférentiellement les radiations rouges, orangées et bleues ; c'est donc principalement celles-ci qu'il faut procurer aux plantes d'aquarium.

Chez certaines espèces, la chlorophylle est masquée par d'autres pigments (rouges, par exemple) ; elles nécessitent alors un rayonnement différent, avec une intensité différente. La lumière solaire convient dans la nature, il n'en est pas de même en aquarium, où il vous faudra satisfaire toutes vos plantes : les vertes et les autres, celles qui ont besoin de beaucoup de lumière comme celles qui préfèrent les zones ombragées.

Le gaz carbonique

Il est moins abondant dans l'eau que dans l'air, ce qui peut poser des problèmes pour la culture des plantes palustres, peu adaptées à une immersion totale et permanente. Les végétaux utilisent le carbone du gaz carbonique comme élément de base de leur développement, des quantités trop faibles sont donc préjudiciables. Cela se produit, entre autres, lorsque le pH est trop élevé et se manifeste par un dépôt blanchâtre sur les feuilles et les parois de l'aquarium. Très souvent, la diminution ou l'arrêt de l'oxygénation permet de remédier à ce problème.

Les sels nutritifs (ou sels minéraux)

Ces principaux éléments indispensables aux plantes sont l'azote (symbole : N), le potassium (symbole : K), le phosphore (symbole : P). Ils sont employés sous forme de sels, couplés à d'autres éléments, ce qui donne un certain nombre de produits, par exemple :
- nitrates de calcium, de potassium, de sodium ;
- phosphates de potassium, de fer, de sodium.

LA LOI DU MINIMUM

Les plantes ont besoin de trois éléments nutritifs principaux, comme le montre le dessin ci-dessous :
- l'azote N, contenu dans les nitrates NO_3 ;
- le phosphore P, contenu dans les phosphates PO_4 ;

- le potassium K, pouvant être couplé avec les nitrates ou les phosphates.
Si un des éléments est insuffisant ou absent, inutile d'augmenter les autres, le développement des plantes dépendra de cet élément : c'est la loi du minimum.

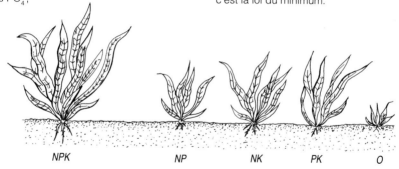

NPK   NP   NK   PK   O

LA PHOTOSYNTHÈSE

Sels nutritifs disponibles dans l'eau
et dans le sol

La production d'oxygène est visible sur une section de tige de certaines plantes placées sous forte intensité lumineuse (notamment l'élodée).

Chaque plante a ses besoins spécifiques, mais toutes nécessitent les trois éléments dans certaines proportions ; si l'un d'eux manque ou n'est pas en quantité suffisante, inutile de compenser par les autres (c'est la loi du minimum, voir page précédente).

D'autres éléments sont également indispensables, mais en plus faible quantité. Citons les principaux : magnésium, soufre, calcium, oxygène et hydrogène (pas les gaz, mais les éléments constituant les molécules), zinc, manganèse, cuivre. Le fer doit également être présent dans l'aquarium, il est un des constituants de la molécule de chlorophylle.

La photosynthèse

Sous l'action de la lumière (donc uniquement de jour), les plantes absorbent le gaz carbonique, utilisent des sels minéraux, fabriquent leur organisme. La figure ci-dessus résume toutes ces actions.

LA REPRODUCTION DES VÉGÉTAUX

Si toutes les conditions nécessaires au bon développement des végétaux sont réunies dans l'aquarium, on peut envisager leur reproduction. Dans la nature, selon les espèces et les conditions, il existe une reproduction sexuée à base de graines ; les plantes émettent des tiges aériennes portant des fleurs. Ce type de reproduction est plutôt rare dans nos bacs, et il faut profiter d'autres moyens que la nature a mis à la disposition des plantes.

En effet, lors de certaines périodes peu favorables à la reproduction sexuée, elles peuvent se propager par reproduction asexuée – on parle de multiplication végétative. On utilise alors des techniques bien connues des amateurs de plantes d'appartement et de jardinage, par exemple le marcottage et le bouturage (voir tableau p. 92).

LES VÉGÉTAUX MARINS

Il faut distinguer les algues unicellulaires (microscopiques), les algues filamenteuses (plus ou moins visibles à l'œil nu) et les végétaux macroscopiques (de taille variable, mais visibles à l'œil nu) dont nous parlerons ici.

Contrairement aux eaux douces, il existe un nombre considérable d'algues par rapport aux plantes supérieures à fleurs (non utilisées dans les aquariums d'amateurs).

LE TRANSPORT DES PLANTES AQUATIQUES

Sur de courtes distances, il survient peu de problèmes si quelques précautions sont prises.

Le transport ne se fait pas en pleine eau, mais en milieu humide, en tenant compte du fait que les plantes sont souvent fragiles et cassantes dans l'air :

- dans un sac plastique étanche, gonflé à l'air. Prendre garde à ne pas le crever (on peut éventuellement le doubler par mesure de précaution) ;
- dans du papier journal très humidifié. Entourer soigneusement les plantes.

Les plantes doivent ensuite être replacées le plus rapidement possible dans l'eau.

Ces algues sont caractérisées par l'absence de tige, de feuilles, de racines ; elles sont constituées d'un thalle (qui ressemble plus ou moins à une feuille) fixé à un support par des crampons.

Scientifiquement, elles se classent par leur couleur : brunes, rouges, vertes, ces dernières étant les plus présentes en aquarium.

Ce sont des végétaux assez tolérants vis-à-vis de l'eau, pourvu qu'ils y trouvent les éléments nécessaires à leur croissance (sels minéraux et gaz carbonique qu'ils puisent directement dans l'eau).

Ils ont un rôle identique aux plantes d'eau continentale (participation à l'équilibre de l'aquarium, abri et nutrition pour les poissons), mais possèdent une particularité supplémentaire. Les algues libèrent en effet dans l'eau des substances, dont la composition et le rôle sont plus ou moins connus, ayant une influence bénéfique sur les poissons et les autres êtres vivants ; on ne rencontre généralement pas dans les bacs marins bien plantés les problèmes qui peuvent exister dans les aquariums sans végétation.

Il existe une quantité suffisante d'algues marines dans le commerce pour satisfaire les amateurs ; elles se développent souvent très rapidement (croissance du thalle de quelques millimètres par jour pour certaines).

Les algues :
De la présence discrète à l'envahissement

Nous parlerons ici de végétaux de petite taille, parfois microscopiques, unicellulaires ou pluricellulaires, en général toujours présents dans nos aquariums, et souvent considérés comme indésirables.

Ces algues, classées en différents groupes suivant leur couleur, comportent pour certaines une membrane constituée de substances qui amalgament les algues entre elles jusqu'à former des «tapis».

Elles peuvent ainsi se développer sur les vitres et sur les plantes, ce qui entraîne trois problèmes principaux :

- l'obscurcissement des parois de l'aquarium, ce qui n'est pas vraiment très esthétique ;
- l'«étouffement» des autres plantes sur lesquelles elles prolifèrent ;
- le captage de particules en suspension (excréments, rebut de nourriture, débris divers).

On peut même parfois assister à une floraison d'algues vertes microscopiques et planctoniques (de pleine eau), qui peut colorer tout le volume de l'aquarium.

Ces phénomènes sont dus à un déséquilibre du milieu, provoqué par des excès de sels nutritifs ou des problèmes de lumière (quantité ou qualité).

Leur disparition peut être aussi rapide que leur apparition (les végétaux peuvent libérer des substances antagonistes pour d'autres espèces, ce qui leur permet parfois d'assurer leur survie).

De véritables indicateurs biologiques

Malgré ces problèmes, les algues présentent des avantages :
- comme les autres végétaux, elles consomment des sels minéraux et du CO_2, et produisent de l'oxygène ;
- elles sont parfois utilisées comme protection par les alevins qui y trouvent refuge (pour celles qui ne sont pas microscopiques) ;
- en général tendres, elles sont broutées par des poissons herbivores et également omnivores ;
- il arrive qu'elles forment des surfaces ou des massifs assez esthétiques, si elles se développent raisonnablement et non anarchiquement.

En fait, on peut les considérer comme des indicateurs biologiques :
- en faible quantité (donc parfois invisibles à l'œil nu) : c'est plutôt bon signe, l'aquarium peut être considéré comme bien équilibré ;
- trop abondantes, elles sont le reflet d'un problème qu'il faut résoudre, sous peine de devoir toujours lutter contre elles par différents moyens ou de refaire l'aquarium, sans être sûr de pouvoir les éliminer totalement.

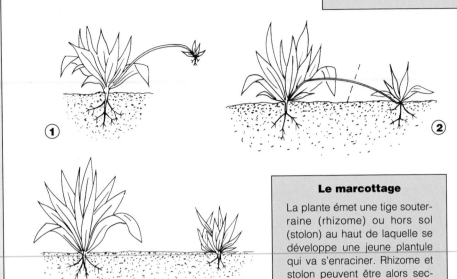

Le marcottage

La plante émet une tige souterraine (rhizome) ou hors sol (stolon) au haut de laquelle se développe une jeune plantule qui va s'enraciner. Rhizome et stolon peuvent être alors sectionnés.

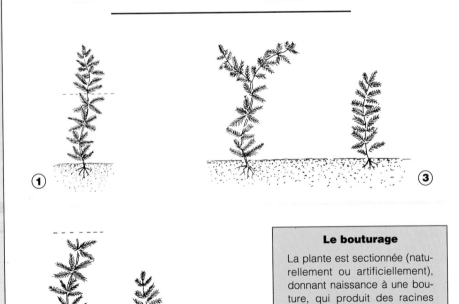

Le bouturage

La plante est sectionnée (naturellement ou artificiellement), donnant naissance à une bouture, qui produit des racines lorsqu'elle est plantée. La partie restée en place produit une ou plusieurs tiges secondaires.

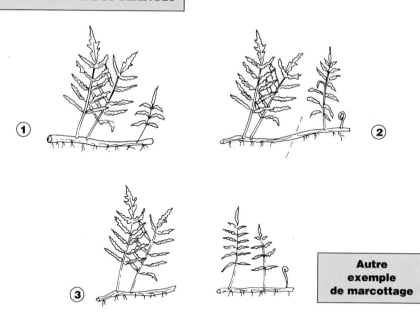

① ②

③

Autre exemple de marcottage

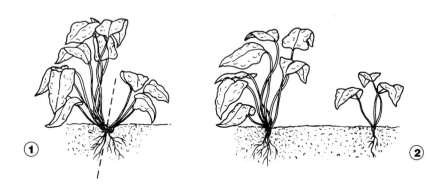

① ②

La fragmentation du pied

Certaines plantes s'épaississent au pied, produisant un ou plusieurs pieds secondaires, porteurs de racines, qui peuvent être repiqués.

Les différents types d'aquariums

Si on se base sur le contenu de l'aquarium, il n'en existe pas un mais plusieurs types, caractérisés par différentes associations de poissons, de plantes et de roches.
Le plus courant et le plus traditionnel est le bac d'ensemble, où l'on réunit des poissons et des plantes d'origine géographique différente, en privilégiant l'aspect esthétique.
Par contre, certains amateurs s'intéressent à des poissons particuliers ; d'autres tentent de recréer le plus fidèlement possible un milieu précis, peuplé de poissons et de plantes qui vivent habituellement ensemble, dans une eau aux caractéristiques déterminées.

L'AQUARIUM D'ENSEMBLE

Appelé également bac communautaire, il regroupe des plantes et des poissons de différentes régions. Le résultat peut aller du fouillis hétéroclite à un ensemble harmonieux, selon la conception et la décoration du bac. En général, on utilisera l'eau du robinet (sauf si elle est vraiment trop dure ou trop douce), et il faudra veiller à ce que plantes et poissons y soient adaptés. Il y a suffisamment de choix dans le commerce pour éviter l'acquisition d'espèces délicates (d'un prix parfois assez élevé), qui risquent de péricliter rapidement, ou d'espèces de poissons incompatibles entre elles. L'aquarium d'ensemble constitue pour le débutant un bon moyen de se familiariser avec les techniques d'aquariophilie et les règles d'un bon équilibre avant de se spécialiser. Si le virus de l'aquario-

L'aquarium d'ensemble, ou bac communautaire, regroupe des plantes et poissons originaires de différentes régions du globe. C'est en général la solution choisie par un débutant : il sera peuplé d'espèces peu exigeantes et compatibles entre elles.

philie persiste en vous (nous vous le souhaitons, et ce livre est là pour vous y aider), votre logement pourra rapidement abriter différents types d'aquariums.

L'AQUARIUM SPÉCIFIQUE

Il est axé sur la maintenance d'une famille ou d'une espèce particulière de poissons soit uniquement par goût, soit pour des raisons plus précises :
- croisement de différentes espèces ou variétés en vue d'obtenir des résultats connus, ou de créer une nouveauté (par exemple de coloration inhabituelle, ou avec des nageoires démesurées). C'est souvent long et aléatoire (l'auteur de ces lignes connaît un aquariophile obstiné qui cherche à obtenir un poisson coloré en bleu, blanc, rouge !) ;
- reproduction d'espèces à comportement particulier, délicates ou jamais reproduites en aquarium. Ce dernier cas est moins rare qu'on ne le pense, il est même dominant chez les poissons marins. Il y a pour ces espèces une motivation écologique : les reproduire pourrait conduire à limiter (et à

Pour un aquarium régional, les poissons sont originaires d'une zone précise du globe, où l'eau possède des caractéristiques particulières.
Ici, un amateur a reconstitué un biotope du lac Malawi (en Afrique de l'Est) ; l'eau y est dure, et son pH > 7.

stopper) les captures en milieu naturel, encore trop souvent effectuées dans des conditions douteuses (poisons, explosifs). Pour un poisson arrivé vivant dans nos bacs, combien sont sacrifiés pendant et après la capture ! Dans un aquarium spécifique, la décoration est parfois secondaire, on se consacre plus particulièrement aux poissons.

L'AQUARIUM RÉGIONAL

Il s'agit de recréer le plus fidèlement possible un biotope existant à l'état naturel. Un tel milieu est caractérisé par un certain type d'eau où ne vivent que certaines espèces de poissons et de plantes, avec un décor inerte typique de la région choisie. Concevoir et décorer un aquarium de ce genre n'est pas évident si on n'a pas eu la chance d'étudier le milieu naturel sur place.

Ce livre, ainsi que la documentation citée en bibliographie, pourra vous guider utilement.
Classiquement, on distingue cinq types d'aquariums régionaux d'eau continentale :
- Amérique centrale ;
- Amérique du Sud (bassin de l'Amazonie) ;
- Afrique de l'Ouest ;
- grands lacs d'Afrique de l'Est ;
- Asie du Sud-Est.
Il est prudent de connaître la provenance des plantes et des poissons utilisés. En effet, des espèces vivant a priori dans une eau particulière du globe sont élevées dans une autre région, avec une eau différente. On risque donc d'avoir des problèmes en les introduisant dans un milieu qui devrait être le leur (c'est paradoxal, mais des impératifs commerciaux transgressent souvent les lois écologiques !).

L'AQUARIUM HOLLANDAIS

C'est un aquarium principalement destiné à mettre les plantes en valeur ; la végétation y est luxuriante et les poissons y sont peu abondants (ils participent juste à l'équilibre général). L'effet produit est souvent magnifique : dans certains cas, on ne voit pratiquement pas le sol !

L'aquarium hollandais nécessite attention et soins, notamment pour la multiplication des plantes, ce qui entraîne parfois l'utilisation de techniques particulières (par exemple, la diffusion de gaz carbonique dans l'eau). Ce bac est idéal pour attirer l'attention dans une pièce où il s'intégrera parfaitement.

L'AQUARIUM D'EAU SAUMÂTRE

Moins répandu que les autres, il peut être une étape vers l'aquariophilie marine. C'est un type d'aquarium moins prisé, pour des raisons non fondées : les poissons d'eau saumâtre ne sont pas plus délicats que les autres, et il existe des plantes adaptées à ces eaux.

On reconstitue un milieu à salinité variable, à température élevée (mais ces deux facteurs seront constants dans l'aquarium) typique des zones de mangroves qui se trouvent en milieu tropical (Afrique, Sud-Est asiatique, etc.).

Parmi les palétuviers (arbres qui poussent les pieds dans l'eau), on rencontre des poissons intéressants, originaux, résistants, dont certains n'ont jamais été reproduits en captivité, ce qui offre un intérêt supplémentaire pour ceux d'entre vous qui espèrent apporter leur contribution à l'aquariophilie.

L'AQUATERRARIUM (EAU CONTINENTALE)

On y cumule le milieu aquatique et le milieu aérien. Le premier est régi par les mêmes règles qu'un bac d'eau continentale classique, le second est plus particulier et comporte des plantes terrestres ou palustres de milieu humide, parfois des

amphibiens. Les interactions entre les deux milieux sont étroites, entraînent des techniques particulières, mais l'ensemble peut donner d'heureux résultats.

ET POURQUOI PAS UN AQUARIUM D'EAU FROIDE ?

En éliminant d'entrée le bocal rond où s'ennuie un poisson rouge, il existe de nombreuses possibilités. Contrairement à ce que l'on croit parfois, l'aquariophilie d'eau froide n'est pas forcément plus évidente que celle d'eau chaude, et il y a également des règles à respecter pour un aquarium digne de ce nom.

En eau continentale, on peut récolter ses poissons et ses plantes dans la nature (attention, il y a des lois) dans les eaux calmes et stagnantes. Poissons et plantes d'eau vive sont plus délicats à maintenir ; il faut du courant, de l'oxygène, de l'eau plutôt froide (ce qui oblige parfois à réfrigérer en été).

En eau de mer, on a les mêmes avantages et les mêmes inconvénients.

Les aquariums d'eau froide sont souvent utilisés en pédagogie (écoles, lycées) pour mieux faire comprendre certains phénomènes naturels aux enfants, et également leur permettre de connaître la faune aquatique française.

L'aquarium hollandais est un véritable jardin aquatique, où les poissons ne jouent qu'un rôle secondaire, les plantes étant prépondérantes. Ce type de bac demande des soins attentifs et réguliers.

LE BASSIN DE JARDIN

Simple mare ou bassin en béton, il peut être le prolongement logique de l'aquarium d'eau froide continentale. Bien que certains aquariophiles possèdent un jardin, ils préfèrent maintenir un aquarium dans le salon, où le spectacle est permanent. Effectivement, au-dehors, un bassin vit au rythme des saisons et apparaît plutôt triste en hiver ; par contre, en été, il renferme une faune très riche, qui réserve quelquefois d'intéressantes surprises. Soumis à l'influence d'éléments naturels – notamment le climat –, il est moins contrôlable par les aquariophiles habitués à leurs bacs, ce qui peut expliquer dans certains cas un manque d'intérêt ; il constitue pourtant un lieu de vacances (l'été, quand les températures sont favorables) pour certaines espèces d'aquarium qui en profiteront pleinement.

Contrairement à ce que l'on pense trop souvent, un bassin de jardin n'est pas uniquement réservé à des poissons rouges, mais peut parfois accueillir certaines espèces tropicales, lorsque la température de l'eau le permet.

L'AQUARIUM MARIN

On ne recommande pas souvent à un débutant de se lancer directement dans la réalisation d'un aquarium marin. Pourtant, les mêmes règles écologiques régissent l'eau continentale et l'eau de mer, les principales différences découlant évidemment de la salinité. Il est vrai qu'il est souvent plus pratique de débuter par de l'eau non salée, ne serait-ce que pour des raisons d'approvisionnement (les magasins ne commercialisent pas tous des poissons marins), et pour acquérir de l'expérience en manipulant plantes et poissons courants, robustes et bon marché. Cela ne veut pas dire que l'aquariophilie marine est plus coûteuse (il existe des poissons pour débutants à prix abordable), mais voir mourir pour différentes raisons un poisson marin valant quelques centaines de francs pourrait décourager les plus entreprenants.

L'aquarium marin constitue souvent un milieu haut en couleur où l'on peut cultiver des algues et maintenir plusieurs espèces d'invertébrés, dont les coraux vivants. Cela conduit à distinguer deux types de bacs marins :
- le bac classique, avec poissons, coraux morts servant à la décoration, et algues ;
- le bac d'invertébrés, avec poissons, coraux vivants, crustacés, etc.

LES AQUARIUMS PARTICULIERS

Signalons, pour conclure, qu'il existe des aquariums particuliers pour la reproduction et le traitement des poissons (voir p. 174). Pour des raisons d'hygiène préventive, ils ne comportent ni sol, ni plantes, ni décor (sauf dans les cas où l'on a besoin de supports de pontes naturels ou artificiels).

La réalisation d'un bac marin est souvent considérée comme plus délicate que celle d'un bac d'eau continentale.
Avec du goût, on peut arriver à un résultat aussi heureux que sur cette photo,
mais cela demande néanmoins un peu d'expérience et quelques connaissances.

L'AQUARIUM D'INVERTÉBRÉS MARINS

La maintenance d'invertébrés marins peut se révéler délicate : ils ont un régime alimentaire particulier, et certains poissons s'en nourrissent. La conception d'un tel bac doit donc être très étudiée (voir chapitre L'AQUARIUM DE L'AMATEUR SPÉCIALISÉ).
Toutefois, le spectacle fourni par ces multiples invertébrés (crustacés, cœlentérès, éponges) est tel qu'il peut tenter et captiver beaucoup d'aquariophiles.

En dehors de cela, ils présentent celui d'un équipement équivalent à un bac normal (notamment chauffage, aération, filtration) et une eau adéquate (identique à celle du bac d'origine des poissons en cas de traitement, avec des caractéristiques particulières pour les bacs de reproduction). Il est donc prudent, même pour un débutant, de posséder une cuve de verre en réserve, avec son équipement.

L'aquarium du débutant

Quel type d'aquarium, quel matériel, quels poissons,
quelles plantes ?
Il existe de nombreuses possibilités pour satisfaire un débutant,
mais aussi pour le rendre hésitant devant le choix proposé.
Malheureusement, il arrive parfois qu'un premier essai déçoive
et décourage un novice, qui va alors devenir momentanément
ou définitivement «allergique» à l'aquariophilie.
Pourtant, installer et décorer un aquarium n'est pas aussi délicat
et difficile qu'on le croit ; il faut avant tout comprendre les règles
qui régissent ce milieu clos, puis les appliquer armé
d'une qualité indispensable : la patience.

Contrairement à ce que l'on pense souvent,
le matériel complexe, sophistiqué ou cher n'est pas
forcément un gage de réussite. Dans un premier
temps, le débutant doit éviter de se compliquer
la tâche et faire simple avec goût et originalité.
Quel que soit le type d'aquarium envisagé, bac
d'ensemble ou autre, sa conception se prépare
à l'avance, éventuellement en couchant sur
le papier le but recherché, les idées, les besoins
et le budget. Sur ce dernier point, il faut savoir
qu'il est préférable d'investir dès le départ
dans du matériel de bonne qualité.
Au fil des pages suivantes, des méthodes
et des solutions ayant fait leurs preuves
vous seront proposées, mais la fréquentation
d'un club ou d'une association d'aquariophiles
et les visites d'aquariums publics
restent vivement recommandées.

LE BAC

Les modèles les plus courants à l'heure actuelle sont de forme rectangulaire, en verre collé avec de la colle aux silicones. Totalement neutres vis-à-vis de l'eau, ils peuvent donc être indifféremment utilisés pour de l'eau continentale ou de l'eau salée.

Le modèle de base est constitué par une simple cuve, un couvercle et une galerie comportant l'éclairage.

Si cette dernière n'est pas livrée avec l'aquarium, on peut trouver des modèles commercialisés à part, de dimensions variables. A partir de ce modèle de base, il existe plusieurs variantes :

- aquarium comportant une décoration extérieure (cornières ou bandes en PVC) qui n'influe ni sur sa solidité ni sur la composition chimique de l'eau. Cette décoration doit s'assortir avec l'environnement de l'aquarium, sinon choisissez une cuve sans décoration : vous pourrez éventuellement en ajouter une ultérieurement ;

- aquarium intégré à son meuble de support, à placer tel quel dans une pièce. Plus coûteux, mais pratique, car y sont intégrés :

• un filtre intérieur ou une cuve de filtration ; ces éléments ne sont pas forcément bien dimensionnés et il vaut mieux ajouter un filtre à un meuble aquarium non équipé ;

• des placards sous l'aquarium, très utiles pour dissimuler divers accessoires.

En résumé, trois possibilités s'offrent au débutant :

- achat d'une cuve simple et d'une galerie d'éclairage ;

- achat d'un meuble complet et d'un système de filtration ;

- achat d'un meuble complet avec filtration et éventuellement d'autres éléments intégrés.

La première solution est la moins coûteuse, et le prix de l'aquarium est fonction de sa taille.

De plus, il est souvent possible d'utiliser un meuble (ou autre support) préexistant dans votre logement.

LES DIMENSIONS

Jusqu'à une longueur de 1,50 m environ, les proportions idéales d'un aquarium sont calculées selon les règles suivantes :

- longueur = 1,6 à 2,5 x hauteur ;
- largeur légèrement inférieure ou égale à la hauteur.

Au-delà, on ne peut plus les respecter, la hauteur ne devant pas dépasser 0,50 à 0,60 m pour deux raisons :

- il faut pouvoir y plonger le bras et atteindre le fond pour travailler dans le bac ;

- l'eau absorbant la lumière, le sol (et les plantes de petite taille) n'en recevrait qu'une faible quantité.

Plus la hauteur d'eau est importante, plus la pression qu'elle exerce est élevée, et plus les vitres doivent être épaisses.

La surface doit être la plus importante possible, pour un volume donné et sans modifier les proportions, pour faciliter les échanges gazeux eau/atmosphère.

Les aquariums trop étroits sont déconseillés, car un effet d'optique les rend moins large d'un tiers lorsqu'ils sont remplis d'eau (cela est dû aux trajets des rayons lumineux).

Les aquariums commercialisés ont des dimensions standards, à de rares exceptions près (voir tableau page suivante).

Quel volume choisir pour débuter ? Il faut tout d'abord savoir que plus l'aquarium est grand, plus il est facile de l'aménager et d'y maintenir un bon équilibre du point de vue de l'écologie.

Le choix dépend de plusieurs facteurs, notamment le prix et la place disponible dans le logement.

Pour débuter, il ne faudrait pas descendre au-dessous d'un volume de 120 l et éviter de dépasser 200 l, ce qui donne le choix entre deux modèles :

- longueur 0,80 m, largeur 0,35 m, hauteur 0,40 m = volume brut 112 l ;

ou

- longueur 1 m, largeur 0,40 m, hauteur 0,45 m = volume brut 180 l.

VOLUME ET POIDS

Volume et poids d'un aquarium en fonction de ses dimensions

Longueur (m)	Largeur (m)	Hauteur (m)	Épaisseur des vitres (mm)	Poids à vide (kg)	Volume (l)	Poids total équipé* (kg)
0,40	0,20	0,25	4	4	33	44
0,50	0,25	0,30	4	5,5	40	56
0,60	0,30	0,30	5	8,5	54	80
0,60	0,30	0,35	5	10	63	97
0,70	0,30	0,35	5	11	73	110
0,70	0,30	0,40	6	14,5	84	130
0,80	0,30	0,40	8	21,5	96	152
0,80	0,35	0,40	8	23	112	175
1	0,35	0,40	8	27,5	140	198
1	0,40	0,40	8	29	160	248
1	0,40	0,45	8	32,5	180	272
1,2	0,40	0,50	10	50,5	240	360

* Le poids total équipé n'est donné qu'à titre indicatif, le poids du sédiment et des roches pouvant varier suivant le type d'aquarium.

LE COUVERCLE

Parfois incorporé dans la galerie, très souvent indépendant, il a un rôle multiple.
Il est préférable d'utiliser des couvercles fractionnés (2 ou 3 suivant la longueur de l'aquarium), ce qui rend les manipulations plus faciles. Le couvercle possède des orifices, ou bien plus souvent un ou plusieurs coins coupés en diagonale pour permettre le passage des tuyaux et des câbles électriques, parfois également pour distribuer de la nourriture.
Il est préférable que l'aération ou la sortie du filtre ne soit pas située à ces endroits, afin d'éviter les projections d'eau. Il est inutile d'utiliser un verre de trop forte épaisseur, 3 mm au maximum suffisent, et cela ne limite pas la pénétration de la lumière (si le couvercle est propre !).

Le rôle du couvercle

- limiter l'évaporation ;
- empêcher que poussières ou autres particules ne tombent dans l'aquarium ;
- éviter les sauts ou les «fugues» de certaines espèces de poissons ;
- protéger la galerie et le matériel électrique lumineux des projections d'eau.

LE SUPPORT

Si l'aquarium est intégré dans un meuble, soyez rassuré : le fabricant a déjà résolu les problèmes de solidité et d'équilibre. Dans les autres cas, il ne faut pas sousestimer le poids d'un aquarium : lorsque la longueur passe de 0,60 à 0,80 m, le volume double ! Il faut donc prévoir un support solide où le poids sera réparti sur une large surface : en aucun cas le bac ne doit dépasser de son support. Il y a plusieurs solutions : dessus de cheminée (mais ils sont parfois étroits), muret séparant une grande pièce, meuble. Dans ce dernier cas, il faut s'assurer qu'il est solide (par exemple avec des montants intermédiaires) et que le poids de l'aquarium ne risque pas de gêner l'ouverture et la fermeture des portes. Il y a également la solution de fabriquer soi-même un support, par exemple avec des cornières métalliques perforées qui se vissent entre elles. Elles pourront être habillées en harmonie avec le décor de la pièce.

Entre le support et l'aquarium, on intercale une planche de contre-plaqué de 2 à 3 cm d'épaisseur, surmontée d'une plaque de polystyrène, ou autre matériau semi-souple. Ce dernier est destiné à compenser les éventuelles irrégularités du support, l'aquarium devant impérativement reposer sur toute sa surface.

L'ensemble doit être parfaitement horizontal.

L'EMPLACEMENT

Il est très important de bien choisir la place de l'aquarium ; une fois installé, il ne pourra plus être déplacé et il sera l'élément qui polarisera l'attention. L'emplacement dépend donc de l'agencement de cette pièce, et on peut envisager deux cas principaux :

- traditionnellement, un aquarium se regarde sur une de ses plus grandes faces ; il sera alors placé contre un mur ;

- il peut également servir de séparation dans une grande pièce et sera alors visible sur trois faces, ce qui conditionne une décoration intérieure plus délicate.

Pour débuter, nous conseillons le premier cas ; il faudra laisser un espace entre l'aquarium et le mur pour le passage des câbles électriques et des tuyaux, qui seront ainsi dissimulés. De même, il faudra prévoir assez d'espace pour ouvrir totalement la galerie et travailler à l'aise dans l'aquarium.

Pour les plus grands volumes, il faut s'assurer que le sol supportera le poids de l'ensemble. En général, il résiste à une charge de 300 kg par m^2, voire plus s'il est près d'un mur porteur.

L'aquarium doit généralement se situer à hauteur des yeux. Dans un salon, où l'on est généralement assis, il trouvera donc sa place sur un meuble pas trop haut ; il sera également juste à la hauteur des enfants debout (ce sont des spectateurs assidus et attentifs).

L'effet apaisant d'un aquarium

Le spectacle d'un aquarium procure une certaine sensation relaxante, due au silence qui l'entoure, mais aussi à la couleur verte de la végétation, qui est considérée comme apaisante. Ce phénomène a été mis à profit dans le monde médical : les aquariums sont de plus en plus fréquents dans les hôpitaux, les salles d'attente de médecins ou de dentistes. Un groupe de kinésithérapeutes a même placé un grand bac d'eau continentale dans la salle même où les patients effectuent leurs mouvements de rééducation : sa présence semble leur permettre d'aborder leurs exercices dans un état d'esprit plus favorable, surtout lorsqu'il s'agit d'enfants.

Il existe même dans le commerce des cassettes vidéo diffusant des images d'aquariums : peut-être pour ceux qui sont trop stressés pour en posséder un !

A prévoir

- une prise de courant à proximité (pas forcément évident dans un logement ancien) ;
- un robinet à proximité pour raccorder un tuyau lors du remplissage, ou encore pour siphonner le bac ;
- la place pour soulever la galerie ;
- un espace derrière l'aquarium pour y dissimuler certains éléments.

A éviter

- les endroits inaccessibles ;
- la proximité d'un radiateur ;
- la proximité d'un téléviseur (lorsqu'il est allumé, cela crée deux points d'intérêt visuel trop proches) ;
- des appareils électriques sous l'aquarium (pour pallier un éventuel incident lors du remplissage ou du siphonnage, sans compter les fuites, extrêmement rares) ;
- une lumière solaire directe (surtout en provenance du sud) ;
- l'aquarium au centre de la pièce (cela oblige à une vision sur quatre faces, rendant délicate la dissimulation de tous les accessoires).

LE MATÉRIEL D'ÉCLAIRAGE

La lumière est indispensable aux plantes, et l'éclairage d'ambiance d'un logement n'est pas suffisant pour favoriser la photosynthèse dans les meilleures conditions.

Un éclairage artificiel placé au-dessus de l'aquarium s'avère donc nécessaire ; de plus, il mettra en valeur l'ensemble du décor.

L'éclairage est caractérisé par :
- le type de la source lumineuse ;
- la qualité de la lumière émise ;
- la puissance ;
- la durée.

LA SOURCE LUMINEUSE

Depuis l'apparition et le développement des tubes fluorescents (souvent appelés, à tort, tubes au néon), c'est cette source lumineuse qui est utilisée pour les aquariums d'amateurs. Il existe cependant d'autres techniques plus sophistiquées et plus coûteuses, par exemple dans les aquariums publics.

Contrairement aux traditionnelles lampes à incandescence qui ne donnent que peu de lumière et beaucoup de chaleur par rapport à l'énergie fournie, les tubes sont plus rentables et ils chauffent moins.

LE TUBE FLUORESCENT

Il ne doit jamais être branché directement sur le secteur. Il contient en effet un gaz excité par une décharge électrique, la qualité de la lumière dépendant du gaz. Le montage d'un tube comprend un starter et un transformateur (le ballast) qui dégage de la chaleur ; il est donc préférable qu'il ne soit pas situé dans la galerie, mais à l'extérieur (d'où des fils électriques supplémentaires !).

Pour des raisons pratiques, ce n'est pas toujours le cas dans les galeries commercialisées ou dans les aquariums intégrés à un meuble.

La puissance du ballast et le starter sont adaptés pour chaque tube. On n'utilise pas d'éléments qui ne correspondent pas entre eux.

Longueur et puissance des différents modèles	
Longueur (cm)	Puissance (W)
36	14
44	15
60	20
75	25
90	30
120	40

Montage d'un tube fluorescent

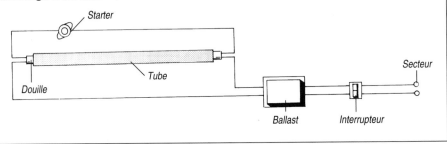

Starter

Tube

Douille

Secteur

Ballast

Interrupteur

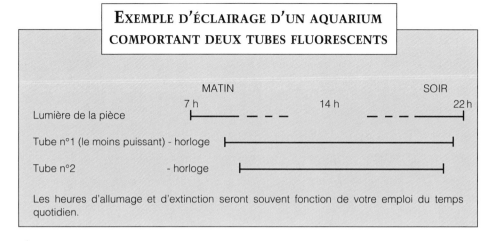

EXEMPLE D'ÉCLAIRAGE D'UN AQUARIUM COMPORTANT DEUX TUBES FLUORESCENTS

MATIN · SOIR

7 h — 14 h — 22 h

Lumière de la pièce

Tube n°1 (le moins puissant) - horloge

Tube n°2 - horloge

Les heures d'allumage et d'extinction seront souvent fonction de votre emploi du temps quotidien.

La durée de vie d'un tube fluorescent atteint 4 000 à 5 000 h (soit un an environ), parfois plus ; la qualité de la lumière se dégrade au bout d'un certain temps (environ 3 000 h pour la plupart). Attention, ces tubes sont fragiles et doivent être manipulés avec précaution.

LA QUALITÉ DE LA LUMIÈRE

La lumière doit :
- satisfaire le goût visuel de l'aquariophile ;
- revêtir un aspect naturel (similaire à celui produit par le soleil dans la nature) ;
- couvrir les besoins des plantes.
Tout cela n'est pas forcément compatible. La lumière solaire est composée de rayons de différentes couleurs (rouge, orange, jaune, vert, bleu, violet), les plantes vertes absorbent préférentiellement les couleurs rouge et bleu, et l'aquariophile souhaite souvent une lumière plus agréable.
Il existe des tubes spécifiques pour la croissance des plantes (tubes horticoles), à dominante rosée, utilisés dans les serres. Ils conviennent donc aux plantes, rehaussent les tons bleus et rouges des poissons, mais ne produisent pas un aspect naturel. On trouve donc d'autres tubes reproduisant assez fidèlement la lumière du jour, les plantes n'utilisant que certains rayonnements, ou des tubes blancs classiques (bureaux, locaux industriels). Parmi ces

derniers, ceux qui sont dit «chauds» conviennent mieux aux aquariums (selon la qualité du rayonnement émis).
Pour un aquarium de taille modeste, où un seul tube suffit, on peut porter son choix sur un tube horticole ; pour les plus grands aquariums, on couple un tube horticole avec une lumière du jour ou un blanc chaud : on arrive à un équilibre lumineux satisfaisant pour l'aquarium et ses spectateurs.
Répétons-le : un tube s'use, la qualité de la lumière se modifie ; il faut donc le remplacer au bout d'un an environ, pour conserver une qualité de lumière correcte.

LA PUISSANCE

Elle est fonction de la taille de l'aquarium, plus précisément de sa surface et de sa profondeur.
Il existe différents modèles pour toutes les tailles d'aquarium, la puissance étant proportionnelle à la longueur.
On considère qu'il faut habituellement 1 W pour 2 à 3 l d'eau, mais comme la lumière est en général mal utilisée, on peut tomber au-dessous de ces normes ; le tableau p. 111 vous donnera quelques indications.
Lorsque deux tubes sont nécessaires, il faut les placer en parallèle, et on peut choisir deux qualités de lumière différentes et complémentaires.

EXEMPLES DE TUBES FLUORESCENTS UTILISABLES EN AQUARIOPHILIE

Marque	Type	Caractéristiques
Sylvania	Grolux.	Tube horticole à dominante rosée.
Philips, Sylvania, Mazda	Blanc chaud, blanc chaud de luxe (W).	Bon rendu des couleurs, pas de dominante rosée.
Sylvania, Philips, Osram	Lumière du jour, lumière du jour de luxe (daylight, truelite).	Très bon rendu des couleurs, se rapprochent plus de la lumière solaire que les deux précédents types.

N.-B. : Les marques ne sont citées qu'à titre indicatif. Les caractéristiques exactes des tubes (qualité du rayonnement entre autres) ne figurent pas toujours sur les emballages ; par contre, la puissance est indiquée sur le tube lui-même.

LA DURÉE D'ÉCLAIRAGE

Sous les tropiques, la durée du jour est de 11 à 13 h environ. Il faudrait théoriquement restituer cette durée en aquarium, ce qui n'est pas évident.

En effet, dans la plupart des cas (surtout lorsqu'on travaille), on est devant son aquarium le matin et le soir, et on aime bien le voir éclairé. Selon cette approche, l'allumage se fera vers 7 h et l'extinction vers 22 h, soit 15 h de lumière – ce qui est un peu trop élevé. Il est préférable de l'allumer plus tardivement (vers 10 h) et de l'éteindre vers 22-23 h.

A cet effet, il existe de petites horloges branchées sur la prise de courant qui commandent automatiquement la durée d'éclairage (ce qui est très pratique pour les week-ends et les vacances). Il vaut mieux éviter une interruption de lumière dans la journée, sauf dans certains cas (prolifération d'algues vertes).

L'UTILISATION OPTIMALE DE L'ÉCLAIRAGE

Des lois physiques régissent la propagation de la lumière, et il n'est pas inintéressant de les connaître pour optimiser l'éclairage de nos bacs.

Plus on éloigne une source lumineuse, plus la surface éclairée est importante, mais l'intensité lumineuse diminue ; l'éclairage devra donc être placé à proximité de la surface.

On remarque également que le tube éclaire une partie de la galerie, de la lumière est donc perdue pour l'aquarium ; l'utilisation d'un réflecteur permet de remédier à ce problème.

Les rayons lumineux subissent certaines modifications à la surface et dans l'eau, qui entraîne également des pertes, que l'on peut aussi limiter.

Le tableau de la page 113 vous donnera quelques indications.

Le problème majeur de l'éclairage de l'aquarium est le brusque allumage (ou l'extinction) qui ne recrée pas le lever (ou le coucher) du soleil, et surprend assez vivement les poissons. L'idéal serait que la lumière du jour soit d'abord perçue par les poissons (au moment du lever du soleil) avant l'allumage des tubes (cela n'est malheureusement pas réalisable en hiver) ; on peut également allumer l'éclairage d'ambiance de la pièce avant l'aquarium. De même, le soir, il serait préférable d'éteindre l'aquarium un moment avant de faire l'obscurité totale dans la pièce.

La meilleure solution consiste à utiliser un variateur de lumière. Il existe maintenant des variateurs spécialement adaptés aux tubes fluorescents des aquariums qui permettent l'allumage et l'extinction des tubes de façon progressive et assez semblable au lever et au coucher du soleil. Ainsi, l'aquariophile évite certains problèmes dus à l'allumage ou à l'extinction trop brusque de la lumière : stress, difficulté de reproduction pour certaines espèces de poissons sensibles...

Dans le cas où l'aquarium comporte deux tubes alimentés séparément, on peut allumer un des tubes (celui de plus faible puissance, dans le cas où il y en a un), puis le second un peu plus tard ; l'extinction se fera en ordre inverse. Cela peut se faire manuellement ou avec deux horloges.

Au bout de quelques semaines (ou quelques mois), on peut éventuellement régler les durées d'éclairage en fonction de l'état de développement des plantes et de l'apparition d'algues vertes.

L'éclairage de nuit

Certains amateurs perfectionnistes utilisent une lumière de très faible intensité (équivalant à celle d'une lampe de poche) dans la galerie ou à proximité de l'aquarium. Cela peut paraître surprenant, mais c'est en réalité logique : les nuits vraiment noires sont rares, il y a toujours une lumière résiduelle (clarté de la lune et des étoiles, éclairages divers plus ou moins lointains). Des études ont même démontré que cela pouvait être bénéfique à certaines espèces de poissons.

Sans aller jusque-là, l'amateur débutant ne doit pas oublier qu'il ne faut pas allumer l'aquarium en pleine nuit, sous peine de provoquer un choc aux poissons, même s'il est intéressant d'observer leur comportement nocturne.

NOMBRE ET PUISSANCE DES TUBES FLUORESCENTS À UTILISER EN FONCTION DE LA TAILLE DE L'AQUARIUM

Aquarium			Tubes		
Longueur (cm)	Hauteur (cm)	Volume (l)	Nombre	Longueur (cm)	Puissance par tube (W)
40	25	33	1	36	14
50-60	30-35	40-65	1	44	15
70	35-40	70-80	1	60	20
80	40	100-110	1	75	25
100	40	140-160	1	90	30
			1	60	20
100	45	180	2	90	30
120	50	240	2	90	30

Le trajet de la lumière et les pertes

En fonction des milieux traversés (air et eau), le trajet des rayons lumineux est modifié et entraîne des pertes qui, cumulées, font que seulement 10 à 30 % de l'énergie lumineuse parvient jusqu'au sol de l'aquarium ! C'est une aberration technique et économique à laquelle on peut remédier.

1 - La réflexion

La lumière est réfléchie lorsqu'elle frappe certaines surfaces (eau, verre, miroir, métal), une certaine partie est donc perdue. Ce phénomène est d'autant plus important que les rayons lumineux forment un angle élevé avec la verticale.

Pour y remédier, on utilise la réflexion dans la galerie qui permet de récupérer le maximum de lumière (voir encadré page ci-contre).

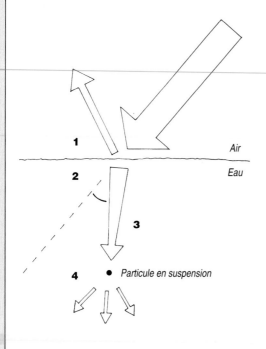

1

2

3

4 ● Particule en suspension

Air

Eau

2 - La réfraction

C'est la dérivation d'un rayon lumineux qui pénètre dans l'eau. Cela n'entraîne pas de pertes, mais nous fait voir que, une fois rempli, l'aquarium paraît moins large que lorsqu'il est vide. D'ailleurs, lorsqu'on regarde un aquarium plein par la vitre frontale et qu'on essaie de toucher un angle arrière, la main n'arrive qu'aux deux tiers de la profondeur de l'aquarium.

3 - L'absorption

Elle est faible à travers un couvercle constitué d'une vitre propre et dans un aquarium peu profond.

Une hauteur d'eau de 50-60 cm absorbe environ la moitié de la lumière qu'elle reçoit, plus si elle est turbide.

Une eau très claire, bien filtrée, limite donc l'absorption.

4 - La diffusion

La lumière diffuse dans l'eau, son faisceau s'élargit ; cela est accentué par des particules en suspension (eau trouble et mal filtrée).

Pour limiter les pertes :

- placer les tubes au-dessus de l'eau, à une distance au maximum égale au 1/4 de la largeur de l'aquarium (pas forcément réalisé dans les galeries du commerce) ;
- utiliser un réflecteur ;
- utiliser un couvercle en verre non dépoli, mince (3 mm) et propre ;
- maintenir une eau claire, correctement filtrée.

Une certaine quantité de rayons lumineux émis par le tube vont vers la partie supérieure de la galerie (schéma 1), où ils sont absorbés, surtout si sa couleur est foncée. Pour récupérer le maximum de lumière, on peut peindre l'intérieur de la galerie en blanc, ou la tapisser de papier aluminium : les rayons seront en partie réfléchis vers l'eau (schéma 2). L'idéal serait d'utiliser un réflecteur blanc ou métallisé autour du tube (schéma 3) ; il en existe dans certaines galeries commercialisées.

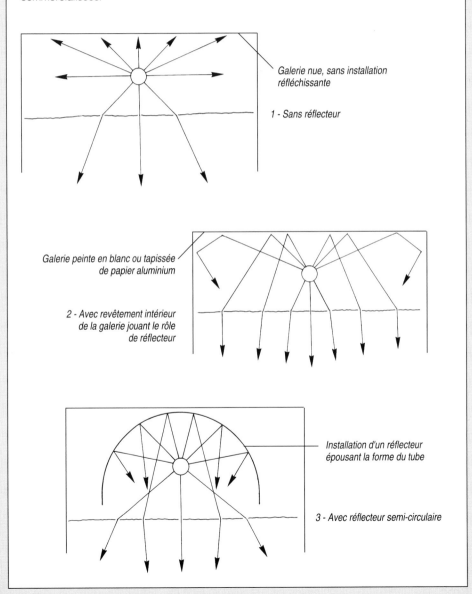

Galerie nue, sans installation réfléchissante

1 - Sans réflecteur

Galerie peinte en blanc ou tapissée de papier aluminium

2 - Avec revêtement intérieur de la galerie jouant le rôle de réflecteur

Installation d'un réflecteur épousant la forme du tube

3 - Avec réflecteur semi-circulaire

LE CHAUFFAGE

Les poissons tropicaux ont besoin d'une certaine température pour se développer et se reproduire ; s'ils peuvent supporter des variations brèves, progressives et peu importantes, il est préférable de maintenir une température assez stable dans un aquarium, comprise dans la plupart des cas entre 24 et 26 °C.

LE MATÉRIEL DE CHAUFFAGE

Le principe est l'utilisation d'un fil métallique isolé, s'échauffant sous l'action d'un courant électrique. Lorsque la température choisie est obtenue dans l'aquarium, un thermostat coupe la résistance constituée par le fil métallique.
Dès lors, on dispose de trois possibilités classiques :
- résistance indépendante reliée à un thermostat. Les deux éléments sont isolés dans une gaine de verre étanche et transparente (on peut ainsi vérifier leur état). La résistance peut être totalement immergée, pas le thermostat : la partie où l'on règle la température désirée est émergée ;
- résistance et thermostat couplés dans un combiné chauffant. Très souvent totalement isolé, l'ensemble peut être immergé (ce qui ne facilite pas forcément un réglage ultérieur de la température) ;
- câble chauffant. La résistance est isolée dans un câble souple, plus ou moins long, qui sera placé dans le sédiment, et raccordée à un thermostat. Ce système est moins courant que les deux précédents.
Compte tenu qu'une pièce d'appartement atteint au moins 17 °C, et que l'eau d'un aquarium atteindra cette température sans chauffage, il suffira d'une puissance de 1 watt (W) par litre pour obtenir facilement 24 à 26 °C.
Il y a même une marge de sécurité pour une pièce à 13-15 °C (appartement inoccupé l'hiver, cellier, garage). La puissance nécessaire (en watts) est donc égale au volume de l'aquarium (en litres) : 100 W pour un bac de 100 l par exemple.

Le fonctionnement d'un thermostat bilame

Au-dessous d'une certaine température préréglée, les deux lames du thermostat se soudent, le courant passe et alimente la résistance. Lorsque la température est atteinte, les deux lames se séparent, la résis-

AVANTAGES ET INCONVÉNIENTS DES DEUX TYPES DE THERMOSTATS		
	Avantages	**Inconvénients**
Thermostat bilame (le plus courant)	- Prix modéré.	- Peu précis. - A camoufler. - Puissance admissible limitée. - Risque de panne (collage des lamelles).
Thermostat électronique	- Précis. - Plus facile à dissimuler (il est extérieur, seule une sonde reste dans l'aquarium). - Faible risque de panne.	- Prix élevé.

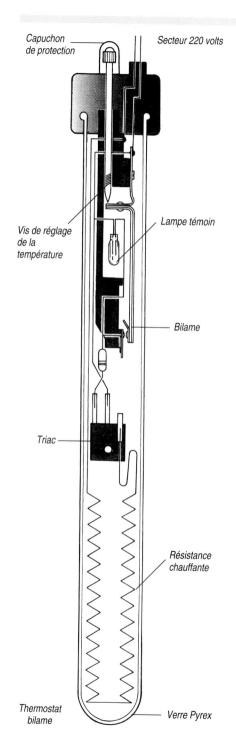

Capuchon de protection

Secteur 220 volts

Vis de réglage de la température

Lampe témoin

Bilame

Triac

Résistance chauffante

Thermostat bilame

Verre Pyrex

tance ne chauffe plus, l'eau se refroidit très légèrement (en général de l'ordre de 1 °C), et les deux lames se recollent pour réalimenter la résistance.

Deux reproches sont généralement faits au thermostat bilame :

- le premier est qu'il est peu précis. Il se déclenche pour une variation de 1 °C, parfois un peu plus.

Cela est en fait assez précis pour un aquarium d'amateur où une telle variation de température ne gêne pas les poissons (des variations de température de cet ordre existent d'ailleurs dans les milieux d'où ils sont originaires) ;

- le deuxième est que les lames restent parfois collées, ce qui entraîne un chauffage continu de l'eau. Ne soyons pas pessimistes, car cela arrive rarement et concerne surtout les thermostats usagés. D'ailleurs, en observant le thermomètre, ou simplement en appliquant la main contre la partie extérieure d'une vitre, on s'aperçoit vite que la température est trop élevée (avec un peu d'expérience dans le second cas). Les aquariophiles qui ont rencontré ce problème ont parfois retrouvé leurs poissons dans une eau à 30 °C, sans dégâts trop importants pour les espèces les plus robustes (et à condition, bien sûr, que cette élévation de température ne se soit pas prolongée).

Les thermostats bilames et les combinés chauffants sont souvent équipés d'une petite lampe témoin qui s'allume lorsque le courant alimente la résistance (ce qui est pratique pour déceler un éventuel problème).

Le fonctionnement du thermostat électronique

Une sonde étanche immergée dans l'aquarium comporte un élément dont la résistance varie avec la température. La valeur de cette résistance est comparée à celle programmée par le réglage de température sur le thermostat lui-même, situé en dehors de l'aquarium (non soumis à l'influence de la température ambiante). Un interrupteur électronique, le triac, envoie ou coupe le courant vers la résistance. La précision de l'ensemble est de l'ordre de 0,1 °C.

AVANTAGES ET INCONVÉNIENTS DES DIFFÉRENTS MODES DE CHAUFFAGE

Avantages

- *Résistance et thermostat séparés :*
  • le thermostat n'est pas directement influencé par la résistance (si les deux éléments sont bien placés) ;
  • si un des deux éléments est défectueux, lui seul est à changer ;
  • possibilité de brancher plusieurs résistances sur un même thermostat ;
  • les éléments sont mobiles (peuvent être déplacés lorsque l'aquarium est en service).

- *Combiné :*
  • simplicité d'emploi : un seul élément à dissimuler, un seul câble électrique ;
  • très souvent entièrement immergeable.

- *Câble chauffant :*
  • dissimulé dans le sol ;
  • moins fragile que les éléments précédents.

Inconvénients

- *Résistance et thermostat séparés :*
  • deux éléments à dissimuler ;
  • augmentation du nombre de câbles ;
  • le thermostat ne peut être entièrement immergé.

- *Combiné :*
  • le thermostat est directement influencé par la résistance proche ;
  • si un des deux éléments est défectueux, l'ensemble est à changer.

- *Câble chauffant :*
  • inamovible lorsque l'aquarium est en service.

L'UTILISATION DU MATÉRIEL DE CHAUFFAGE

Pour les petits aquariums (volume inférieur à 100 l), il est plus pratique d'utiliser un combiné chauffant.

Pour les aquariums de moyen volume (100 à 200 l), on préférera un thermostat couplé à deux résistances dont la puissance totale sera celle à fournir à l'aquarium (par exemple deux résistances de 100 W chacune pour un aquarium de 200 l).

Pour les plus grands volumes, on peut utiliser deux thermostats couplés chacun à une ou plusieurs résistances.

De plus, il est utile de prévoir un combiné chauffant supplémentaire pour un aquarium de reproduction ou pour un aquarium-hôpital.

Dans tous les cas, la résistance sera placée là où l'eau circule le mieux (au-dessus du diffuseur, près de la sortie d'eau du filtre) pour répartir et homogénéiser la chaleur dans l'aquarium.

LE RÉGLAGE DU CHAUFFAGE

Dans un premier temps, l'aquarium n'étant pas entièrement rempli, on règle le thermostat en position médiane.

Lorsque la température désirée est atteinte, on descend le thermostat (vers un chiffre inférieur, ou vers le signe –) jusqu'à extinction de la lampe témoin.

Si la température désirée n'est pas obtenue en 24 h, il faut tourner le bouton de réglage vers un chiffre supérieur, ou vers le signe +. A la bonne température, on reprend le réglage précédent, pour obtenir l'extinction de la lampe.

LE THERMOMÈTRE

Il est indispensable pour contrôler la température. Il existe divers modèles.

Il doit être placé près du thermostat et non pas près de la résistance (si ces deux éléments sont séparés) ou éloigné d'un combiné. Il faut prévoir la lecture de la température sans le sortir de l'eau (graduation tournée vers l'extérieur de l'aquarium).

Les différents types de thermomètres

- *Thermomètre à alcool :* la température est indiquée par un liquide bleu ou rouge. Peu onéreux, c'est un instrument dont la précision (± 1 °C) suffit pour nos aquariums. Le problème est que souvent une série de thermomètres de la même marque ou de marques différentes indiquent des températures variant parfois de 2 à 3 °C.

- *Thermomètre à mercure :* la température est indiquée par une colonne mince, de couleur argentée, pas forcément très lisible (surtout si, par hasard, le thermomètre se recouvre d'algues !). Plus coûteux que les précédents, il est également plus précis et plus fiable (et peut donc servir à les contrôler !).

- *Thermomètre flottant :* il sera dissimulé, et fixé à une glace arrière ou latérale de l'aquarium par une ventouse, dans un endroit auquel il sera facile d'accéder ; l'échelle de graduation sera bien entendu tournée vers l'observateur.

- *Thermomètre lesté :* il coule en position verticale et n'a donc théoriquement pas besoin de ventouse. Certains utilisateurs vous diront cependant qu'il a la fâcheuse tendance (en raison des mouvements de l'eau) à ne pas présenter son échelle de graduation face à l'observateur.

Les thermomètres extérieurs collés sur la glace et affichant la température à l'aide de cristaux liquides ne sont pas forcément précis ni esthétiques. Les thermomètres électroniques extérieurs (seule une sonde est immergée) sont plus faciles à dissimuler et plus précis ; toutefois, compte tenu de leur coût, leur emploi ne s'impose pas forcément à la place d'un thermomètre plus classique.

LES PANNES POSSIBLES AVEC LES ÉLÉMENTS DE CHAUFFAGE		
Élément	**Panne**	**Matérialisation et effets**
Résistance	- Rupture du verre protecteur.	- L'eau pénètre dans la résistance, il y a risque de court-circuit.
	- Rupture du fil de la résistance.	- La résistance ne chauffe plus (la plupart du temps, une résistance avec un dépôt interne noir est hors d'usage ou près de l'être).
Thermostat	- Rupture du verre protecteur. - Lamelles collées.	- *Idem* résistance. - Le courant passe tout le temps, la résistance chauffe en continu, la température de l'eau s'élève.
Combiné	- *Idem* thermostat.	- *Idem* thermostat.

LA DISPOSITION DES ÉLÉMENTS DU CHAUFFAGE

Pour obtenir une meilleure répartition de la chaleur, il est préférable (lorsque cela est possible) d'éloigner la résistance du thermostat et de la placer dans un endroit où l'eau est en mouvement (au-dessus d'un diffuseur d'air ou à côté de la sortie d'eau du filtre).

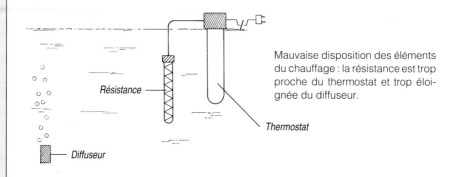

Mauvaise disposition des éléments du chauffage : la résistance est trop proche du thermostat et trop éloignée du diffuseur.

Ici, la résistance est placée au-dessus du diffuseur ; la chaleur est répartie, le thermostat n'est pas directement sous l'influence de la résistance.

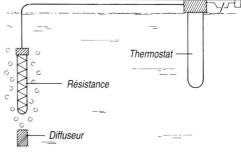

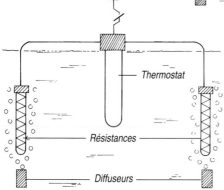

Cas idéal : il y a deux résistances couplées avec le thermostat, la chaleur est encore mieux répartie et, si l'une des deux résistances «lâche», l'autre permet d'éviter une baisse de température trop importante.

On peut utiliser deux thermostats, couplés chacun avec une résistance, ce qui assure une meilleure sécurité en cas de panne (l'inconvénient est alors le nombre d'éléments à dissimuler et l'augmentation du nombre de câbles électriques).
Les résistances et les combinés sont entièrement immergés, la partie supérieure du thermostat (là où se règle la température désirée) doit toujours être émergée.

LE BRANCHEMENT DES RÉSISTANCES

Un thermostat + une résistance :

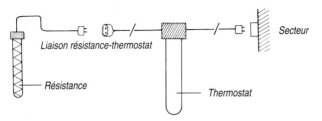

Liaison résistance-thermostat

Secteur

Résistance

Thermostat

Un thermostat + plusieurs résistances :

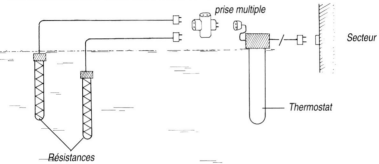

prise multiple

Secteur

Thermostat

Résistances

Ce qu'il ne faut jamais faire :

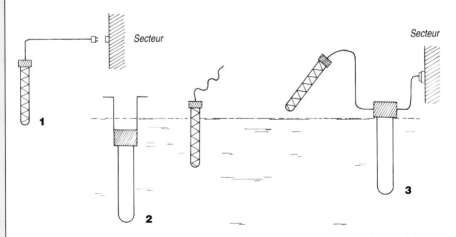

Secteur

Secteur

1

2

3

1. brancher une résistance directement sur le secteur, sans passer par un thermostat ;
2. immerger totalement un thermostat (ce qui est possible avec un combiné) ;
2. immerger partiellement une résistance (ou la partie résistance d'un combiné) ;
3. sortir une résistance (ou un combiné) sans l'avoir débranchée : ces éléments ne sont pas faits pour fonctionner hors de l'eau.

L'AÉRATION

Rappelons qu'en théorie un aquarium bien équilibré n'a pas besoin d'aération ; un surplus d'oxygène peut même, pour des raisons chimiques, poser quelques problèmes aux plantes. Si la densité de poissons est très élevée, l'aération peut devenir utile, surtout de nuit (où les plantes ne dégagent plus d'oxygène, tous les êtres vivants produisent alors du CO_2).

L'aération a pour but de créer un mouvement dans l'eau (ce qui répartit la chaleur produite par les éléments chauffants) afin de favoriser les échanges gazeux à sa surface. Ce ne sont donc pas les bulles qui vont oxygéner le bac.

LE MATÉRIEL

Une petite pompe à vibreur propulse de l'air dans des tuyaux aboutissant à un ou plusieurs diffuseurs en matière poreuse. Ces pompes débitent quelques dizaines à quelques centaines de litres d'air à l'heure, ce qui est suffisant pour les aquariums d'amateurs. Cet air, puisé dans la pièce où est placée la pompe, est grossièrement filtré par une rondelle de feutre placée sous la pompe. Les pompes sont plus ou moins bruyantes selon les modèles et la puissance, ce qui peut créer des nuisances (par exemple dans une chambre). Les tuyaux sont en PVC souple et transparent (parfois coloré en vert), et leur diamètre courant est de 6 mm à l'extérieur, 4 mm à l'intérieur. Les diffuseurs poreux peuvent être fabriqués dans différents matériaux. Sont également nécessaires des raccords en T, Y ou X pour utiliser plusieurs diffuseurs à partir de la même pompe. Des robinets permettent de régler le débit de l'air dans les différentes dérivations.

L'UTILISATION

Une pompe et un diffuseur sont généralement suffisants dans de petits bacs. Pour les grands volumes, une pompe plus puissante alimente plusieurs diffuseurs placés sous les éléments chauffants (et parfois un filtre plaque).

Pour les aquariums marins contenant peu ou pas de plantes, on conseille un diffuseur pour 100 l d'eau environ.

LES DIFFUSEURS

Les modèles les plus anciens (en bois, en pierre) ont tendance à se colmater assez rapidement (algues, incrustations). Les modèles les plus récents (céramique, plastiques microporeux), plus coûteux, ne présentent pas ce défaut. Les diffuseurs sont habituellement de forme cylindrique, ou plats et allongés. Dans tous les cas, il ne faut pas oublier que, plus le diffuseur est immergé, plus la pression de l'eau est élevée et plus il faudra fournir d'air.

COMMENT RÉDUIRE LE BRUIT DE LA POMPE

- ne pas la placer contre un mur ;
- utiliser le réglage du débit d'air. On peut éventuellement faire une dérivation terminée par un robinet expulsant (hors de l'aquarium) l'air en excès ;
- placer la pompe sur un support en mousse ;
- placer la pompe sur le rebord extérieur d'une fenêtre. L'air pompé sera de meilleure qualité que celui de la pièce, mais il faut empêcher le tuyau de s'aplatir.

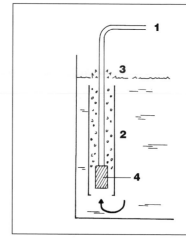

Exemple d'installation du système d'aération

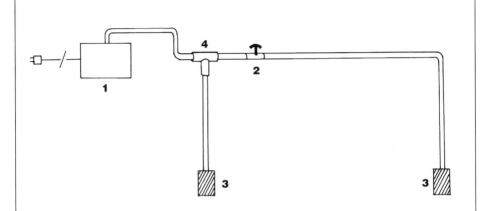

1. la pompe doit être placée au-dessous du niveau de l'eau de l'aquarium. En cas d'arrêt (panne, coupure du courant électrique), il ne se produira pas d'effet siphon entraînant l'eau dans la pompe ;

2. le robinet est placé sur le diffuseur le plus puissant ;

3. les diffuseurs ne doivent pas être placés complètement dans les angles de l'aquarium, pour permettre une meilleure circulation d'eau. Ne pas oublier de les disposer à proximité des éléments chauffants ;

4. raccord en T ou en Y.

L'exhausteur

1. arrivée d'air ;
2. l'eau est entraînée par les bulles d'air ;
3. rejet eau + air, avec éventuellement projection d'eau (qui sera limitée par le couvercle) ;
4. diffuseur ;
5. filtre plaque.

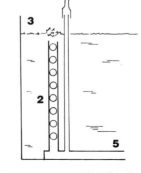

Avec une faible énergie, un exhausteur élève une colonne d'eau à une certaine hauteur. Couplé à un système de filtration, l'ensemble présente un bon rapport efficacité/prix.

◀ *Exhausteur facilement réalisable à partir d'un tube en PVC*

Exhausteur combiné à un filtre plaque

LA FILTRATION

Même si un aquarium est bien équilibré, un certain nombre de substances sont libérées dans l'eau et s'y concentrent. Pour éviter des changements d'eau répétés et fastidieux, on filtre l'eau.

La filtration concentre en un endroit donné des particules solides (excréments des poissons, débris divers, surplus de nourriture) et transforme certaines substances dissoutes – toxiques à long terme – en éléments assimilables par les plantes : c'est la filtration biologique (voir ci-contre).

Un bon filtre doit donc retenir des particules de différentes tailles, offrir un bon support aux bactéries et être oxygéné. A partir de ces généralités, il existe différents modèles dont l'utilisation dépend de la taille de l'aquarium, mais aussi des moyens financiers de l'aquariophile.

LE FILTRE PLAQUE (OU FILTRE SOUS SABLE)

C'est une plaque striée placée sous le sédiment et munie d'une double cheminée, dont la plus petite est reliée à une pompe à air.

L'eau, après avoir traversé le sable, ressort filtrée par la plus grosse cheminée.

C'est donc le sable qui sert de masse filtrante. Il retient les particules, et l'eau qui le traverse amène de l'oxygène pour faciliter la transformation des matières toxiques par les bactéries.

Très simple et peu coûteux, ce filtre présente deux inconvénients majeurs :
- il doit être mis en place lors de la conception de l'aquarium et ne pourra être retiré sans tout modifier (inutile de le retirer

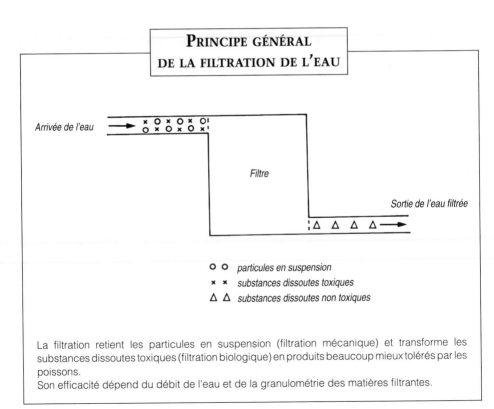

PRINCIPE GÉNÉRAL DE LA FILTRATION DE L'EAU

Arrivée de l'eau

Filtre

Sortie de l'eau filtrée

O O particules en suspension
× × substances dissoutes toxiques
Δ Δ substances dissoutes non toxiques

La filtration retient les particules en suspension (filtration mécanique) et transforme les substances dissoutes toxiques (filtration biologique) en produits beaucoup mieux tolérés par les poissons.
Son efficacité dépend du débit de l'eau et de la granulométrie des matières filtrantes.

LA FILTRATION BIOLOGIQUE

On ne fait que reconstituer (à une autre échelle) le cycle de l'azote qui existe dans les eaux naturelles. Pour cela, il faut :
- des bactéries, naturellement présentes dans les eaux, et qui se développeront en aquarium ;
- un substrat pour ces bactéries (sable, mousse, etc.) où elles pourront se développer ;
- une circulation d'eau qui apporte les substances à transformer et également de l'oxygène nécessaire aux bactéries et aux réactions chimiques.
On a donc :

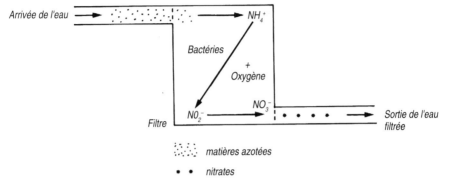

L'eau de l'aquarium, comportant des matières azotées, sort du filtre en véhiculant des nitrates non toxiques pour les poissons et utilisables comme engrais par les plantes.
Le fonctionnement d'un filtre biologique dépend de :
- la charge en matières azotées de l'eau à filtrer ;
- la capacité du matériau filtrant. Le filtre sera plus efficace si, pour un volume donné, on utilise un matériau très finement alvéolé permettant une colonisation importante par les bactéries (par exemple de la mousse synthétique) ;
- l'importance du débit, qui ne doit pas être trop important (risque de «lessivage» des bactéries), mais suffisant pour fournir assez d'oxygène.

pour le mettre hors service, il suffit de couper son alimentation en air) ;
- le sable se colmate plus ou moins rapidement en fonction du débit et de la turbidité de l'eau.
De plus, certaines plantes risquent de ne pas supporter un «lessivage» du sol au niveau de leurs racines.
Ce type de filtre est un matériel destiné par excellence aux débutants disposant d'aquariums de petit volume (inférieur à 100 l), où l'on peut disposer plusieurs plaques selon la surface disponible.

LES PETITS FILTRES INTÉRIEURS

La capacité de la masse filtrante étant réduite, ils ne peuvent servir qu'à de petits bacs destinés à la reproduction ou à l'isolement des poissons malades. Un aquariophile bricoleur peut facilement concevoir ce type de filtre.

LES FILTRES A MOTEUR ÉLECTRIQUE

Ils pompent et rejettent l'eau grâce à un petit moteur dont la puissance varie selon les modèles. Plus puissants que les filtres alimentés par une pompe à air, ils sont principalement de deux types :
- filtres totalement immergeables. Ils conviennent pour des aquariums jusqu'à 100 l environ, et doivent être dissimulés. Le volume de la masse filtrante (en général une seule matière) est peu important ;

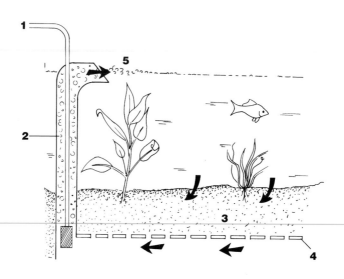

1. arrivée d'air, reliée à une pompe ;
2. exhausteur ;
3. sable ;
4. plaque perforée permettant le passage de l'eau ($\rightarrow$) ;
5. sortie d'eau au niveau de la surface, afin de favoriser son agitation pour un meilleur échange gazeux.

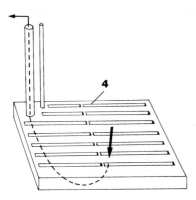

Au cours de son passage à travers le sable, l'eau est filtrée mécaniquement (piégeage de particules) et biologiquement (les interstices entre les grains de sable favorisant l'établissement de colonies de bactéries et le passage de l'oxygène transporté par l'eau).

Il existe un modèle plus perfectionné, muni d'une pompe à moteur électrique placée sur la colonne de rejet. Plus puissant, ce système est également plus onéreux.

Pour les aquariums densément peuplés ou pour les aquariums marins sans plantes, on utilise parfois un filtre plaque inversé : cela évite le colmatage trop rapide du sable, mais remet en suspension les particules qui se trouvent à sa surface (d'où la nécessité d'une filtration complémentaire, en général un filtre extérieur à moteur).

AVANTAGES ET INCONVÉNIENTS
D'UN FILTRE PLAQUE CLASSIQUE
(NON INVERSÉ, ALIMENTÉ PAR UNE POMPE A AIR)

Avantages :
- peu coûteux ;
- prend peu de place, facilement camouflable ;
- débit suffisant pour bacs de petit volume ;
- peut être relié à la même pompe qu'un diffuseur (un robinet limitera le débit de la plaque pour permettre à l'air de s'échapper du diffuseur) ;
- bonne filtration mécanique et biologique, clarification rapide de l'eau ;
- peut être couplé avec un autre filtre.

Inconvénients :
- bruit de l'eau rejetée (en plus de celui de la pompe) ;
- colmatage plus ou moins rapide du sable en fonction de son épaisseur, de sa granulométrie, du débit de l'eau. Au bout de quelques mois, on doit refaire l'aquarium en nettoyant le sable ;
- risque d'obstruction de l'exhausteur (souffler modérément avec la bouche dans le tuyau d'arrivée d'air, ou utiliser une aiguille à tricoter) ;
- pas assez performant pour des bacs de grand volume (plus de 100 l) ;
- doit être prévu lors de la conception de l'aquarium.

- filtres extérieurs. Plus gros, plus puissants, ils conviennent donc aux grands aquariums. Le volume du compartiment filtration est assez important pour pouvoir accueillir différents matériaux. Leur seul défaut semble être la présence de tuyaux disgracieux à l'extérieur de l'aquarium et qu'il faut habilement dissimuler (et bien brancher pour éviter de désagréables surprises).

LES FILTRES INCORPORÉS A L'AQUARIUM

Ils existent sur certains modèles commercialisés, ou peuvent se concevoir lors de la fabrication d'un aquarium (voir chapitre L'AQUARIUM DE L'AMATEUR CONFIRMÉ).

LE FILTRE GOUTTIÈRE

Grâce à une pompe ou à un exhausteur, l'eau est rejetée dans une gouttière (à la surface de l'aquarium) contenant une matière filtrante. Ce modèle est facile à dissimuler si la décoration extérieure de l'aquarium le permet. Il assure une bonne répartition de l'eau et une bonne agitation de la surface, favorisant ainsi les échanges gazeux.

LES MATIÈRES FILTRANTES

Elles doivent répondre à plusieurs critères :
- neutralité absolue vis-à-vis de l'eau ;
- rétention de particules en suspension. Plus celles-ci sont petites, plus la matière filtrante devra être compacte pour les retenir, plus le colmatage sera rapide ;
- favoriser l'établissement de bactéries.
Parmi de nombreuses possibilités, on utilise couramment :
- du sable de quartz ou du PVC fragmenté pour les plus grosses matières en suspension ;
- de la ouate de perlon (appelée à tort laine de verre, la véritable laine de verre ne devant jamais être utilisée) ou des mousses synthétiques (du genre de celles équipant certains matelas) pour les particules les plus fines, d'une densité de 20 kg/m³.
Il est également possible d'employer du charbon (souvent appelé actif, que l'on trouve dans le commerce aquariophile),

LE FILTRE INTÉRIEUR ALIMENTÉ PAR AIR

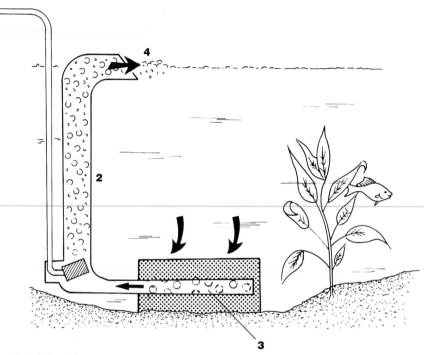

1. arrivée d'air ;
2. exhausteur ;
3. masse filtrante (en général de la mousse) incluse ou non dans un boîtier ;
4. sortie de l'eau au niveau de la surface.
→ trajet de l'eau.

Il existe différents modèles basés sur le même principe.
On peut également réaliser un filtre artisanal, à partir d'un bloc de mousse (et éventuellement d'une bouteille en PVC de 1,5 à 2 l).

A cause de la mousse, l'ensemble du filtre a tendance à flotter ; il doit donc être lesté ou calé.

Ces petits filtres se colmatent plus ou moins rapidement selon le volume de la masse filtrante ; ils sont donc réservés à de petits bacs (reproduction, quarantaine), pour un temps limité, et leur filtration biologique est faible.

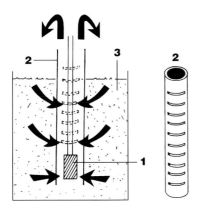

1. diffuseur ;
2. tuyau de PVC, strié avec une scie sur toute la longueur, qui sera inclus dans le bloc de mousse ;
3. bloc de mousse percé en son centre pour le passage de l'exhausteur.
→ trajet de l'eau.

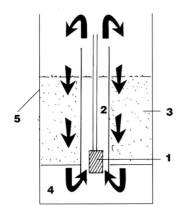

1. diffuseur ;
2. exhausteur non strié ;
3. bloc de mousse ;
4. chambre de récupération de l'eau ;
5. bouteille en PVC.
→ trajet de l'eau.

qui a la propriété d'absorber certaines substances qui peuvent colorer légèrement l'eau. Saturé au bout d'un certain temps, il reste toutefois un bon support pour les bactéries.

QUEL FILTRE POUR QUEL AQUARIUM ?

Le choix dépend :
- du volume à filtrer ;
- de la turbidité (quantité et taille de matières en suspension) ;
- du budget de l'aquariophile.
Pour les plus petits bacs, d'un volume inférieur à 50 l, on choisira la solution la plus pratique et la plus économique : le filtre plaque.
Pour les aquariums-hôpitaux et ceux destinés à la reproduction, souvent sans sol et sans décor, on peut se tourner vers les petits filtres intérieurs branchés sur la pompe à air.
Pour les aquariums d'une centaine de litres, il n'est pas inintéressant d'utiliser un filtre plaque et un petit filtre immergeable à moteur électrique, disposés à l'opposé l'un de l'autre.
Pour les volumes supérieurs, on préférera un filtre extérieur à moteur électrique comportant plusieurs masses filtrantes différentes selon la taille des particules en suspension.
Pour les petits filtres intérieurs, on n'utilise qu'un matériau : ouate de perlon ou mousse synthétique.
En eau continentale, il faut envisager de filtrer le volume de l'aquarium en 1 ou 2 h. Pour un aquarium de 200 l par exemple, il faut donc un filtre débitant (en théorie) 200 à 400 l/h. Compte tenu des pertes de charge (tuyaux) et du colmatage, le débit réel est inférieur.
En eau de mer, il vaut mieux prévoir plus puissant (un filtre de 1 000 l pour un bac de 200 l par exemple) ; plus généralement, il faut filtrer la totalité du volume cinq à dix fois par heure.
Dans tous les cas, il est préférable que le rejet de l'eau s'effectue au-dessus de la surface de l'eau et parallèlement à celle-ci, afin de favoriser les échanges gazeux.

LES FILTRES EXTÉRIEURS A MOTEUR ÉLECTRIQUE

Ils conviennent pour les plus grands aquariums (certains débitent plus de 1 m³/h) et comportent des matériaux de filtration de granulométrie différente dans le compartiment filtre. Ils doivent être placés au-dessous du bac pour éviter un éventuel désamorçage.

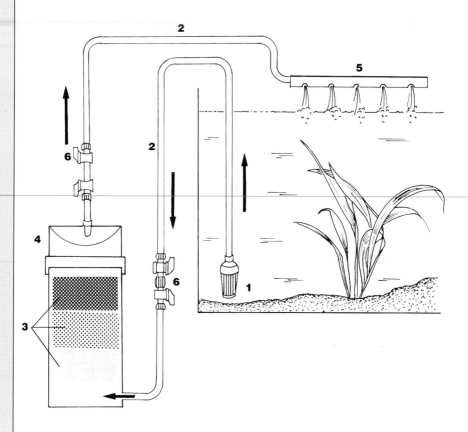

1. crépine pour éviter l'aspiration de petits poissons, de débris divers risquant d'obstruer les canalisations ;
2. tuyaux semi-rigides ;
3. masses filtrantes de plus en plus fines au fur et à mesure du trajet de l'eau ;
4. compartiment moteur ;
5. tube rigide perforé permettant le rejet de l'eau, au niveau ou au-dessus de la surface, pour favoriser les échanges gazeux ;
6. robinets.
→ trajet de l'eau.

Ces filtres, plus coûteux que les précédents, sont très efficaces mécaniquement, mais peu biologiquement. L'utilisation des matériaux de granulométrie différente évite un colmatage trop rapide du système. Le nettoyage est aisé, si on prend la précaution de placer des robinets sur les tuyaux.

Les petits filtres immergés, a moteur électrique

Très pratiques, mais difficiles à dissimuler, ils conviennent à des aquariums de volume inférieur à 100 l. Ils peuvent être utilisés simultanément avec un filtre plaque (à l'opposé l'un de l'autre).

1. compartiment moteur, avec orifice de rejet de l'eau (1a) à placer le plus près possible de la surface ;
2. compartiment filtration avec matériau en général unique (mousse) et grille de pénétration de l'eau (2a).
→ trajet de l'eau

Certains modèles sont modulables en fonction du volume à filtrer.

Ces filtres sont silencieux, ont une bonne action mécanique, mais une faible action biologique, compte tenu du volume de matière filtrante. Ils ne sont pas faciles à dissimuler, mais peuvent être mis en service après la conception de l'aquarium, en complément d'autres techniques.

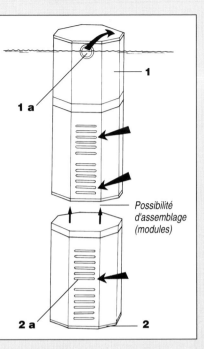

Possibilité d'assemblage (modules)

Les autres types de filtres

Les filtres incorporés à l'aquarium (ou filtres à décantation) seront traités dans le chapitre L'AMATEUR CONFIRMÉ (construction d'un aquarium en verre collé).

Le filtre gouttière

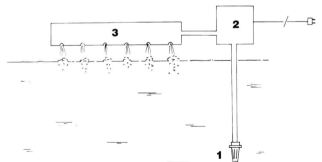

1. crépine ;
2. pompe à moteur électrique ;
3. gouttière perforée contenant la masse filtrante (mousse ou ouate de perlon).

Il peut être rajouté après la mise en service de l'aquarium, en complément d'une autre technique (filtre plaque, par exemple) ; il peut également se bricoler, avec un exhausteur à la place de la pompe. La gouttière sera souvent visible si l'aquarium ne possède pas de décoration extérieure (bande de PVC horizontale à sa partie supérieure).

LA MISE EN PLACE D'UN AQUARIUM D'EAU CONTINENTALE

Règle n°1 : pas de précipitation ! L'installation d'un aquarium demande un peu de soin et de rigueur, dans un environnement calme, sans trop de spectateurs prêts à vous aider, mais pouvant aussi vous gêner.

LES DIFFÉRENTES PHASES DE L'INSTALLATION

Elles se font dans un ordre logique, sous peine de connaître parfois des problèmes ultérieurs (pas forcément perceptibles au moment de l'installation).

- *1re étape :* nettoyage et rinçage du bac. Il vaut mieux éviter les détergents (et l'eau de Javel) et utiliser de l'eau tiède. Cette étape peut se faire ailleurs qu'à l'emplacement définitif (jardin, balcon). Attention, un aquarium pèse lourd et n'est pas forcément facile à manipuler.

- *2e étape :* on peut envisager de recouvrir la partie arrière du bac, à l'extérieur, d'un fond qui mettra plantes et poissons en valeur. Il existe dans le commerce des posters représentant des décors aquatiques, mais on a également la possibilité d'appliquer une feuille (genre Canson) de couleur noire. Sur de petits aquariums, du papier aluminium (lisse ou froissé) ou une glace produisent des résultats intéressants. Dans tous les cas, ce fond dissimulera aux yeux du spectateur tuyaux et câbles extérieurs à l'aquarium.

- *3e étape :* le bac est disposé à sa place définitive. Rappelons que l'on intercale un matériau souple entre le support et l'aquarium, celui-ci devant être parfaitement horizontal. Bien vérifier que la galerie se soulève ou s'enlève aisément et que l'aquarium est facilement accessible au niveau de la glace frontale et des glaces latérales. Prévoir un passage derrière l'aquarium pour les tuyaux et les câbles électriques.

- *4e étape :* c'est le moment de vérifier si le bac est bien étanche. Les fuites sont assez rares, mais il vaut mieux être prudent. On remplit l'aquarium avec de l'eau du robinet (en utilisant un tuyau ou en faisant des va-et-vient avec des seaux, ce qui est assez fastidieux).
Les fuites éventuelles peuvent se détecter rapidement aux angles et aux coins de l'aquarium, mais il est préférable d'attendre 24 h pour s'en assurer.
On vide l'aquarium par siphonnage, il faut donc prévoir un tuyau et une évacuation d'eau au-dessous du niveau le plus bas de l'aquarium (le fond).

- *5e étape :* pose du filtre plaque. Il sera disposé à l'arrière de l'aquarium, de manière que l'exhausteur se trouve pratiquement dans un angle. Si vous mettez un autre filtre, disposez-le à l'opposé.

- *6e étape :* disposition des accessoires. Placez la résistance (éloignée du thermostat) à l'aide d'une ventouse, au-dessus de l'endroit où se trouvera le diffuseur, et le thermomètre près du thermostat (ou à l'opposé d'un combiné chauffant si c'est le cas). Vérifiez que la résistance (ou la partie chauffante du combiné) ne touche aucun élément en plastique.
Le tuyau d'aération peut être dissimulé sous le sable (en prévoyant que le diffuseur sera en dehors), et sortir de l'aquarium par un des angles, comme les câbles électriques.
Si vous avez opté pour un filtre intérieur, disposez-le à ce stade. Si vous avez préféré un filtre extérieur, fixez les tuyaux véhiculant l'eau à l'aide de ventouses.

- *7e étape :* le décor inerte. Les roches sont placées dans l'aquarium avant le sable, pour être mieux calées. Il faut alors envisager deux points :
- le camouflage des accessoires, facile à réaliser avec des roches assez plates (ardoises, schistes) ;

Le matériel de votre premier aquarium

Équipement indispensable	Aquarium de 100 à 120 l	Aquarium de 160 à 200 l
Aquarium L x l x h (cm)	80 x 30 (ou 35) x 35 (ou 40)	100 x 40 (ou 45) x 40 (ou 45)
Éclairage	1 tube de 75 cm (25 W)	1 tube de 75 cm + 1 tube de 90 cm (30 W) ou 2 tubes de 90 cm
Filtration	1 filtre plaque + 1 petit filtre intérieur ou 1 filtre extérieur de 100 l/h	1 filtre extérieur de 200 à 400 l/h
Masses filtrantes	Mousse dans le petit filtre ou 2 masses différentes dans le filtre extérieur	3 masses de granulométrie différente
Chauffage	100 W	150 ou 200 W
Aération	1 diffuseur à débit modéré	1 diffuseur à fort débit ou 2 à débit moyen
Sol	20 kg environ	30 kg environ
	Sable non calcaire	
Décor	Roches non calcaires, bois et racines Quantité variable suivant l'importance du décor	
Petit équipement complémentaire	Tuyau pour remplissage, épuisette, thermomètre, horloge pour la lumière (éventuellement)	

Du petit matériel est indispensable : épuisette pour capturer les poissons, raclette ou aimant pour nettoyer la face interne des vitres incrustée d'algues, pince pour planter les végétaux.

131

Le filtre plaque

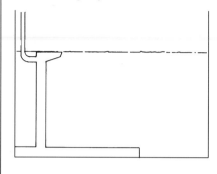

Si on utilise un filtre plaque, il doit être impérativement placé en premier.

Vue de face

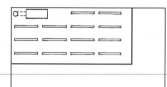

Vue de dessus

Les accessoires

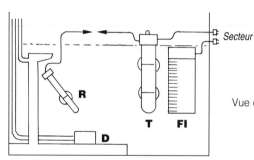

Secteur

On dispose ensuite les éléments du chauffage et de la filtration.

Vue de face

R : résistance ; *D* : diffuseur ;
T : thermostat ; *FI* : filtre intérieur

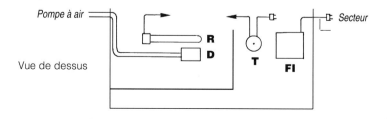

Pompe à air

Secteur

Vue de dessus

Un exemple de disposition de décor inerte (avec ardoises et schistes)

Vue de face

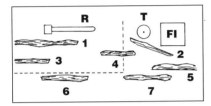

Vue de dessus

Le sédiment

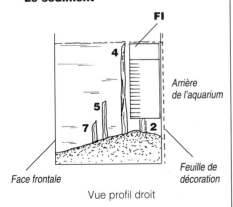

Face frontale

Vue profil droit

La pente du sédiment est exagérée. Pour une hauteur moyenne de 7 à 8 cm dans le bac, on aura 5 cm de sable contre la face frontale et 10 cm contre la face arrière.

- l'esthétique générale liée à la disposition des roches et aux futures plantes dont l'emplacement devra être prévu.

- 8ᵉ étape : le sédiment. Quelle que soit sa nature, il doit être lavé à l'eau tiède (éviter impérativement tout détergent), puis rincé plusieurs fois jusqu'à l'obtention d'une eau claire.

Grâce à ce nettoyage, on élimine toutes les fines particules présentes, qui risqueraient de troubler l'eau.

Le sédiment est disposé sur le fond de l'aquarium, autour des roches, en créant une pente descendante de l'arrière vers l'avant du bac.

On peut ensuite disposer quelques roches ou racines pour maintenir cette pente et créer des terrasses.

- 9ᵉ étape : remplissage. On ne remplit pas la totalité de l'aquarium, puisqu'il faudra y introduire les mains pour recaler éventuellement quelques éléments du décor, et surtout pour disposer les plantes. Il est donc prudent d'arrêter le remplissage à 5 ou 10 cm au-dessous de son niveau définitif. Que l'on remplisse avec un seau ou à l'aide d'un tuyau, il est nécessaire de «briser» le jet d'arrivée pour ne pas modifier la position du sédiment.

Il ne faut pas vous étonner de constater un léger trouble de l'eau, ainsi qu'un fin dépôt au niveau de la surface, constitués par les inévitables microparticules en suspension.

- 10ᵉ étape : vérification du fonctionnement du matériel. En prenant garde que les éléments chauffants soient totalement immergés, on relie l'ensemble au secteur, le thermostat réglé en position moyenne. On met également en service le système de filtration et d'aération.

Au bout de quelques heures, l'eau doit s'éclaircir et sa température commencer à augmenter. On règle le chauffage, le débit des différents éléments reliés à la pompe à air, le système de filtration.

Vous vous apercevez également que votre aquarium prend un autre aspect lorsqu'il est rempli d'eau : il apparaît moins large

133

L'ESTHÉTIQUE DE LA PLANTATION

Pour un premier aquarium, nous vous conseillons de disposer vos plantes en arcs de cercle parallèles :
- les plus grandes, ou les plantes à croissance rapide, sur les côtés et vers la partie arrière de l'aquarium ;
- les plantes moyennes vers le centre ;
- les petites plantes vers l'avant, mais en ménageant toujours une zone libre sur le devant de l'aquarium (pour siphonner les déchets).
A titre d'exemple, nous vous proposons le schéma suivant :

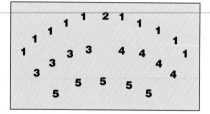

Aquarium vu de face

1. *Myriophyllum, Vallisneria*
2. *Echinodorus*
3. *Cryptocoryne affinis ou wendtii*
4. *Ludwigia, Hygrophila*
5. *Echinodorus tenellus*

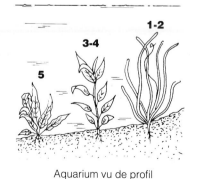

Aquarium vu de profil

(cela est dû à la réfraction des rayons lumineux).

Vous pouvez à ce moment rectifier quelques éléments du décor qui se seraient déplacés lors du remplissage, et peaufiner le camouflage des accessoires.

Avant de continuer, assurez-vous que le décor ainsi composé vous plaît. Il n'est en effet pas encore trop tard pour le modifier, sachant que ce sera plus délicat par la suite et qu'il va demeurer en place un certain temps (en principe jusqu'à une réfection complète de l'aquarium, à une date quasi imprévisible !).

- *11ᵉ étape :* mise en place du décor végétal. Là aussi, il vaut mieux respecter quelques règles d'esthétique, notamment en n'utilisant que quelques types de plantes et en prenant en compte leur taille et leur croissance (voir encadré ci-contre).

Il faut être patient lors de la plantation pour obtenir un résultat satisfaisant et manipuler les plantes avec ménagement. On recommande parfois une plantation «à sec» ; nous préférons toutefois la faire en pleine eau, afin de juger immédiatement du résultat.

Qu'il s'agisse de boutures ou de plantes en touffes, chacune sera plantée individuellement en pratiquant une petite excavation dans le sédiment (avec le doigt ou un petit instrument) dans laquelle sera placée la plante, le sol étant tassé autour. On peut s'aider d'une pince à long manche.

Les plantes à tige (boutures) sont enterrées sur 8 à 10 cm (suivant la profondeur du substrat), les feuilles de la partie destinée à être enfouie ayant été préalablement ôtées.

Les plantes avec racines doivent avoir une petite partie de leur base enfouie (en général, elle est de couleur blanche), les racines étant – si possible – réparties autour de la plante.

Mousses et fougères s'accrochent d'elles-mêmes sur un support (bois, racine, roche) ; toutefois, pour les y aider, on peut les caler ou les fixer avec un fil de nylon (de type fil de pêche).

Les plantes flottantes sont simplement déposées à la surface.

L'esthétique du décor solide

Il est délicat (et présomptueux) de vouloir recréer fidèlement un milieu naturel, et la réalisation d'un premier décor n'est pas forcément une réussite.

Lors de la disposition des roches, il est bon de prendre son temps et d'essayer plusieurs possibilités en respectant quelques règles :

- ne pas utiliser trop de matériaux différents : un ou deux types de roches et une racine suffisent pour débuter ;
- prévoir des blocs de différentes tailles ;
- garder les roches les plus grandes et les plus minces pour masquer les accessoires, puis utiliser des morceaux de plus en plus petits de l'arrière vers l'avant de l'aquarium ;
- disposer les roches parallèlement ou en éventail, et non en tous sens ;
- un élément unique doit être mis en valeur (racine, par exemple).

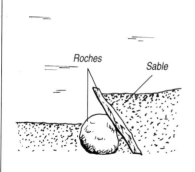

Réalisation d'une terrasse
(vue de profil)

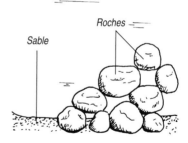

**Réalisation d'un éboulis
avec abris
pour les poissons**
(vue de profil)

- *12ᵉ étape :* fin du remplissage. La plantation étant terminée, on remplit l'aquarium jusqu'à son niveau définitif et on attend patiemment une semaine, en faisant fonctionner l'éclairage selon la durée préconisée précédemment (éventuellement, dernier réglage du chauffage).

Cette période d'attente va permettre aux plantes de se redresser en se dirigeant vers la lumière et de s'enraciner sans risquer d'être malmenées par les poissons.

En même temps, il se produit certains phénomènes chimiques et biologiques dans l'aquarium, notamment l'établissement de la chaîne de transformation des produits azotés.

Vous disposerez donc de quelques jours pour réfléchir au choix de vos premiers pensionnaires : mettez à profit ce laps de temps pour faire le tour de quelques détaillants spécialisés dans le commerce aquariophile.

LES PREMIÈRES PLANTES

De toutes les plantes pouvant être cultivées en aquarium (il en existerait plusieurs centaines), certaines sont très robustes et relativement indifférentes aux caractéristiques de l'eau (pH, dureté). Elles conviennent donc tout à fait aux débutants.

La croissance de certaines d'entre elles est très rapide, mais il ne faudra pourtant pas vous attendre à des résultats spectaculaires pendant quelque temps. En effet, votre aquarium contient une eau neuve et un sol assez pauvre en éléments nutritifs. Après l'introduction de poissons, un équilibre s'établira et le sol s'enrichira progressivement pour mieux permettre le développement des plantes.

Nous vous proposons ici quelques espèces de plantes flottantes (1 et 2), de petites plantes d'avant-plan (3 et 4), de plantes de taille moyenne (5 à 7 ; 8 à 12 suivant la longueur des boutures), de plantes pour arrière-plan (à boutures, 8 à 11 ; à racines, 12 à 14), ainsi qu'une mousse (15).

Espèces	Taille	Lumière	Développement	Reproduction	Observations
Riccia fluitans 1	petits éléments (1-2 mm) formant un tapis plus ou moins épais *Cette plante bien adaptée aux aquariums de reproduction est populaire auprès des aquariophiles.*	intense (comme beaucoup de plantes de surface)	rapide	multiplication végétative par division	- forme une couverture qui ombrage l'aquarium (parfois au détriment des autres plantes), mais qui constitue un abri pour les alevins - lorsque cette plante envahit trop l'aquarium, ne pas hésiter à en jeter une partie
Ceratopteris cornuta 2	plus de 10 cm	intense	rapide	petites plantules se développant sur les feuilles	- ombrage l'aquarium - procure un abri aux alevins

Les feuilles de cette plante flottante s'étalent à la surface et sont appréciées par certains poissons et par les alevins qui y trouvent refuge. Lorsque la lumière lui convient, elle prospère rapidement.

Espèces	Taille	Lumière	Développement	Reproduction	Observations
Echinodorus tenellus 3	jusqu'à 10 cm	intense	moyen à rapide	par stolons	dans de bonnes conditions (sol plutôt riche), peut former un tapis sur le devant de l'aquarium

L'Echinodorus nain, originaire du continent américain, meuble agréablement le devant d'un aquarium. Ce «tapis» doit toutefois être entretenu avec soin pour rester vigoureux.

Espèces	Taille	Lumière	Développement	Reproduction	Observations
Cryptocoryne nevillii 4	de 5 à 25 cm	faible à moyenne	plutôt lent	par divisions du pied et par stolons	développement variable suivant le milieu
Sagittaria 5	variable	intense	moyen	par stolons	plusieurs espèces de taille maximale différente

L'espèce présentée ici, Sagittaria graminea, comprend de nombreuses variétés dont les feuilles diffèrent en largeur et en hauteur. Cette espèce robuste ne pose pas de problème d'entretien particulier, mais sa croissance est lente.

Espèces	Taille	Lumière	Développement	Reproduction	Observations
Cryptocoryne affinis 6	jusqu'à 25 cm	moyenne	moyen	par divisions du pied et par stolons	une des espèces les plus intéressantes du genre, résistante et assez prolifique

Espèces	Taille	Lumière	Développement	Reproduction	Observations
Cryptocoryne wendtii **7**	jusqu'à 25 cm	moyenne à intense	moyen	par divisions du pied et par stolons	un peu plus délicate que la précédente
Myriophyllum **8**	plus de 50 cm, les tiges se couchent à la surface	intense	rapide	par boutures	plusieurs espèces, feuillage fin parfois brouté par certains poissons

Limnophila heterophylla *(ci-dessous),* d'un vert franc, peut parfois prendre une coloration rougeâtre à son extrémité.

Myriophyllum aquaticum *(ci-dessus), très décorative, apprécie une eau douce et acide.*

Espèces	Taille	Lumière	Développement	Reproduction	Observations
Limnophila **9**	jusqu'à 50 cm, les tiges peuvent se coucher à la surface	intense	rapide	par boutures	plusieurs espèces, dont *L. heterophylla*, à feuillage fin
Ludwigia **10**	jusqu'à 50 cm	intense	rapide	par boutures	plusieurs espèces, dont *L. repens*, une des plus intéressantes

L'aspect des feuilles de L. Repens *peut varier légèrement : arrondies ou légèrement lancéolées, couleur rougeâtre ou verte.*

Espèces	Taille	Lumière	Développement	Reproduction	Observations
Hygrophila 11	jusqu'à 50 cm	intense	rapide	par boutures	plusieurs espèces faciles à bouturer, certaines devant l'être régulièrement

Le genre Hygrophila *regroupe environ 80 espèces, pour la plupart originaires des pays asiatiques. Ici,* Hygrophila siamensis.

Espèces	Taille	Lumière	Développement	Reproduction	Observations
Vallisneria spiralis 12	de 20 à 50 cm	intense	moyen	par stolons	se propage rapidement
Vallisneria gigantea 13	jusqu'à 1 m	intense	moyen	par stolons	réservée aux grands aquariums

Les feuilles rubanées de Vallisneria gigantea *peuvent, comme l'indique son nom, devenir très envahissantes. Cette plante, réservée aux grands aquariums, pourra former un rideau végétal à l'arrière du bac.*

Espèces	Taille	Lumière	Développement	Reproduction	Observations
Echinodorus maior 14	50 cm et plus	intense	lent à moyen	par stolons	bel effet lorsqu'elle est isolée
Vesicularia dubyana 15	variable	intense	lent à moyen	allongement et ramifications des filaments	- peut se développer jusqu'à recouvrir son support - tendance à être envahie par des algues filamenteuses (dans certains cas)

Cette mousse peu exigeante aimera se développer sur son support, une branche, par exemple.

LES PREMIERS POISSONS

Vous venez de mettre en place un bac communautaire, rempli d'eau du robinet et planté de végétaux résistants. Il va donc falloir choisir des poissons adaptés à ce type de milieu, présentant en priorité les caractéristiques suivantes :
- relativement indifférents à la qualité de l'eau (pH, dureté) et supportant éventuellement des variations de température ;
- sociables, ils pourront vivre ensemble sans problèmes ;
- en bonne santé.
Les autres caractéristiques de vos pensionnaires dépendront de vos goûts ou de vos moyens :
- vous avez le choix entre de petites espèces vivant en banc, ou entre des poissons de taille un peu plus importante évoluant en couple ou en petit groupe de quelques individus ;
- vous pouvez opter pour des poissons de pleine eau, accompagnés d'une ou deux espèces de fond, plus discrètes ;

Le combattant est un poisson robuste, mais les mâles ne se supportent pas entre eux ; il est donc impératif de ne garder qu'un seul individu dans un bac d'ensemble.

- vous êtes plutôt attiré par leur forme, leur couleur ou leur facilité de reproduction ;
- si votre budget est limité, il existe un certain nombre d'espèces dont le prix à l'unité ne dépasse pas la dizaine de francs.
Dans tous les cas, il est préférable de se limiter à quelques espèces et d'en acquérir plusieurs individus, sauf pour les poissons de fond, qui peuvent être représentés par un seul individu.
Il vaut mieux en effet éviter l'achat d'un ou deux poissons par espèce, votre aquarium aura tendance à ressembler à un fourre-tout ; de plus, vous limiteriez vos chances de constituer un couple reproducteur.
Dernière recommandation : il est inutile et dangereux de surpeupler votre aquarium, même si l'oxygénation et la filtration sont correctes.

L'ACHAT
CHEZ UN DÉTAILLANT

Un détaillant ne possède pas forcément, à un moment donné, tous les poissons que vous désirez acquérir, et il vaut mieux

COMBIEN DE POISSONS DANS UN AQUARIUM

Cela dépend bien entendu de son volume, mais surtout de la taille de vos futurs pensionnaires. Voici quelques indications pour vous aider :

Taille des poissons	En général	Densités maximales	
		Bac de 100-120 l	Bac de 180-200 l
Inférieure à 5 cm	1 poisson/5 l	20-30 poissons	35-50 poissons
6 à 8 cm	1 poisson/7-8 l	12-17 poissons	22-28 poissons
9 à 10 cm	1 poisson/10-20 l	5-12 poissons	9-20 poissons
10 à 15 cm	1 poisson/30 l	3-4 poissons	6-7 poissons

Ces indications concernent des poissons ayant atteint leur taille adulte, c'est donc celle-ci qu'il faut prendre en compte dans les calculs, et non pas la taille au moment de l'achat, le poisson n'ayant pas forcément achevé sa croissance.

Comment reconnaître un poisson en bonne santé

Points à prendre en considération	Poisson en bonne santé	Poisson malade ou susceptible de l'être
Coloration	Vive (notamment le bleu et le rouge), brillante (couleur argent à éclat métallique).	Pâle, terne.
Forme du corps	Normale.	Amaigrie (ventre plat), gonflée, déformation de la colonne vertébrale.
Marques sur le corps	Aucune (en dehors des taches noires faisant partie de la coloration normale).	Marques blanches (points, filaments), plaies, nageoires abîmées.
Comportement	Normal, peut rester immobile en pleine eau.	Très agité (nage désordonnée), trop calme (coule vers le fond) ou «prostré» dans un coin du bac.
Stockage (dans le commerce)	Bac propre, eau claire, poissons tous sains.	Bac sale, mal entretenu, présence de poissons morts ou en mauvais état.

Lors de l'achat, il n'est pas toujours évident de reconnaître un poisson en bon état. Une nage normale, nageoires plutôt déployées, est un bon critère supplémentaire.

en visiter plusieurs avant de vous décider. Cela vous permettra de vous faire une idée des prix, de voir comment le détaillant s'occupe de son stock, d'éviter d'acheter un poisson qui vient juste de lui être livré, et enfin de lier conversation afin d'obtenir quelques conseils supplémentaires.

Acheter ses poissons en bloc ou progressivement

Il vaut mieux peupler son aquarium par lots de poissons (en une ou deux fois, avec un intervalle réduit).

En effet, par la suite, un nouveau venu pourra être considéré comme un intrus (ou même une proie) par vos pensionnaires qui se seront habitués à leur milieu (territoire, comportement). Le nouvel arrivant risquerait alors d'être perturbé, voire dominé et écarté lors de la distribution de nourriture.

En général, il est préférable d'introduire des espèces de petite taille d'abord, puis des poissons plus importants quelque temps après : les premiers se seront accoutumés à leur habitat et seront peu inquiétés par les nouveaux arrivants.

AUTRES POSSIBILITÉS D'OBTENTION

Nous vous conseillons vivement la fréquentation d'un club (ou association) aquariophile : c'est une excellente façon de profiter de l'expérience des autres membres et d'acquérir des poissons provenant de leurs élevages, à des prix très souvent inférieurs à ceux du commerce. Vous pouvez également adopter quelques poissons offerts par un ami aquariophile, à charge de revanche !

LE TRANSPORT

Moins délicat qu'on ne le pense, il ne pose généralement pas de problème sur de courtes distances : le poisson est transporté dans un sac en plastique fermé, contenant 1/3 d'eau et 2/3 d'air atmosphérique. La fermeture est réalisée de telle sorte que le sac soit gonflé (voir ci-dessous). Pour de longues distances, et donc pour une certaine durée, il convient de limiter les déperditions de chaleur (boîte de polystyrène, journaux) et d'utiliser de l'oxygène pur (mais ce type de transport reste rare pour un amateur débutant).

LE TRANSFERT DANS L'AQUARIUM

Inévitablement, les poissons subiront un stress : changement de milieu, paramètres de l'eau différents (température, pH, dureté).

Pour limiter ce stress, on fait flotter le sac dans l'aquarium (attention à un éventuel débordement), afin que la température de l'eau qu'il contient s'équilibre avec celle de l'aquarium. Ensuite, on ouvre peu à peu le sac pour que l'eau de l'aquarium y pénètre, le poisson étant finalement transvasé en douceur. Si l'aquarium accueille déjà des pensionnaires, il est possible de les nourrir ou d'interrompre l'éclairage afin de détourner leur attention du nouvel arrivant.

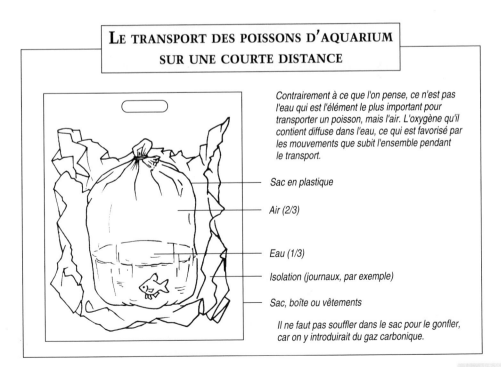

LE TRANSPORT DES POISSONS D'AQUARIUM SUR UNE COURTE DISTANCE

Contrairement à ce que l'on pense, ce n'est pas l'eau qui est l'élément le plus important pour transporter un poisson, mais l'air. L'oxygène qu'il contient diffuse dans l'eau, ce qui est favorisé par les mouvements que subit l'ensemble pendant le transport.

Sac en plastique

Air (2/3)

Eau (1/3)

Isolation (journaux, par exemple)

Sac, boîte ou vêtements

Il ne faut pas souffler dans le sac pour le gonfler, car on y introduirait du gaz carbonique.

LA NUTRITION DES POISSONS EN AQUARIUM

Bien entendu, une bonne nutrition est indispensable à la croissance mais également à la reproduction ; de plus, elle favorise la résistance aux maladies.

LES ALIMENTS DU COMMERCE

Ils sont préparés pour couvrir tous les besoins alimentaires des poissons, dans des proportions les plus précises possible. Il existe de nombreuses marques et plusieurs types d'aliments artificiels, mais tous ont en commun :
- une teneur élevée en protéines, faible en glucides et quasi nulle en lipides ;
- l'utilisation de matières premières variées (farine de poisson ou crevettes, farine de viande, farine de soja, etc.) apportant protéines et glucides, mais aussi vitamines et sels minéraux indispensables ;
- l'acceptation par un grand nombre d'espèces de poissons.
Ces aliments sont disponibles sous diverses formes, la plus courante étant les paillettes (ou flocons) qui flottent à sa

Ces xyphos, friands de nourriture fraîche, semblent apprécier la distribution d'Artemias.

surface puis finissent par couler. Elles conviennent donc aux poissons de surface et de pleine eau, les espèces de fond préférant les granulés qui coulent et se déposent sur le substrat. Il existe des aliments adaptés par leur composition aux poissons à régime alimentaire nécessitant un apport végétal, ou adaptés par leur taille aux poissons à petite bouche et aux alevins. Précisons que les daphnies séchées, connues depuis longtemps, n'ont qu'une faible valeur nutritive. On trouve également dans le commerce des aliments lyophilisés ou congelés, plus coûteux, mais aussi pratiques et permettant de diversifier l'alimentation (voir p. 146).

LES ALIMENTS FRAIS FACILEMENT DISPONIBLES

Ce sont des morceaux de viande (jambon ou poulet, par exemple), de poisson ou des

moules qui peuvent être issus de notre propre alimentation. Ces aliments sont très intéressants pour les poissons d'un point de vue nutritif, à deux conditions :
- ils doivent être cuits ;
- ils doivent être découpés, hachés ou broyés pour être adaptés à la taille de la bouche des poissons.

Le congélateur au service de l'aquariophilie

Ce matériel ménager apporte une aide précieuse aux aquariophiles. On peut donc préparer diverses nourritures (fragments de chair de poulet sur une carcasse, petits morceaux de jambon), les broyer, puis les congeler par exemple dans les moules à glaçons où ils formeront des rations de la forme d'un cube. Ils seront décongelés (par exemple dans un verre d'eau) avant d'être distribués dans l'aquarium.

LA RATION ALIMENTAIRE

On a toujours tendance à suralimenter les poissons, et la nourriture en surplus peut s'accumuler sur le fond de l'aquarium, devenant alors source de pollution. Il faut

savoir que la ration quotidienne d'un poisson ne représente qu'un faible pourcentage du poids de son corps, surtout si on utilise des aliments du commerce (riches en protéines, rappelons-le) ou de la nourriture fraîche précédemment décrite. Avec un peu d'expérience, l'aquariophile saura ajuster la ration de ses pensionnaires. Si la distribution a été trop importante, il vaut mieux réduire la suivante ou faire jeûner les poissons une journée.
De plus, il est prudent de siphonner le fond du bac.

QUAND ET COMMENT DISTRIBUER LES ALIMENTS

La ration alimentaire des poissons doit être fragmentée dans la journée. Compte tenu du fait qu'un certain nombre d'aquariophiles travaillent, les moments les plus opportuns sont donc le matin (quelque temps après l'allumage des lampes) et le soir (un peu avant leur extinction). Il faut veiller à ce que tous les poissons mangent, ce qui est facilité par la dispersion de la nourriture due aux mouvements de l'eau. Il est préférable de varier les nourritures, en alternant paillettes du commerce (1 jour sur 2 ou 2 jours sur 3) avec d'autres aliments (lyophilisés, congelés ou frais).
Les distributeurs automatiques d'aliments du commerce sont très pratiques, mais il vaut mieux réserver leur utilisation aux périodes d'absence. En effet, ils ne remplacent pas totalement la distribution manuelle, pendant laquelle l'aquariophile s'habitue à ajuster la ration et à observer le comportement des poissons.

LES ALIMENTS DU COMMERCE

Nature	Utilisation	Observations
Paillettes de taille variable	La plupart des poissons adultes ; pour débutants.	Flottent, se dispersent à la surface, puis coulent.
Paillettes de couleur verte	Destinées aux espèces ayant besoin d'un apport végétal.	Flottent, se dispersent à la surface, puis coulent.

Les paillettes représentent l'aliment de base en aquariophilie. Elles sont fabriquées à partir de soja, de poisson, de crustacés et contiennent des vitamines et des sels minéraux indispensables. Il existe plusieurs types de paillettes destinées à différents groupes de poissons, celles de couleur verte comportant un apport végétal.

Nature	Utilisation	Observations
Granulés	Poissons de fond.	Coulent rapidement, sont capturés sur le fond.
Poudres fines	Alevins.	Coulent lentement ; il en existe avec des composantes d'origine végétale.

Les poudres fines sont adaptées à la taille de la bouche des alevins et coulent lentement pour faciliter la prise de nourriture. Leur composition est voisine de celle des paillettes.

Nature	Utilisation	Observations
Aliments lyophilisés	Poissons adultes, pour varier la ration.	Conservent toutes leurs propriétés nutritives.
Aliments congelés	Poissons adultes, pour varier la ration.	On y trouve des vers ou des larves de moustiques, également des petits crustacés.

Les aliments congelés (ici des crevettes et du phytoplancton) permettent de varier la ration alimentaire, ce qui est favorable à la croissance.

Il existe une grande variété d'aliments lyophilisés, facilement stockables et acceptés par la plupart des poissons : crevettes, moules, cœur de bœuf, tubifex, Artemia.
Leur qualité nutritive est très voisine de celle des mêmes produits à l'état frais.

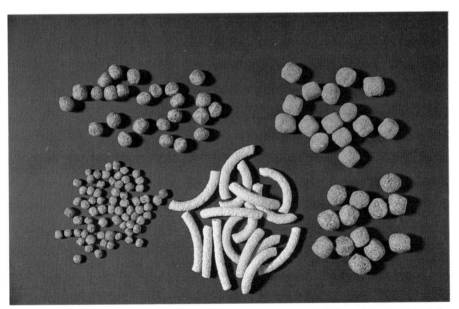

Les aliments artificiels solides (granulés et pastilles) tombent sur le fond de l'aquarium et sont destinés aux poissons qui cherchent leur nourriture dans cette zone. Ils se dissolvent lentement et peuvent (en trop grande quantité) provoquer une pollution.

LA REPRODUCTION
DE VOS PREMIERS POISSONS

Si l'on vous dit qu'il faut mettre un mâle et une femelle en présence pour avoir des alevins, cela tombe évidemment sous le sens ; toutefois, ce n'est pas forcément aussi simple en aquarium.

C'est en effet une des raisons pour lesquelles on vous a conseillé précédemment d'acquérir vos poissons par groupe de plusieurs individus pour pouvoir confronter au moins deux adultes qui se plairont et se reproduiront (avec 6 individus, on a statistiquement plus de 90 % de chances d'avoir un couple).

LES REPRODUCTEURS

La différenciation sexuelle entre mâle et femelle n'est pas toujours facile, sauf chez les vivipares.

L'aspect général des poissons et leur attitude peuvent vous renseigner : lors de la période de reproduction, le ventre de la femelle va s'arrondir plus ou moins, et un ou plusieurs mâles peuvent parader autour d'elle. Cela nécessite une observation régulière de vos pensionnaires, mais très souvent la ponte a lieu sans que l'aquariophile s'en aperçoive (cela reste tout de même intéressant, car on sait qu'il existe au moins un couple reproducteur). Il est préférable d'isoler les reproducteurs dans un petit aquarium spécifique ; ils y seront au calme et pourront bénéficier de conditions optimales, parfois différentes de celles de l'aquarium d'ensemble (température, pH, dureté, support de ponte). Leur progéniture sera à l'abri de l'appétit des autres poissons, mais pas forcément de celui des parents : œufs ou alevins sont parfois très prisés de leurs géniteurs ! La nutrition revêt une importance particulière, le développement des œufs et la ponte entraînant des dépenses énergétiques supplémentaires pour la femelle. Il faut donc veiller à diversifier l'alimentation, en apportant régulièrement des aliments autres que les traditionnelles paillettes.

L'AQUARIUM
DE REPRODUCTION

On utilise un bac en verre collé (éventuellement en PVC, issu du commerce) de petit volume (50 l, parfois moins).

Pour des raisons pratiques et sanitaires, il sera très souvent dépourvu de sédiment (sauf pour certains poissons) et comprendra un matériel limité :
- un couvercle, mais une galerie d'éclairage n'est pas indispensable si l'aquarium reçoit une certaine quantité de lumière naturelle (qui semble influer sur la ponte dans certains cas) ;
- un combiné chauffant et un thermomètre ;
- un petit filtre intérieur à air ou à moteur électrique. Contrôlez la puissance pour éviter une éventuelle aspiration des œufs ou des alevins ;
- un support de ponte, variable suivant les espèces.

Dès que l'on pense avoir un couple reproducteur, on l'isole dans cet aquarium en prenant quelques précautions :
- en manipulant les poissons ;
- en évitant un stress et un choc thermique.
Pour cela, l'aquarium de reproduction sera préalablement rempli d'eau provenant de l'aquarium d'ensemble. Si la reproduction nécessite une eau différente, on y parviendra par changement progressif d'un petit volume, ou par une lente élévation de la température.

LES ALEVINS

Si tout se passe bien, vous êtes en possession d'un nuage d'alevins.

Les premières heures après la naissance sont très importantes, les alevins devant trouver une nourriture appropriée ; la réussite d'un élevage dépend donc des soins que vous pouvez apporter à ce moment précis.

L'élevage des alevins de poissons pour débutants ne pose pas de problème tant

Pour bien élever des alevins (même si ce sont des vivipares, réputés faciles, comme sur cette photo), il faut disposer d'une nourriture fine, distribuée à intervalles réguliers dans la journée.

qu'ils disposent d'une nourriture de taille adéquate (très fines particules disponibles dans le commerce) distribuée régulièrement.

Par contre, il ne faut pas oublier que, dans un endroit clos, la croissance peut être ralentie par une trop forte densité d'individus. Pour y remédier il existe deux solutions :

- éliminer une partie des alevins. Il ne faut parfois pas hésiter à faire ce geste, qui remplace en fait la sélection naturelle. On écartera donc les alevins mal formés et les plus petits, ou ceux dont le comportement pourrait sembler anormal (prostration, nage désordonnée) ;

- on ne placera les alevins dans l'aquarium d'ensemble que lorsqu'ils auront atteint une taille suffisante ; ainsi, ils ne serviront pas de proies aux autres poissons. Attention cependant à ne pas surpeupler l'aquarium.

PREMIÈRE TENTATIVE SE SOLDANT PAR UN ÉCHEC

Essayez de rechercher les causes de cet échec, qui peuvent être multiples :

- le mâle ne s'est pas intéressé à la femelle et la ponte n'a pas eu lieu. C'est pour y remédier que, très souvent, on place plusieurs mâles avec une femelle dans l'aquarium de reproduction ;

- la ponte a eu lieu, mais les œufs n'ont pas éclos. Soit qu'ils n'aient pas été fécondés, soit qu'ils l'aient été mais ne se soient pas développés. Le problème est peut-être lié à la qualité de l'eau ;

- les alevins ont éclos, mais meurent en plus ou moins grande quantité. Il est fort probable qu'ils ont manqué d'aliments adaptés. Prévoyez-en pour la prochaine ponte.

Quel que soit le cas de figure, ne vous désespérez pas. Les poissons d'aquarium se reproduisent régulièrement et votre couple a de fortes chances de récidiver. Soyez vigilant (l'observation régulière de l'aquarium et des poissons est toujours un élément important), et ayez toujours le matériel prêt : aquarium équipé où il ne restera plus que l'eau à ajouter, et nourriture pour les alevins.

LES POISSONS OVOVIVIPARES

Ce sont les plus faciles à reproduire, les alevins naissent éclos (vivants) et acceptent immédiatement les nourritures artificielles fines.

LES EXIGENCES EN CAPTIVITÉ

Ils sont assez résistants pour supporter des eaux de caractéristiques diverses, mais préfèrent une eau plutôt dure et alcaline. Il est souhaitable de les garder dans un bac bien planté, avec un espace libre où ils pourront évoluer. Ces poissons sont omnivores, mais quelques espèces préfèrent disposer d'un apport végétal dans leur nourriture. Ils sont sociables avec leurs congénères et envers les autres espèces, même si les xiphos mâles sont parfois un peu agressifs entre eux.

LA REPRODUCTION

Les mâles se distinguent des femelles par une modification de la nageoire anale, qui intervient à l'âge de quelques mois. Les rayons de cette nageoire forment un organe en forme de gouttière (le gonopode) qui pénètre dans la femelle et guide le sperme, la fécondation étant interne. La femelle fécondée se reconnaît à son ventre gonflé, présentant une tache foncée sur chaque flanc ; les embryons sont d'ailleurs parfois visibles par transparence. La durée de gestation varie de 4 à 6 semaines selon les espèces, et diminue lorsque la température augmente (dans les limites raisonnables). Les poissons vivipares possèdent une autre particularité : après l'accouplement, une femelle peut conserver le sperme qui fécondera plusieurs portées, sans autre intervention d'un mâle. Les œufs vont se développer et éclore dans le ventre de la mère, puis les alevins seront expulsés vivants. C'est pour cette raison que ces poissons sont qualifiés d'ovovivipares, le terme vivipare étant employé par simplification. Les portées, espacées de 1 à quelques mois, produisent de 20 à plus de 100 alevins selon les espèces et l'âge de la mère.

Le platy commun (Xiphophorus maculatus) existe en différentes variétés de couleur. Selon l'aspect des parents, on peut obtenir dans une portée des colorations qui leur sont identiques ou intermédiaires, mais aussi souvent très différentes.

Le molly-voile (Poecilia velifera) est l'un des plus beaux il en existe plusieurs variétés dont la plus prisée est

Pour débuter :

Familles et noms scientifiques	Noms communs	Taille max. (cm)	Mode de vie	Alimentation	Reproduction	Observations
PŒCILIIDÉS *Poecilia reticulata*	Guppy	5	GC	O	F	Nombreuses variétés (forme des nageoires, coloration).
Xiphophorus helleri	Xipho	8-13	GC	OV	F	
Xiphophorus maculatus	Platy	6-7	GC	OV	F	
Xiphophorus variatus	Platy varié	7-8	GC	OV	F	

Pour continuer :

Dans la même famille

Poecilia velifera	Molly-voile	8-13	GC	OV	F	Plusieurs variétés (noire, dorée)
Poecilia sphenops	Black molly	8-13	GC	OV	F	
Poecilia latipinna	Black molly	8-13	GC	OV	F	Plusieurs variétés.

Ces trois espèces aiment les eaux très dures. Pour favoriser leur acclimatation et leur reproduction, il est préférable d'ajouter du sel dans l'eau (1 cuillerée pour 10 l environ).

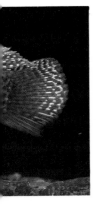

...oissons vivipares ;
...dorée.

Le black molly (Poecilia latipinna) *existe sous forme noire ou mouchetée. Ce poisson actif trouvera sa place auprès de congénères aussi vifs que lui.*

LA REPRODUCTION DES OVOVIVIPARES

- Premier cas : il faudra transférer la femelle en gestation dans un pondoir. Si cette boîte permet de l'isoler, ainsi que les alevins, des autres occupants de l'aquarium, son exiguïté risque aussi de la blesser. De plus, s'il y a un surplus de nourriture, il se retrouvera en partie basse du pondoir, là où viendront évoluer les alevins.

- Deuxième cas : vous pouvez choisir les géniteurs parmi les poissons de votre bac d'ensemble, en sélectionnant ceux qui vous paraissent en meilleure santé : couleur, activité, etc. Cela peut éventuellement vous permettre de croiser des variétés différentes par la forme des nageoires ou la couleur, ou même tenter un «mariage» entre deux espèces différentes, ce qui est possible avec le platy et le xipho.

On transfère un mâle et plusieurs femelles dans le bac de ponte (les mâles des ovovivipares sont en général très actifs !) et on laisse faire la nature en respectant quelques règles :

  - son eau devra présenter les mêmes caractéristiques que celle du bac d'ensemble (température, dureté), afin de ne pas stresser les poissons ;

  - il faut varier la nourriture, de préférence en alternant les préparations du commerce avec de la nourriture fraîche ou des proies vivantes.

L'accouplement étant bref, il est rare d'y assister.

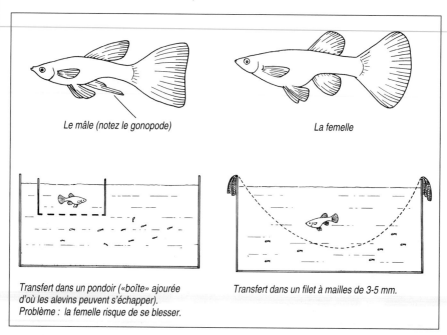

Le mâle (notez le gonopode)

La femelle

Transfert dans un pondoir («boîte» ajourée d'où les alevins peuvent s'échapper). Problème : la femelle risque de se blesser.

Transfert dans un filet à mailles de 3-5 mm.

Le processus de ponte

- Premier cas : les alevins libérés par la femelle tombent dans la partie inférieure du pondoir. La suite des opérations ne diffère pas du deuxième cas.
- Deuxième cas : dès que la femelle présente les signes extérieurs de gestation, on retire les autres poissons. La femelle peut rester dans le bac, mais elle risque cependant de manger quelques alevins. Il vaut mieux l'isoler ; il y a deux possibilités :
• dans un pondoir, simplifié par rapport au premier cas, mais présentant le même inconvénient principal : elle risque de se blesser ;

• dans la partie supérieure du bac à l'aide d'un filet à mailles de 3 à 5 mm, à travers lesquelles les alevins passeront facilement après leur naissance.

La ponte s'effectue souvent le matin, après l'apparition de la lumière solaire ou l'éclairage du bac de ponte. Les alevins tombent sur le fond et nagent immédiatement à la recherche de nourriture. Il est préférable de garder quelque temps la femelle, légèrement affaiblie, dans le bac de ponte avant de lui faire réintégrer l'aquarium d'ensemble. On retire ensuite le pondoir ou le filet.

Femelle gestante de guppy.

Les soins aux alevins

Ils doivent être nourris dès leur naissance. Ce sont des organismes à croissance rapide qui demandent une quantité de nourriture assez importante (proportionnellement à leur taille) et distribuée fréquemment : au minimum 3 fois par jour, de préférence 4 ou 5 fois.

Attention cependant à un surnourrissage pouvant entraîner une pollution de l'eau : un suivi régulier de sa qualité s'impose. La distribution de nourriture est une question de doigté, on la maîtrise en général rapidement en observant bien les alevins. Ceux des ovovivipares possèdent un intérêt particulier : ils acceptent bien les poudres fines que l'on trouve dans le commerce, mais on peut également leur donner de la nourriture vivante (voir chapitre L'AQUARIUM DE L'AMATEUR CONFIRMÉ).

Dans le cas où le pondoir a été placé dans le bac d'ensemble, l'espace disponible va s'avérer rapidement trop petit. Les alevins devront être alors relâchés dans le bac d'ensemble, avec quelques risques d'être appréciés par ses occupants.

Dans le cas d'un bac de ponte, on peut élever les alevins jusqu'à une taille à laquelle ils ne risquent pratiquement rien lors de leur transfert dans le bac d'ensemble.

Couple de xyphos voile. Le mâle, à droite, courtise la femelle.

LES POISSONS OVIPARES

Leurs œufs, de petite taille, se divisent en quatre catégories :
- œufs non adhésifs qui tombent sur le fond (danios) ;
- œufs partiellement adhésifs qui tombent sur le fond ou s'accrochent aux plantes (plusieurs espèces de barbus) ;
- œufs adhésifs, fixés à un support (plante à larges feuilles, roche) avant d'être fécondés ;
- œufs pondus dans un nid de bulles (Anabantidés).

Dans tous les cas, il faut soustraire les œufs à l'intérêt (alimentaire) que leur portent les parents ; pour cela, on utilise différentes techniques selon les types d'œufs.

Les alevins, de très petite taille, possèdent à leur naissance une vésicule vitelline (sorte de poche ventrale remplie de matière nutritive) qui leur permet de survivre pendant quelques jours, période pendant laquelle ils restent quasiment immobiles. Ils se déplacent ensuite pour rechercher activement leur nourriture, qui sera de très petite taille et devra être fournie régulièrement. Pendant les premiers jours de leur existence, les alevins ne doivent pas être soumis à des mouvements d'eau trop importants : en luttant contre, ils se fatigueront, et cela se fera au détriment de leur croissance. Selon les espèces, la reproduction est plus ou moins délicate, mais il existe quelques poissons accessibles au débutant et que nous vous présentons au fil des pages suivantes.

LES EXIGENCES DE VOS PREMIERS POISSONS OVIPARES

Les plus connus, les plus robustes, les plus faciles à reproduire sont les danios, quelques espèces de barbus, le faux néon, appartenant tous à la famille des Cyprinidés.
Ils aiment vivre en groupe et à l'aise dans un aquarium assez vaste et bien planté.
Leur régime alimentaire omnivore leur permet d'accepter facilement les nourritures du commerce. Très sociables, ils peuvent aisément cohabiter entre eux ainsi qu'avec d'autres espèces.

Le danio rerio

C'est certainement, avec le guppy, le plus populaire des poissons d'aquarium. Il est importé en Europe depuis le début du siècle. Beaucoup d'aquariophiles ont fait leurs premières armes avec ce poisson, souvent dans des aquariums non chauffés (plus exactement dont la température est égale à celle de la pièce où ils se trouvent), car ce poisson résiste aux basses températures.
Son prix modique et sa facilité de reproduction en font une espèce recommandée au débutant qui désire s'initier à l'élevage des poissons ovipares.
On trouve dans le commerce une mutation obtenue en élevage, le danio-voile, aux nageoires plus grandes, ainsi qu'une espèce proche, le danio-léopard, à l'allure de petite truite.

Quelques poissons de fond

Après avoir acclimaté quelques espèces ovipares ou ovovivipares qui vivent en pleine eau, vous pouvez compléter la population de votre aquarium par quelques poissons de fond, dont la reproduction est malheureusement très délicate, voire impossible. Ils sont utiles car, en cherchant leur nourriture sur le fond, ils peuvent ainsi utiliser les éventuels surplus d'aliments. En général discrets, ils constituent cependant un point d'intérêt dans votre aquarium.

Les corydoras

Ce sont des espèces apparentées aux poissons-chats, mais qui, contrairement à ceux-ci, gardent une taille modeste. Ils peuvent vivre en groupe ou isolés et sont très sociables.
Il est assez plaisant de les observer alors qu'ils recherchent leur nourriture sur le fond à l'aide de leurs barbillons ; ils remontent parfois brièvement à la surface.
La reproduction, assez délicate, donne lieu

à une parade nuptiale agitée, au cours de laquelle la femelle dépose ses œufs adhésifs sur différents supports (roche, vitre). L'incubation dure 5 jours ; les alevins cherchent leur nourriture au fond, mais aussi en pleine eau.

Les kuhlis

Il existe plusieurs espèces proches de ce poisson, très prisé des aquariophiles, certainement à cause de son allure serpentiforme. Ce poisson de fond, plutôt actif dans l'obscurité, est très sociable envers ses congénères et envers d'autres espèces, mais il faut lui ménager quelques cachettes. Comme les corydoras, il se nourrit de particules sur le fond. Sa reproduction en captivité est très rare, et on utilise des hormones pour provoquer la ponte ; les larves ont la particularité de posséder des branchies externes.

Les Anabantidés

Avant de vous spécialiser sur certains poissons ou types d'aquarium, il existe encore une famille dont la maintenance et la reproduction sont à la portée du débutant : les Anabantidés.

Le combattant

Ce sont surtout les mâles qui doivent être qualifiés de combattants, les femelles étant plus pacifiques. Ils sont agressifs entre eux, et un seul mâle peut être gardé dans l'aquarium. La présence d'une femelle n'est pas souhaitable, sauf au moment de la reproduction, car le mâle aura tendance à la malmener. Les combattants sont peu exigeants sur la qualité de l'eau et acceptent les nourritures artificielles. La reproduction est assez particulière.

Les autres Anabantidés

Sociables, calmes, parfois un peu craintifs, ils n'aiment pas trop la présence d'autres espèces remuantes. Ils préfèrent une eau plutôt douce, neutre ou légèrement acide, et acceptent les aliments du commerce. Leur reproduction est aussi particulière que celle du combattant.

Le danio rerio (Brachydanio rerio) est un poisson très populaire, résistant et peu coûteux. Il vit en groupe, et il faut lui procurer assez d'espace pour qu'il évolue à l'aise.

Famille et noms scientifiques	Noms communs	Taille max. (cm)	Mode de vie	Alimentation	Reproduction	Observations
CYPRINIDÉS						
Brachydanio rerio	Danio rerio	5	CG	O	F	Très résistant
Brachydanio frankei	Danio-léopard	5	CG	O	F	Très résistant
Brachydanio albolineatus	Danio rosé	6-8	CG	O	F	Très résistant
Puntius conchonius	Barbus rosé	10-12	CG	O	AF	Il existe plusieurs variétés
Capoeta schuberti	Barbus doré	7-8	CG	O	AF	
Tanichthys albonubes	Faux-néon	3-4	G	O	F	Très résistant

Deux espèces sont particulièrement recommandées aux débutants, le danio rerio et le faux néon, pour les raisons suivantes :
- ils sont très résistants, notamment à des températures un peu inférieures à celles que l'on trouve habituellement dans les aquariums : ils peuvent survivre entre 20 et 25 °C, parfois moins ;
- leur reproduction est facile ;
- ce sont en général les poissons les moins chers.

Le barbus doré (Capoeta schuberti) est une espèce prolifique, facile à reproduire. Sociable et résistant, il accepte toute sorte de nourriture.

Le danio rosé (Brachydanio albolineatus), *à gauche, et le danio-léopard* (Brachydanio frankei), *à droite, sont très proches du danio rerio. Comme lui, ils sont résistants, peu coûteux et affichent un comportement grégaire marqué, offrant un spectacle agréable pour l'aquariophile.*

Le danio rerio (Brachydanio rerio), *ci-dessus, et le faux néon* (Tanichthys albonubes), *ci-dessous, sont particulièrement recommandés aux débutants.*

Le barbus rosé (Puntius conchonius), *ci-dessus, doit son nom à la coloration qu'il prend en période de reproduction. Il existe également une forme dorée et une forme voile. Ce poisson actif et sociable aime à évoluer en groupe, éventuellement avec d'autres barbus.*

LA REPRODUCTION DES POISSONS OVIPARES (A ŒUFS NON ADHÉSIFS) : EXEMPLE DU DANIO RERIO

Les techniques de reproduction de ce poisson s'appliquent (avec de légères variantes) aux autres danios, aux barbus et au faux néon présentés dans les pages précédentes.

L'aquarium de reproduction

La principale difficulté chez ces poissons consiste à séparer les parents des œufs, dont ils sont friands. Outre les équipements classiques nécessaires à un aquarium de reproduction, il faudra prévoir du matériel complémentaire pour que les parents ne puissent pas dévorer leurs œufs. Comme ceux-ci tombent au fond lorsqu'ils sont pondus, il existe plusieurs «astuces» :

- le fond de l'aquarium est couvert de billes ou de graviers. Les œufs, dans les interstices, seront soustraits à la vue des parents. Ces accessoires devront être de couleur sombre, le danio rerio n'aimant pas les fonds clairs ;

- on dispose des plantes à feuillage fin (par exemple *Myriophyllum*, *Limnophila*), sans sédiment, que l'on placera horizontalement sur le fond du bac en les calant (cette méthode donne de bons résultats), ou en position normale ;

- on sépare horizontalement l'aquarium en deux parties, à l'aide d'un grillage dont les mailles mesurent quelques millimètres.

La température de l'eau sera de 24-26 °C, les autres paramètres ayant moins d'importance, bien que les danios n'apprécient pas une dureté trop élevée.

La ponte

La femelle, qui se reconnaît à son ventre rebondi, est placée dans le bac de reproduction. On introduit ensuite un ou deux mâles, qui poursuivent la femelle en se parant de couleurs plus brillantes. La ponte aura souvent lieu en matinée, sous influence de la lumière solaire. La femelle émet une dizaine d'œufs fécondés par le mâle, plusieurs fois de suite, la ponte totale comprenant parfois plusieurs centaines d'œufs. Il vaut alors mieux enlever les parents.

L'élevage des jeunes

L'incubation dure jusqu'à 48 h. A l'éclosion, les alevins sont minuscules, leur vésicule vitelline se résorbe environ 24 h après. Il faut alors leur fournir une très fine poudre du commerce, et on éliminera ceux qui sont mal formés ou qui ne grandissent pas. La croissance est assez rapide, les alevins mesurent 1 cm au bout d'un mois, et pourront se reproduire entre 4 et 8 mois.

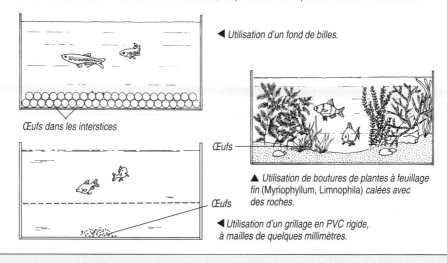

◄ Utilisation d'un fond de billes.

Œufs dans les interstices

Œufs

▲ Utilisation de boutures de plantes à feuillage fin (Myriophyllum, Limnophila) *calées avec des roches.*

Œufs

◄ Utilisation d'un grillage en PVC rigide, à mailles de quelques millimètres.

Très intéressants par leur comportement, ils sont ovipares et leur reproduction est délicate (ou quasi impossible). Ils n'ont pas trop d'exigences vis-à-vis de la qualité de l'eau.

Familles et noms scientifiques	Noms communs	Taille max. (cm)	Mode de vie	Alimentation	Reproduction	Observations
CALLICHTHYIDÉS						
Corydoras aeneus	Corydoras	5-8	1 + - C	O	D	Robuste.
Corydoras paleatus	Corydoras	5-8	1 + - C	O	D	Recommandé au débutant.
Corydoras trinileatus	Corydoras	5-8	1 + - C	O	D	Plus craintif.
COBITIDÉS						
Acantho-phthalmus kuhli	Kuhli	7-8	1 + - C	O	R	Plutôt nocturne.

Le kuhli (Acanthophtalmus kuhli), à gauche, dont la reproduction est très rare en aquarium, est apprécié pour son aspect serpentiforme.
Les corydoras (ci-dessous) sont des poissons de fond robustes, qui peuvent jouer un rôle d'éboueurs dans un aquarium en fouillant inlassablement le substrat à l'aide de leurs barbillons.

Ci-dessus, Corydoras trinileatus ; ci-contre, Corydoras paleatus.

Le gourami bleu (Trichogaster trichopterus) *présente plusieurs variétés avec ou sans taches noires («cosby») ; il existe également une forme dorée («gold»).*
C'est une espèce prolifique, au comportement paisible, et dont le mode de reproduction est proche de celui du combattant.
Le mâle se distingue de la femelle par sa nageoire dorsale un peu plus pointue.

Le gourami perlé (Trichogaster leeri), *également appelé gourami mosaïque, apprécie les aquariums bien plantés et peuplés d'espèces calmes ; ses relations avec les autres poissons sont bonnes.*
Le mâle construit un nid de bulles parmi les plantes flottantes, où la femelle peut déposer plusieurs centaines d'œufs qui éclosent en 48 h.

Le gourami nain (Colisa lalia) *est apprécié pour sa coloration très vive ; on rencontre également une forme presque entièrement rouge orangé avec quelques reflets bleus, le «sunset».*
Les femelles se reconnaissent à leurs teintes plus ternes. Sociable et calme, il aime à s'abriter parmi la végétation et à cohabiter avec d'autres espèces peu remuantes.
Lors de la reproduction, la femelle émet plusieurs centaines d'œufs.

LES ANABANTIDÉS

Noms scientifiques	Noms communs	Taille max. (cm)	Mode de vie	Alimentation	Reproduction	Observations
Betta splendens	Combattant - mâle - femelle	5-8 5-6	1- 1+	O O	F F	Plusieurs variétés de couleurs.
Colisa lalia	Gourami nain	3-5	CG	O	F	Mâle plus coloré que la femelle.
Colisa labiosa	Gourami à grosses lèvres	8-13	CG	O	AF	Plutôt craintif.
Trichogaster trichopterus	Gourami bleu	10-15	CG	O	AF	Il existe une variété dorée.
Trichogaster leeri	Gourami perlé	8-13	CG	O	AF	Bel effet lorsqu'il évolue en groupe.

Le combattant (Betta splendens) a fait l'objet de sélections en élevage pour produire des formes rouges, bleues, vertes et même décolorées. Les femelles ont une coloration moins brillante et des nageoires de taille plus modeste que le mâle.

LA REPRODUCTION DES ANABANTIDÉS :
EXEMPLE DU COMBATTANT

Pour reconnaître les sexes

Le mâle possède des nageoires plus vives et une coloration plus intense, alors que la femelle, de taille inférieure, est souvent terne.

Lorsqu'elle est pleine, elle se reconnaît à son ventre gonflé ainsi qu'à la présence de bandes verticales sombres.

Le bac de reproduction

Il peut être de petite taille (un volume de 10 l étant suffisant). La qualité de l'eau importe peu, mais la température doit être élevée (jusqu'à 27-28 °C). On peut ajouter quelques plantes flottantes (*Riccia*, *Ceratopteris*) sur une certaine surface de l'eau du bac (qui ne doit pas être trop agitée, pour éviter de dégrader le nid).

L'aquarium sera séparé en deux par une grille ou une vitre verticale.

La ponte

On sépare les sexes dans les deux compartiments. Excité par la vue de la femelle, le mâle construit un nid de bulles et d'écume pouvant atteindre une dizaine de centimètres à la surface de l'eau.

On réunit alors les deux partenaires qui entament une parade nuptiale. Le mâle incurve son corps et en entoure la femelle pour l'inciter à pondre. Il est fort possible à ce moment que celle-ci ne soit pas d'accord (les parents doivent se «plaire»), il est alors préférable d'arrêter l'expérience et de recommencer ultérieurement avec le même couple, ou après échange d'un des deux parents.

Le mâle du combattant construit un nid de bulles où la femelle dépose ses œufs.
Il le surveille pendant l'incubation (environ 2 jours), et les alevins y demeurent quelque temps après leur naissance.

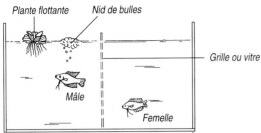

Plante flottante   Nid de bulles

Grille ou vitre

Mâle

Femelle

Le mâle, séparé de la femelle, construit un nid de bulles à la surface de l'eau (qui ne doit pas être trop agitée).

Accouplement et fécondation

Après la parade nuptiale, le mâle féconde les œufs pondus par la femelle et les place dans le nid de bulles.

Couvercle

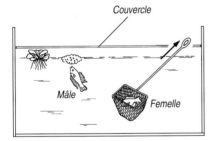

Mâle

Femelle

Après la ponte, la femelle risque d'être malmenée par le mâle ; il faut la retirer du bac de ponte.

Si tout se passe bien, la femelle émet les œufs (parfois plus de 100) aussitôt fécondés et placés dans le nid par le mâle.

Lorsque la ponte est terminée, il faut enlever la femelle, qui risque alors d'être agressée par le mâle. Celui-ci s'occupe des œufs, qui incubent en 2 jours environ. Après l'éclosion, ils restent quelque temps dans le nid de bulles, vivant sur leur réserve vitelline. Lorsque les alevins nagent, vers le 4e ou le 5e jour, il faut également retirer le mâle.

La première nourriture est constituée d'infusoires, micro-organismes apportés et se développant parmi les plantes flottantes. On peut ensuite passer aux aliments du commerce destinés aux alevins d'ovipares, mais il est préférable de fournir des nauplies d'*Artemia* aux jeunes combattants (voir chapitre L'aquarium de l'amateur confirmé).

L'organe spécifique à cette famille, le labyrinthe, se forme vers la 3e ou la 4e semaine. Les alevins viennent «piper» l'air à la surface, et il est très important que sa température soit la plus proche possible de celle de l'eau (bonne étanchéité du couvercle). La croissance des alevins est ensuite rapide.

Cas des autres Anabantidés

Les mâles de *Colisa* sont de couleurs plus vives, ceux de *Trichogaster* présentent une nageoire dorsale plus pointue que celle de la femelle.

La reproduction est très similaire à celle du combattant, l'eau devant être plutôt douce, neutre ou légèrement acide. Les femelles, très prolifiques (plusieurs centaines d'œufs), sont en général mieux traitées par leur compagnon que celles des combattants.

L'ENTRETIEN DE L'AQUARIUM

Un aquarium est un milieu clos qui se transforme et évolue.

Cette évolution s'exprime de différentes manières :

- le sol s'enrichit grâce à diverses matières organiques transformées en matières minérales par les bactéries et qui vont être utilisées par les plantes ;
- dans le cas où on utilise un filtre plaque, le sable qui a fait office de masse filtrante se colmate plus ou moins rapidement suivant son épaisseur et suivant le débit du filtre ;
- l'équilibre normal et la transformation des matières azotées conduisent à la production de nitrates, utilisés par les plantes, mais pouvant se concentrer dans l'aquarium ;
- l'eau s'épuise en certaines substances nécessaires à faible dose aux êtres vivants ;
- l'eau s'évapore, même si c'est en faible quantité. Rappelons que c'est de l'eau pure qui s'évapore, et que la dureté de l'eau aura donc légèrement tendance à augmenter ;
- les poissons grandissent, certains se reproduisent, et même si on constate parfois quelques morts (sans raison apparente), la population de votre aquarium peut avoir tendance à augmenter ;
- les plantes poussent, se multiplient, d'autres peuvent dépérir partiellement ou totalement.

Pour toutes ces raisons, il est nécessaire d'effectuer un entretien régulier de l'aquarium, ce qui demande environ 1 ou 2 h par semaine en moyenne.

L'ANALYSE DE L'EAU

Les caractéristiques de l'eau évoluent, et des variations importantes de certains paramètres peuvent refléter un éventuel déséquilibre.

La température

Elle ne doit normalement pas varier de plus de 1 °C, sinon il y a un problème du matériel de chauffage. Le contrôle de la température peut se faire rapidement, par exemple au moment de l'alimentation des poissons : c'est une habitude vite prise.

Le pH

Une mesure hebdomadaire est suffisante. Il ne faut pas oublier que la valeur du pH

LES INDICATEURS COLORÉS

Le principe

Pour le pH et les nitrites, on compare un échantillon d'eau de l'aquarium, dans lequel on a versé l'indicateur, à une échelle colorée sur carton ou sur un disque translucide. On peut ainsi déterminer avec précision les valeurs de l'eau de l'aquarium.

Le pH

La couleur de l'indicateur coloré varie suivant le pH. Avec du matériel courant, contenant un indicateur standard, il est jaune en solution acide, devient vert quand la solution est neutre, puis vert foncé et bleu en milieu basique.

Les nitrites

L'échantillon contenant l'indicateur coloré est jaune lorsque les nitrites sont inexistants ou en très faible quantité (cas normal), vire à l'orangé lorsque le taux de nitrites augmente (il y a lieu de s'inquiéter) pour atteindre finalement la couleur rouge (il faut intervenir rapidement).

La dureté

On additionne l'indicateur à l'échantillon d'eau de l'aquarium, goutte à goutte. A un certain moment, la couleur vire totalement, le nombre de gouttes donne la dureté en degrés français (dans la plupart des matériels de test).

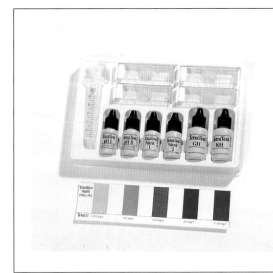

Les trousses d'analyse de l'eau disponibles dans le commerce aquariophile permettent de suivre l'évolution de plusieurs paramètres. Parmi les principaux, les nitrites et le pH doivent être mesurés régulièrement, afin de faire rapidement face à un éventuel problème.

varie entre la nuit et le jour ; pour plus de fiabilité, on peut donc effectuer deux mesures, une le matin lors de l'allumage et une le soir.

Les nitrites

Toxiques pour les poissons, ils ne doivent théoriquement pas se trouver en trop forte quantité dans l'aquarium. En effet, ils sont normalement transformés en nitrates (beaucoup moins toxiques) par des bactéries. Des valeurs parfois un peu élevées peuvent être constatées dans des aquariums très peuplés et faiblement plantés. Il faut effectuer une mesure hebdomadaire, en même temps que pour le pH.

La dureté

Également mesurée une fois par semaine, elle ne doit pas varier énormément, sauf si on ne prend pas de précautions lors des changements d'eau.

Contrôlés régulièrement, ces paramètres peuvent donner des indications utiles. C'est surtout leur évolution lente ou rapide qui vous renseigne, une analyse ponctuelle lors d'un problème n'apportant pas forcément une information précise. Certains aquariophiles négligent, à tort, l'importance de la régularité des mesures.

Le matériel d'analyse de l'eau

Il existe dans le commerce spécialisé des boîtes d'analyses de divers paramètres, parfois présentées en kits complets.
Le pH, le taux de nitrites et la dureté se mesurent grâce à des indicateurs colorés très simples à utiliser.
D'autres paramètres peuvent être suivis (nitrates, ammoniac, oxygène, fer), mais leur analyse s'avère moins importante que celle des trois précédents.

LA VÉRIFICATION ET L'ENTRETIEN DU MATÉRIEL

L'éclairage ne doit pas poser de problème. On vérifiera toutefois que les connexions ne sont pas oxydées, et on pensera à remplacer les tubes fluorescents au bout d'un an environ.
Le mauvais fonctionnement du matériel de chauffage se remarquera à une variation importante de la température : il faut alors remplacer la résistance, le thermostat ou le combiné, suivant le cas.
Les diffuseurs ont parfois tendance à se colmater (incrustations de calcaire, algues). Pour y remédier, il est possible de les faire tremper dans une solution vinaigrée, à condition de bien les rincer avant

réutilisation. Les diffuseurs en pierre poreuse peuvent être passés à la flamme ou grattés au couteau (dans ce cas, leur volume diminue lors de chaque nettoyage). Toujours dans le domaine de l'aération, il faut vérifier le bon fonctionnement des robinets sur les canalisations d'air.

L'entretien des masses filtrantes

Les masses filtrantes des filtres doivent être changées régulièrement, avant leur colmatage (qui varie suivant la finesse de leurs composants). Les masses grossières seront lavées à l'eau tiède (sans détergent) et brossées pour les débarrasser des particules qu'elles auront concentrées.

Les masses fines, notamment les mousses synthétiques, se traitent de la même manière, avec une légère variante. En effet, elles servent de support aux colonies de bactéries transformant les produits azotés ; en les lavant vigoureusement, on élimine les bactéries en même temps que les fines particules.

Avant qu'elles ne soient trop colmatées, on partage les mousses en deux parties égales, une sera remise dans le filtre sans être lavée, les bactéries ne seront pas éliminées et coloniseront l'autre moitié qui sera lavée.

Lors des prochains nettoyages du filtre, on traitera alternativement les deux parties de la masse filtrante.

Que faire lorsque la température de l'aquarium baisse

- **1er cas :** baisse due à une déficience du matériel. Il faut donc le régler ou le changer et faire remonter progressivement la température.
- **2e cas :** panne de courant. On limitera la déperdition de chaleur en recouvrant l'aquarium d'une couverture. Lorsque le courant sera rétabli, la température remontera graduellement à sa valeur d'origine sous l'action du matériel de chauffage.

Dans les deux cas, il est prudent (surtout si la température tombe au-dessous de 22 °C) d'effectuer un traitement préventif dans l'aquarium, pour éviter l'apparition de maladies.

LE NETTOYAGE DES VITRES

La partie intérieure des vitres de l'aquarium a tendance à se recouvrir de diverses substances, dont des algues vertes. La présence de ces dernières, en fait normale, est plutôt un bon indicateur quant à l'équilibre de l'aquarium.

Il existe plusieurs petits appareils «racleurs» vendus dans le commerce, munis d'une lame ou d'un morceau de tampon abrasif (qui risque à la longue de rayer les vitres). Mieux vaut utiliser une lame de rasoir ou même un petit morceau de chiffon rugueux uniquement destiné à cet usage.

Les particules détachées des vitres vont troubler l'eau, être filtrées ou se déposer sur le fond ; le nettoyage des vitres se fera donc en même temps que l'entretien du sol, et on vérifiera également la bonne transparence du couvercle sur lequel peuvent se déposer des substances projetées par l'eau.

LE SOL

Divers détritus s'y accumulent, en principe sur la partie avant, au bas de la pente.

Dans le cas de l'utilisation d'un filtre plaque, le sol peut d'abord se compacter, puis être totalement colmaté.

Bien qu'il existe dans le commerce divers modèles de mini-aspirateurs pour siphonner des particules diverses, il est tout aussi pratique d'utiliser un tube rigide, prolongé d'un tuyau souple aboutissant à un évier, à une cuvette de W-C ou à un jardin. On fera particulièrement attention à ne pas aspirer des alevins ou autres poissons de petite taille.

Si le sol est plus ou moins compacté, il est possible de le «sarcler» au préalable avec une fourchette.

La pente du sable ayant parfois tendance à revenir à l'horizontale, il est intéressant de siphonner une partie du sable, de le récupérer et de le laver (à l'eau tiède) ; ce sable sera ensuite redéposé à l'arrière de l'aquarium afin de reconstituer l'inclinaison initiale.

LES CHANGEMENTS D'EAU

Il sera parfois nécessaire de compenser l'eau qui se sera évaporée. Il faut dans ce cas compléter le niveau de l'aquarium par de l'eau de très faible dureté, éventuellement par de l'eau distillée ou déminéralisée.

Les changements d'eau se feront, pour des raisons évidentes, en même temps que le siphonnage du sol. En moyenne, on change 5 à 10 % du volume tous les 15 jours ou tous les mois.

L'eau neuve introduite dans l'aquarium doit posséder des caractéristiques identiques ou proches de celle de l'aquarium. On veillera particulièrement à éviter un choc thermique pouvant affecter les poissons ; l'eau neuve sera donc préalablement amenée à température ambiante.

L'ENTRETIEN DE LA VÉGÉTATION

On éliminera les feuilles mortes en place, et on peut envisager des opérations de multiplication végétative, décrites dans la première partie de cet ouvrage.

Si elles sont bien acclimatées, les plantes à tige devront être bouturées assez régulièrement ; par contre, les plantes en touffes poussent plus lentement, aussi leur entretien sera-t-il plus espacé.

Il se peut que l'eau manque de certains oligo-éléments (sels minéraux et substances diverses) indispensables aux plantes ; il sera alors nécessaire d'utiliser des engrais. Il en existe plusieurs sortes dans le commerce, les plus pratiques se présentent sous forme liquide. Ils contiennent un certain nombre d'éléments dans des proportions précises. Inutile donc de surdoser (les plantes ne pousseront pas plus vite) ; il faut au contraire respecter la quantité prescrite par le fabricant.

Si, malgré cela, certaines plantes dépérissent (jaunissement, perte de feuilles, croissance nulle), cela peut être dû à une mauvaise lumière. Dans le pire des cas, les conditions de votre aquarium ne leur conviennent pas, et il est préférable de les remplacer par d'autres espèces.

LES PROBLÈMES ÉVENTUELS

Même si vous prenez le maximum de précautions, un certain nombre de problèmes peuvent se présenter, liés soit au matériel, soit à l'équilibre biologique.

Les pannes

Les coupures de courant électrique de courte durée ne posent généralement pas de problèmes. Au-delà de quelques heures, certains risques se présentent :
- *baisse de la température de quelques degrés :* possibilité de conséquences pathologiques ;
- *manque d'oxygène :* dans un aquarium bien équilibré (présence de plantes, pas de surpopulation de poissons), ce risque est limité ;
- *production de substances toxiques*, à odeur désagréable, dans le filtre : il faudra le laver soigneusement avant de le remettre en service.

Les problèmes liés au sol

On peut (rarement) remarquer le noircissement à certains endroits du sol, accompagné d'une odeur putride.

C'est un phénomène de fermentation dû à la présence d'un cadavre ou au pourrissement d'une plante. Il faut enlever le sable, assez largement autour de cette tache et en profondeur, pour le remplacer par du sédiment propre.

Le sol ainsi que les roches et les plantes peuvent être recouverts d'une pellicule foncée, constituée de micro-organismes où dominent des algues. Il faut détacher et siphonner cette pellicule encroûtante, gratter les vitres et effectuer un changement partiel de l'eau. Si ce problème se répète à courte échéance, il faut envisager la réfection de l'aquarium.

Les problèmes liés à l'eau

- *Eau trouble :* l'aspect trouble (on dit parfois laiteux) est dû à une prolifération de certaines bactéries. On change 30 % de l'eau, on augmente la filtration et l'aération, et on recommence éventuellement l'opération 48 h après.

LA LUTTE CONTRE LA PROLIFÉRATION D'ALGUES

Il s'agit d'algues plus ou moins filamenteuses, fixées sur le décor solide et végétal. Parfois décoratives en faible quantité, leur développement rapide les rend souvent envahissantes. Il existe plusieurs moyens de lutte :

- **Lutte mécanique :** on racle les algues sur les roches, les plantes (opération délicate sur les plantes à feuillage fin) et les vitres. On siphonne, en changeant environ 30 à 50 % du volume d'eau. L'élimination totale est quasi impossible, et le problème peut se renouveler à moyen terme.

- **Lutte chimique :** il existe des produits disponibles dans le commerce spécialisé, destinés à limiter ou à supprimer les proliférations d'algues. Les résultats ne sont pas toujours ceux escomptés.

- **Lutte écologique :** on essaie de supprimer la ou les causes de la prolifération :
• diminution de la lumière (puissance ou durée) ;
• diminution des sels minéraux pouvant être trop concentrés, grâce à des changements partiels d'eau ;
• introduction de plantes à croissance rapide. Elles peuvent se développer au détriment des algues.

- **Lutte biologique :** la présence d'escargots (dont le régime alimentaire est herbivore) peut contribuer, dans une certaine mesure, à la régulation des populations d'algues.
On peut également introduire des poissons herbivores qui vont pouvoir «brouter» les algues. En voici quelques espèces :

Familles et noms scientifiques	Noms communs	Taille max. (cm)	Comportement	Caractéristiques de l'eau
Gyrinocheilus aymonieri (Homaloptéridés)	Gyrino, suceur	20	Poisson de fond, remuant, parfois agressif.	Peu importantes, T° 20-28 °C.
Ancistrus (Loricariidés)	Ancistrus (plusieurs espèces)	13	Sociable, plutôt actif la nuit.	Peu importantes, T° 24-26 °C.
Hypostomus plecostomus (Loricariidés)	Pléco, suceur	20	Plutôt nocturne, peut atteindre une taille à laquelle il devient envahissant.	Peu importantes, T° 23-26 °C.

Le pléco, ou suceur (Hypostomus plecostomus) joue un rôle dans la lutte biologique contre les algues, mais peut également devenir gênant lorsqu'il bouscule un peu le décor.

- *Eau jaunâtre :* la couleur est due à la présence de certaines substances dissoutes toxiques ou à celle de bois. On change le tiers ou la moitié du volume, opération à répéter plusieurs fois si nécessaire.

- *Eau verte :* il s'agit d'une prolifération d'algues planctoniques microscopiques. A priori, c'est plutôt un signe de bon équilibre de l'aquarium, mais ces algues risquent de mourir brusquement (après épuisement de sels minéraux et du gaz carbonique) et de polluer l'eau.

On change 50 % du volume d'eau, mais on essaie surtout de réduire la lumière solaire pouvant atteindre l'aquarium (en masquant une des glaces latérales avec du carton noir, par exemple).

- *Les proliférations d'algues :* il s'agit là d'algues filamenteuses qui vont recouvrir le décor minéral et végétal, ainsi que les vitres de l'aquarium. Après avoir raclé et siphonné, on change 30 à 50 % du volume d'eau en réduisant la durée ou l'intensité de l'éclairage.

Quelques espèces de poissons ou d'escargots peuvent participer à la lutte contre les algues (voir ci-contre).

- *Les proliférations d'escargots :* vous vous apercevrez peut-être un jour de la présence de petits escargots dans votre aquarium ; ne vous étonnez pas, il y a de grandes chances qu'ils aient été introduits (sous forme d'œufs ou de juvéniles) avec les plantes. En nombre restreint, ils contribuent à l'équilibre de l'aquarium en se nourrissant de déchets divers, mais peuvent s'attaquer aux plantes. Une prolifération excessive reflète probablement une abondance de matières organiques ; on changera donc 30 % de l'eau. Pour capturer les escargots, on place une feuille de salade cuite dans le bac. On pourra l'enlever quelques heures après, recouverte d'escargots !

L'aquarium fuit

Cela se produit assez rarement avec le matériel actuel, mais une fuite peut survenir au bout d'un certain temps. Elle ne se remarque pas forcément immédiatement, surtout lorsqu'elle est localisée à l'arrière de l'aquarium, sur un angle, au niveau de la vitre du fond. Il faut envisager de vider totalement l'aquarium, de le sécher et de colmater la fuite ; il faut donc disposer d'un autre bac pour le stockage provisoire des plantes et des poissons.

L'accident le plus spectaculaire qui puisse arriver est la rupture d'une glace, événement excessivement rare qui oblige à une intervention très rapide.

Signalons à ce propos que les dommages causés par la fuite d'un aquarium sont en général couverts par votre assurance (dégâts des eaux).

Les week-ends et les vacances

Quelle que soit la durée de l'absence, il est hors de question de couper l'électricité. Il n'y a pas à se préoccuper de l'aération, de la filtration et du chauffage, qui fonctionnent en continu.

Par contre, on équipera l'éclairage d'une petite horloge électrique qui provoquera allumage et extinction à des heures précises, choisies à l'avance.

Les cas de pannes sont très rares, le seul problème restant la possibilité d'une coupure de courant (qui entraînera simplement un décalage de la période d'éclairage dans la journée).

Les poissons peuvent jeûner facilement quelques jours, voire quelques semaines, et cela ne pose donc pas de problème pour une absence de courte durée.

Pour une durée plus importante, il faut éviter de les nourrir à outrance auparavant ; au retour, la distribution de nourriture sera moins abondante, pour revenir progressivement à une dose normale.

On peut faire confiance à un ami aquariophile pour nourrir les poissons, ou utiliser un distributeur automatique. Dans ce cas, il ne faut pas surdoser les rations quotidiennes, et savoir que la durée de programmation varie suivant les modèles.

A votre retour de vacances, il faudra envisager un entretien général de l'aquarium pour le bien-être de vos pensionnaires autant que pour l'esthétique du bac.

La réfection de l'aquarium

Il est conseillé d'envisager une réfection totale de l'aquarium :
- lorsque le sable est totalement colmaté à cause de l'utilisation d'un filtre plaque ;
- lorsque des problèmes d'équilibre général se renouvellent trop régulièrement (mauvaise croissance des plantes, forte mortalité de poissons, sans causes apparentes) ;
- lorsque votre aquarium ne vous plaît plus. Il arrive qu'on se lasse d'un décor au bout de quelques mois, ou que l'on ait envie de passer à autre chose (bac spécifique, par exemple).

Vous pouvez profiter de la réfection de votre aquarium pour réaliser un bac particulier, employer certaines techniques plus pointues, et, pourquoi pas, vous lancer dans l'eau de mer.

Le chapitre qui va suivre vous propose quelques exemples à votre portée, maintenant que vous avez acquis une certaine pratique.

Les étapes de la réfection

Toutes les opérations de lavage se font avec de l'eau tiède ou chaude, sans détergent ou autre produit pouvant être toxique tel que l'eau de Javel.

Il faut prévoir un bac annexe qui recevra plantes et poissons pendant les diverses opérations.

1 - Débranchez le matériel électrique.
2 - Siphonnez la moitié du volume de l'aquarium, qui servira à remplir le bac annexe, maintenu à la même température que le bac d'ensemble.
3 - Transvasez les plantes, en éliminant partiellement (feuilles abîmées) ou totalement celles qui sont en mauvais état. Prévoyez de les bouturer, ou de pratiquer un autre mode de multiplication végétative.
4 - Enlevez le décor solide, qui sera brossé et rincé à l'eau courante (pour le débarrasser des algues incrustées). Pratiquez de même avec le matériel, ce qui permet de vérifier son bon fonctionnement et de laver les masses filtrantes.

5 - Transvasez les poissons dans le bac annexe et siphonnez le reste de l'eau, pratiquement jusqu'au niveau du sable.
6 - Récupérez la moitié du sédiment, qui sera rincé à l'eau courante, jusqu'à obtention d'une eau pratiquement claire. L'autre moitié du sédiment sera laissé en place. En effet, enrichi au cours du fonctionnement de l'aquarium, il permettra une reprise de croissance des plantes assez rapide.
7 - Nettoyez les vitres de l'aquarium.
8 - Entassez le sable dans une partie de l'aquarium, à l'opposé du filtre plaque si vous en avez un, ce qui permet éventuellement de le déboucher et de le rincer correctement.
9 - Siphonnez le reste d'eau, jusqu'à élimination totale.
10 - Replacez le filtre plaque (éventuellement) et disposez le sable non nettoyé sur une épaisseur régulière.
11 - Replacez le matériel, calez les roches dans le sédiment.
12 - Déposez le sable propre, en ménageant une pente qui descend de l'arrière vers l'avant de l'aquarium.
13 - Remplissez l'aquarium avec un mélange d'eau ancienne et d'eau neuve aux caractéristiques les plus proches possible (cette eau aura pu être stockée au préalable). Ce remplissage doit se faire avec précaution, et il est fort possible d'obtenir une eau légèrement turbide et colorée, à cause des particules restées dans le sable non lavé.

Arrêtez le remplissage lorsque le niveau est à 5 à 10 cm du niveau normal. Branchez l'équipement : grâce au filtre, l'eau ne va pas tarder à s'éclaircir.
14 - Plantez les végétaux et complétez le niveau de l'aquarium.
15 - Dès que la température de votre nouvel aquarium est proche de celle du bac de stockage des poissons, réintroduisez progressivement ces derniers, pour éviter tout stress dû à la différence des deux eaux. Malgré un maximum de précautions, vos pensionnaires seront perturbés pendant quelque temps, mais reprendront vite leurs habitudes. Il est cependant préférable de ne les nourrir que le lendemain.

CALENDRIER DE L'ENTRETIEN DE L'AQUARIUM

	Quotidien	Hebdomadaire	1 ou 2 fois par mois	Observations
Alimentation classique (paillettes)	X			
Aliments frais		1 à 3 fois par semaine.		
Gros déchets (plantes, cadavres)				Selon leur présence.
Siphonnage		X	X	
Vitres et couvercle			X	Parfois plus souvent.
Sol			Sarclage, si nécessaire.	
Eau (renouvelle-ment et compensation de l'évaporation)			X	En même temps que vitres et siphonnage.
Plantes			Entretien, engrais.	Variable suivant l'état et la croissance des plantes.
Température	X	ou plusieurs fois par semaine.		
Nitrites, pH, dureté		X		
Éclairage				Remplacement annuel du tube.
Chauffage				Selon l'état.
Aération				Diffuseurs, robi-nets, selon l'état.
Masses filtrantes			X	

LES MALADIES DES POISSONS : DIAGNOSTIC ET SOINS

L'observation des poissons permet de détecter l'apparition d'éventuelles maladies. Celles-ci peuvent avoir diverses origines, groupées en deux catégories principales :
- origine extérieure à l'aquarium ;
- origine interne.

Avant de nous intéresser à ces maladies et à leur traitement, voyons comment les éviter.

L'ORIGINE DES MALADIES

Les origines externes à l'aquarium

- introduction d'un poisson malade ; souvent la maladie ne se voit pas, le poisson ne présentant pas forcément de symptômes ;
- introduction d'eau polluée (par exemple récoltée en milieu naturel) ;
- introduction accidentelle de substances polluantes (des produits ménagers, par exemple).

Les origines internes à l'aquarium

- mauvaise qualité de l'eau : substances toxiques en excès, manque d'oxygène, pollution de l'eau due à un mauvais entretien (surplus de nourriture et débris divers) ;
- température trop basse (panne du système de chauffage) ;
- choc thermique (passage entre deux milieux dont la température diffère de plusieurs degrés) ;
- blessures dues à l'agressivité de poissons incompatibles entre eux ;
- sous-alimentation.

Il ne faut pas perdre de vue que certains germes responsables de maladies (parasites, champignons) existent souvent à l'état latent (dans l'eau ou sur le poisson) et ne deviennent virulents que dans certaines conditions :
- abaissement de la température ;
- excès de matières azotées.

COMMENT TRAITER LES POISSONS MALADES

Dans un aquarium d'ensemble

1 - Coupez la filtration, augmentez l'aération.
2 - Élevez la température (progressivement) jusqu'à 27-28 °C.
3 - Diluez préalablement le médicament (dans une bouteille en PVC de 1,5 l, par exemple).
4 - Versez cette solution dans l'aquarium, près du diffuseur.
5 - Laissez agir pendant la durée préconisée, sans la dépasser.
6 - Siphonnez immédiatement la moitié du volume de l'aquarium.
7 - Remettez de l'eau possédant des caractéristiques identiques (stockée au préalable comme il vous l'a été conseillé dans la première partie de cet ouvrage). Attention au choc thermique : cette eau devra être à la même température que celle de l'aquarium.
8 - Remettez la filtration en service.
9 - Revenez à la température initiale au bout de 24 heures.
10 - Renouvelez le traitement quelques jours après, si nécessaire.

Dans un aquarium-hôpital

Celui-ci ne comprend que les équipements de chauffage, un ou deux diffuseurs et un couvercle. On y place les poissons malades et on effectue les manipulations 2 à 7. On renouvelle éventuellement le traitement, on revient à la température initiale et on replace les poissons dans l'aquarium 1 ou 2 jours plus tard, par précaution.

LES DIFFÉRENTS TRAITEMENTS

Tous les traitements doivent être appliqués dès l'apparition des symptômes, la rapidité d'intervention étant un des facteurs de réussite.

On traite les poissons malades dans un aquarium-hôpital, en respectant scrupuleusement les doses de médicament et la durée du traitement.

Si un poisson est vraiment trop atteint, il ne faut pas hésiter à le sacrifier. Parallèlement, l'aquarium d'ensemble peut être traité avec des doses réduites de moitié.

A part l'élévation de température, l'utilisation des différents produits se fait par balnéation : le poisson malade baigne dans une eau contenant le produit.

Traitements de première urgence

1 - L'élévation de température
Elle donne de bons résultats, surtout couplée à l'utilisation de médicaments : vers 27-28 °C, certains parasites voient leur développement ralenti.

2 - Le sel de cuisine
Toujours disponible, il s'avère efficace dans certains cas de parasitisme externe. La dose habituelle varie entre 5 et 10 g de sel par litre (ne pas dépasser 10 g) que l'on introduira progressivement.

Après guérison, il faudra revenir à l'eau initiale, toujours progressivement, par changements d'eau successifs.

Attention : certaines plantes ne supportent pas le sel.

3 - Les médicaments du commerce
Il existe des désinfectants généraux et des médicaments spécifiques pour certaines maladies. Ils contiennent souvent plusieurs substances dont la réunion est très efficace, si on respecte le mode d'emploi (dose, durée, éventuellement traitement fractionné).

Les autres produits

4 - Le formol
On utilise le formol du commerce (à 30 %), dilué au 1/10 (soit 100 ml/l). C'est à partir de cette solution que l'on traitera :
- 5 ml de cette solution pour 10 l d'eau pendant 15 à 20 minutes.
Attention : ne pas inhaler de formol à 30 % pendant les manipulations.

5 - Le vert de malachite
C'est une poudre que l'on stocke sous cette forme et que l'on ne dilue qu'au moment de l'utilisation :
- 1 mg par 10 l d'eau à traiter, pendant 1 à 2 h.
Attention : la solution (colorée en bleu-vert) tache les vêtements.

6 - Le mélange formol/vert de malachite
C'est très efficace dans certains cas. On prépare, juste avant utilisation, une solution de 4 g de vert de malachite dans 1 l de formol. On utilise ensuite 5 ml de cette solution pour 10 l d'eau à traiter.

Attention : le mélange possède les inconvénients des deux produits séparés (ne pas inhaler, problème de coloration des vêtements).

L'AQUARIUM-HÔPITAL

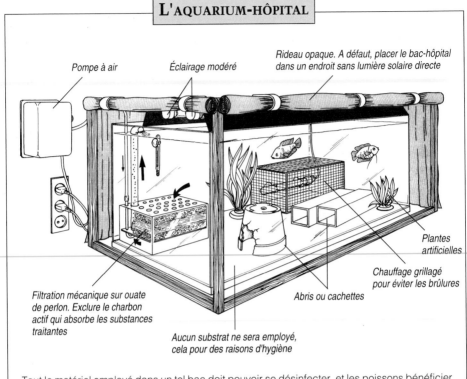

Pompe à air

Éclairage modéré

Rideau opaque. A défaut, placer le bac-hôpital dans un endroit sans lumière solaire directe

Plantes artificielles

Chauffage grillagé pour éviter les brûlures

Abris ou cachettes

Filtration mécanique sur ouate de perlon. Exclure le charbon actif qui absorbe les substances traitantes

Aucun substrat ne sera employé, cela pour des raisons d'hygiène

Tout le matériel employé dans un tel bac doit pouvoir se désinfecter, et les poissons bénéficier d'un environnement calme et sécurisant pour se «refaire une santé» le plus rapidement possible.

LA PRÉVENTION DES MALADIES

Elle passe tout d'abord par un bon équilibre de l'aquarium, c'est-à-dire :
- une bonne qualité de l'eau ;
- une eau adaptée aux poissons (ou vice versa) ;
- un suivi et un entretien régulier (notamment les siphonnages).
Il faut ensuite s'intéresser aux poissons eux-mêmes :
- éviter la surpopulation ; un aquarium est un milieu confiné où les maladies se déclarent et se propagent rapidement ;
- une bonne alimentation variée (alternance de nourriture artificielle et fraîche) et bien dosée (sous- et suralimentation peuvent être néfastes).

Il existe des produits préventifs dans le commerce, destinés à compléter ces règles élémentaires. Si ce n'est pas suffisant, il faut envisager un traitement curatif.

POUR RECONNAÎTRE UN POISSON MALADE

On peut tout d'abord se fier à son attitude, qui sera différente de l'état normal :
- nage anormale, saccadée, sur le flanc, sur le dos ;
- amaigrissement, refus de nourriture ;
- apathie générale ;
- opercules écartés ;
- pipage d'air en surface.
De plus, certaines maladies sont caractérisées par des symptômes précis : points ou filaments blancs, blessures.

Ces signes annonciateurs de maladies n'apparaissent pas tous à la fois ; si une maladie est caractérisée par plusieurs symptômes, ils peuvent être successifs (attitude anormale, puis marques sur le corps, ou l'inverse).

LES TRAITEMENTS

Il faut tout d'abord déterminer la maladie, éventuellement en supprimer les causes, car à chacune correspond souvent un produit spécifique donnant de bons résultats. En cas de problème de détermination, on utilise un autre produit à action plus large.
Lorsqu'une maladie se déclare et que l'on ne dispose pas du médicament adéquat, on peut utiliser quelques remèdes empiriques de première urgence.
Dans tous les cas, il est impératif de respecter la posologie, l'augmentation arbitraire des doses pouvant même s'avérer une pratique dangereuse.
Dans la mesure du possible, tout poisson malade doit être traité à part (aquarium-hôpital) et ne réintégrer l'aquarium d'ensemble qu'après complète guérison.
Il ne faut pas oublier que la maladie existe peut-être à l'état latent dans l'aquarium d'ensemble d'où a été extrait le poisson malade ; il est donc prudent de le traiter également.
On utilisera d'abord le traitement à demi-dose, puis à dose complète seulement si la situation empire.

LA PRÉPARATION DU VERT DE MALACHITE

La plupart des produits de traitement sont vendus sous forme de cristaux ou de poudres à diluer. En raison de leur haute toxicité, ils doivent être dosés avec soin.

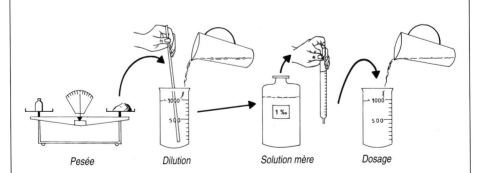

| Pesée | Dilution | Solution mère | Dosage |

Faites peser dans un magasin de produits chimiques (ou droguerie) 1 g de vert de malachite. Diluez les cristaux dans 1 l d'eau tiède : vous obtenez ainsi une solution mère à 1 ‰. Prélevez ensuite à l'aide d'une pipette graduée 1 ml de cette solution mère pour traiter 10 l d'eau de votre aquarium (soit 10 ml pour un aquarium de 100 l environ) pendant 1 à 2 h. Le stockage de cette solution doit se faire impérativement à l'abri de la lumière.

Rappel : 1 cc = 1 ml = 1 g d'eau.

Maladies dues à l'environnement

Nom courant	Causes	Symptômes	Traitements
Stress, mauvaise acclimatation	Choc thermique, eau ne correspondant pas aux exigences des poissons (dureté, pH).	Comportement général anormal, couleurs pâles, marbrures peu marquées.	Vérifier les compatibilités entre les poissons et la qualité de l'eau ; adapter cette dernière en fonction des poissons.

Maladies dues à des agents pathogènes

Nom courant	Agent pathogène	Symptômes	Traitements (voir p. 173)
Ichtyophtiniose, maladie des points blancs	Protozoaire parasite.	Petits points blancs sur le corps et les nageoires.	1 couplé à 3 ou 4 ou 5 ou 6.
Oodiniose	Oodinium, protozoaire parasite.	Points blancs plus petits que les précédents, aspect «poussiéreux» du poisson.	3.
Gyrodactylose	Vers parasites.	- Nage tremblotante, les poissons se frottent à divers éléments ; - Vers visibles à la loupe (branchies).	2, 3 ou 4.
Saprolegniose	Champignons.	Filaments blancs en forme de touffes à aspect cotonneux.	2, 3 , 5 ou 6.

Les champignons attaquent souvent les poissons affaiblis ou présentant des blessures. Si le traitement n'est pas effectué à temps, tous les organes sont attaqués et le poisson finit par mourir.

Certaines maladies, par exemple provoquées par des virus ou des bactéries, sont difficiles à déterminer sans une étude précise de l'agent infectieux. C'est le cas des poissons présentant des écailles hérissées, phénomène souvent accompagné d'autres symptômes : gonflement du corps, nécrose des nageoires. Ces maladies se propagent rapidement et, faute d'identification exacte, sont délicates à soigner, bien que dans certains cas les antibiotiques donnent des résultats satisfaisants (si l'agent infectieux est une bactérie).

C'est un parasite minuscule qui est responsable de la maladie des points blancs. Il peut exister à l'état latent dans l'aquarium, la maladie ne se déclenchant que dans certaines conditions. Bien qu'elle soit assez contagieuse, elle se soigne facilement si elle est détectée à temps.

Ce sont souvent des bactéries qui sont responsables du phénomène des écailles hérissées.
La contagion est rapide, et l'emploi d'antibiotiques peut s'avérer satisfaisant.

PATHOLOGIE ALIMENTAIRE

On sous-estime parfois l'importance de l'alimentation dans la lutte contre les maladies, les troubles alimentaires étant difficiles à définir et à déterminer. L'aspect qualitatif de la nutrition est primordial, les carences alimentaires étant néfastes aux poissons. Les vitamines ont une place importante, mais elles ont une fâcheuse tendance à se dégrader dans les aliments artificiels. Dans un but préventif l'apport de nourriture fraîche à intervalles réguliers sera susceptible de couvrir tous les besoins des poissons afin de les rendre moins sensibles aux attaques des agents pathogènes et aux infections.

L'aquarium de l'amateur confirmé

Maintenant que vous avez acquis
une certaine expérience concernant
les poissons, leur acclimatation et leur
reproduction, il est temps d'élargir
votre horizon aquariophile.
Nous allons d'abord vous intéresser
aux proies vivantes, complémentaires
des aliments artificiels et souvent
indispensables aux alevins. Ensuite,
nous expliquerons la construction
d'un aquarium en verre collé, équipé
d'un décor artificiel. Nous terminerons enfin
en proposant quelques aquariums particuliers
et en vous initiant à l'aquariophilie marine.

LES NOURRITURES VIVANTES

Quelques invertébrés aquatiques constituent un bon apport complémentaire des aliments artificiels et de la nourriture fraîche. Certains d'entre eux peuplent les mares de nos régions, mais il est peu recommandé de les récolter ; on risque, en effet, d'introduire des hôtes indésirables dans les aquariums (agents pathogènes, par exemple). On les trouvera couramment dans le commerce aquariophile, quelques espèces pouvant même être cultivées.

LES TUBIFEX

Ces vers très fins, longs de 1 cm environ, de couleur rouge à rouge-brun, contiennent beaucoup de sang ; ils constituent donc un aliment assez riche.

Normalement, il est préférable de les garder en eau courante, ce qui est peu pratique ; il est plus aisé de les conserver dans une boîte en PVC contenant un peu d'eau (changée tous les jours) au bas du réfrigérateur.

LES VERS DE VASE

Contrairement à ce que leur nom laisse supposer, ce sont en fait des larves de moustiques *(Chironomus plumosus)* qui ne piquent pas. Également très riche en sang, c'est un aliment praticulièrement prisé des poissons.

On peut garder les larves quelques jours, toujours en bas du réfrigérateur, dans un papier journal largement imbibé d'eau, le tout placé dans une boîte en PVC.

LES DAPHNIES
(ET AUTRES PETITS CRUSTACÉS D'EAU DOUCE)

Les daphnies vivantes ont une valeur nutritive nettement plus importante que celles qui sont proposées séchées. On peut les distribuer en surnombre dans un aquarium ; elles survivront et seront pourchassées par les poissons.

Pour les garder vivantes pendant quelques jours, on peut les placer dans un petit bac bien aéré, à température ambiante. Il est délicat de les nourrir, car elles absorbent des microparticules en suspension.

Les autres crustacés d'eau douce (cyclops, copépodes et autres espèces diverses) sont aussi intéressants, mais moins courants dans le commerce.

Les tubifex sont de petits vers qui vivent dans la vase des eaux riches en matières organiques. Rincés à l'eau claire, ils constituent un aliment de choix pour un grand nombre d'espèces de poissons.

Ces invertébrés rouges, appelés à tort vers de vase, sont en fait les larves d'un moustique qui ne pique pas. On les trouve dans le commerce aquariophile et également dans les magasins d'articles de pêche.

LES ROTIFÈRES

Ce sont de petits animaux planctoniques, d'une taille souvent inférieure à 0,2 mm, intermédiaires entre les vers et les crustacés, bien qu'ils ressemblent à ces derniers. Leur petite taille les rend très utiles comme nourriture pour les alevins, mais ils sont très rarement commercialisés. Il est parfois possible de s'en procurer dans des laboratoires ou des centres de recherche, dans lesquels s'effectuent des travaux sur les poissons marins ; il est également possible d'en trouver dans les associations aquariophiles (voir aussi Production des rotifères p. 304).

LES INFUSOIRES

Ces protozoaires, animaux unicellulaires de très petite taille, sont destinés à l'alimentation des plus petits alevins dès qu'ils peuvent s'alimenter. Leur production est facile.

La production d'infusoires

Lorsque l'on a obtenu des alevins et que l'on ne dispose pas d'autres aliments, les infusoires constituent une nourriture intéressante.

Les riccias, plantes de surface, sont connues pour assurer une protection aux alevins, mais aussi pour permettre aux infusoires de se développer ; on peut donc en placer dans un aquarium de reproduction. Une production plus conséquente peut être obtenue en utilisant du riz non décortiqué (commercialisé dans les graineteries sous le nom de riz paddy).

Dès la ponte obtenue, on place le riz sur le fond de l'aquarium ou dans une mangeoire flottante (dans le commerce spécialisé, en principe destinée aux tubifex). Au bout de 3 ou 4 jours, les infusoires se développent en se nourrissant de bactéries présentes sur les grains de riz.

On peut également utiliser de l'eau riche en matières organiques (provenant d'une mare), filtrée, dans laquelle on fait tremper quelques jours une feuille de salade ou un morceau de pomme de terre.

LES *ARTEMIA*

C'est quasiment l'aliment miracle indispensable en aquariophilie, tant pour les alevins que pour les poissons adultes.

Les *Artemia* (il en existe plusieurs espèces) sont des crustacés primitifs que l'on rencontre dans des eaux marines et saumâtres ; elles sont d'ailleurs présentes dans certains marais salants en France. Quelques sociétés spécialisées produisent des adultes (taille : 1 cm environ) commer-

L'ÉLEVAGE DES *ARTEMIA*

On trouve dans le commerce des kits destinés à cet usage, mais l'élevage peut se faire dans n'importe quel récipient (bac en verre ou en PVC, bocal, bouteille en PVC).

L'éclosion
Elle se fait dans une eau dont la température est comprise entre 20 et 30 °C, et dont la salinité sera au minimum de 20 ‰ ; l'eau de mer convient également. Cette eau doit être agitée pour que les œufs ne sédimentent pas.

La récolte des nauplies
Les coques vides des œufs flottent et les œufs non éclos coulent, lorsqu'on arrête l'aération. Les nauplies, qui sautillent en pleine eau, sont attirées par de la lumière et siphonnées sur un tamis fin (maille de 0,1 mm, dans le commerce).

L'élevage jusqu'aux stades ultérieurs
Un à deux jours après l'éclosion, les nauplies se nourrissent de microparticules, dont des algues planctoniques. Comme elles sont peu pratiques à récolter en milieu naturel et à cultiver, on leur préfère des nourritures du commerce spécialement destinées aux *Artemia*, éventuellement de fines poudres pour alevins.

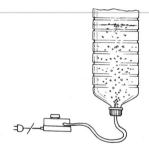

Les œufs éclosent en 24 à 48 h, en fonction de la température (plus celle-ci est élevée, plus l'éclosion est rapide).

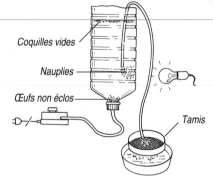

Coquilles vides

Nauplies

Œufs non éclos

Tamis

Les nauplies survivent quelques heures en eau douce.

cialisés dans de petites poches soudées et hermétiques, remplies d'eau et d'air. Ces *Artemia* peuvent être distribuées aux poissons, gardées quelques jours dans leur emballage, ou utilisées pour lancer un élevage.

Dans ce dernier cas, il est nettement plus pratique de se procurer des œufs dans le commerce. Ils ont la fantastique propriété de se conserver totalement au sec ! Ils sont récoltés dans les marais salants du monde entier (États-Unis, Amérique du Sud, Chine) et coûtent très cher : parfois plus de 1 000 F le kilo ! Rassurez-vous, un gramme produit plusieurs centaines à plusieurs milliers d'*Artemia* selon les souches, et

les œufs sont commercialisés en très petite quantité (donc à un prix abordable). Réintroduits dans une eau salée, les œufs éclosent rapidement et produisent des larves, les nauplies, différentes de l'adulte par la taille et la forme. Elles mesurent 0,3 à 0,6 mm de long et constituent des proies très intéressantes pour tous les alevins, même ceux qui acceptent les très fines poudres du commerce.

Les nauplies passent par plusieurs stades larvaires pendant lesquels leur taille augmente pour donner, en quelques semaines, des adultes appréciés par tous les poissons.

*La nauplie d'*Artemia *a une morphologie très différente de l'adulte. Sa taille, en général inférieure à 0,5 mm, en fait une proie particulièrement destinée aux alevins.*

Les Artemia *adultes atteignent 1 cm de long. Elles sont récoltées dans certains milieux sursalés (marais salants) et commercialisées vivantes dans les magasins d'aquariophilie. Elles peuvent également être élevées assez facilement par un amateur dans des récipients plus ou moins artisanaux.*

UTILISATION DES NOURRITURES VIVANTES

Type	Utilisation	Valeur alimentaire	Observations
Tubifex	Poissons adultes.	+++	A conserver au réfrigérateur.
Vers de vase	Poissons adultes.	+++	A conserver au réfrigérateur.
Daphnies	Poissons adultes.	++	Peuvent être élevées, se nourrissent de microparticules (dont des algues planctoniques).
Artemia - adultes	Poissons adultes.	+++	Les œufs et les adultes sont disponibles dans le
- nauplies	Alevins.	+++	commerce, et l'élevage est facile.
Rotifères	Alevins.	+++	Peuvent être élevés, se nourrissent de micro-algues. Les souches ne se trouvent pas dans le commerce.
Infusoires	Alevins.	+++	Production facile.

LA FABRICATION D'UN AQUARIUM
EN VERRE COLLÉ

Construire son propre aquarium en verre collé n'est pas une opération réservée aux spécialistes, mais demande tout de même du soin et de la précision.

Pour un premier essai, nous vous conseillons de travailler avec un ami aquariophile et d'en profiter pour fabriquer un bac pour chacun, plus éventuellement quelques autres de petit volume (aquarium-hôpital, aquarium de reproduction), sans dépasser un volume de 100 l. Il faut prévoir une table assez grande pour y disposer les vitres à plat, ainsi que de la place pour circuler aisément autour.

Le matériel

- *Le verre :* on utilisera du verre ordinaire (magasins de bricolage, miroiteries), en veillant à ce qu'il soit coupé aux dimensions exactes : rien n'est plus désagréable que de se retrouver avec une vitre légèrement trapézoïdale, au lieu d'être parfaitement rectangulaire !

- *La colle :* il s'agit d'une colle aux silicones verre/verre, neutre et translucide (magasins spécialisés et commerce aquariophile), qui durcit au contact de l'air. Ce durcissement est d'autant plus rapide que la température ambiante est élevée ; il y a lieu d'être vigilant en été, par exemple.

Cette colle a une odeur caractéristique (légèrement vinaigrée) et contient certaines substances toxiques. Il faut être prudent lors des manipulations, et notamment ne pas se frotter les yeux. Séchée sur une surface lisse, elle se détache facilement au cutter, mais adhère par contre aux vêtements. Il est plus pratique d'utiliser de grandes cartouches qui peuvent être manipulées avec un pistolet adapté à cet usage.

Pour conserver la colle et l'embout après utilisation, il faut enlever ce dernier, en retirant la colle (si possible avant séchage) et remettre le bouchon d'origine sur le tube ou sur la cartouche de colle.

- *Le petit matériel :*
Il vous faut également :
- du papier de verre pour éroder les arêtes ;
- de l'alcool ou de l'acétone pour les dégraisser ;
• du ruban adhésif (si possible large) ;
• un cutter ;
• des chiffons ou du papier absorbant ;
• un petit récipient rempli d'eau.

Les dimensions

Nous vous proposons de vous guider lors de la réalisation d'un bac d'une centaine de litres (volume brut), de 80 cm de long ; les dimensions exactes des vitres figurent dans l'encadré ci-contre. Pour de plus petits volumes, vous devez vous-même calculer les dimensions, en tenant compte de l'épaisseur du verre et de celle du joint de colle (0,5 mm).

La réalisation

Elle doit se faire sans précipitation, selon une chronologie bien précise. S'il vous arrive un problème quelconque (vitre mal coupée, mal positionnée ou cassée), pas d'affolement : attendez 48 h que la colle sèche. Vous pourrez alors décoller les vitres et recommencer l'opération.

DIMENSIONS DU VERRE
POUR UN AQUARIUM
DE 100 L

Dimensions de l'aquarium : 80 cm de longueur, 30 cm de largeur, 40 cm de hauteur.
Épaisseur du verre : 6 mm.
Dimension du fond (1) : 78,7 x 28,7 cm.
Dimensions des faces arrière et avant (2) : 80 x 40 cm.
Dimensions des côtés (2) : 40 x 28,7 cm.
Renforts longitudinaux (2) : 70 x 4 cm.
Couvercle : 41 x 27 cm, épaisseur 3 mm. Le couvercle étant en deux parties, il faut deux plaques de verre de cette dimension. Prévoir deux petites chutes de verre (5 x 3 cm) comme poignées.

Épaisseur du verre en fonction de la taille de l'aquarium

L'épaisseur du verre est en réalité fonction de la hauteur d'eau.

Volume de l'aquarium (l)	Dimensions L x l x h (m)	Épaisseur du verre (mm)
45	0,50 x 0,30 x 0,30	4
73	0,60 x 0,35 x 0,35	5
110	0,80 x 0,35 x 0,40	6
200	1 x 0,40 x 0,50	8

Pour des volumes supérieurs à 100 l (longueur supérieure à 0,80 m), il faut prévoir un renfort central transversal, parallèle aux petits côtés de l'aquarium.

Les différentes étapes de la construction d'un aquarium en verre collé

1 - La préparation des vitres

On abrase les arêtes avec du papier de verre, pour éviter de se couper pendant les manipulations. Les vitres sont ensuite essuyées et dégraissées aux endroits où elles seront encollées, avec de l'alcool ou de l'acétone. Cela a pour but d'éliminer des substances organiques (la sueur émise par les doigts), incompatibles avec la colle. Il est ensuite impératif de ne plus manipuler les vitres par leurs parties dégraissées.

2 - Le positionnement des vitres

Les vitres seront déposées à plat, selon le schéma ci-dessous. L'emplacement de la colle est représenté par un trait pointillé gras, et l'assemblage se fera selon la numérotation des vitres.

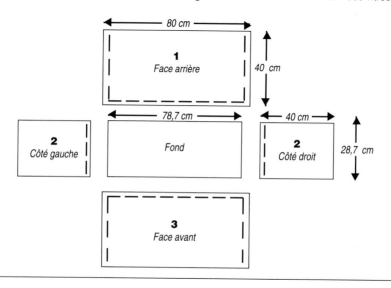

3 - La préparation de la colle

Le tube (ou la cartouche de colle) est muni d'un embout conique et allongé, qui doit être sectionné à un endroit tel que le filet de colle aura une largeur légèrement inférieure ou égale à l'épaisseur du verre (ici 5 à 6 mm).

La partie non utilisée de l'embout pourra éventuellement servir à colmater temporairement et brièvement la colle entre deux manipulations (en la plaçant à l'envers).

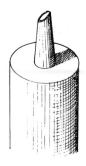

4 - L'encollage

On dépose le filet de colle à l'endroit prévu en poussant le tube vers l'avant.

5 - L'assemblage

On place les vitres dans l'ordre prévu. Une fois qu'elles sont toutes disposées, il est très important d'éliminer les bulles d'air, facilement visibles dans le joint de colle, en pressant fortement les vitres entre elles (veillez à ne pas les décaler pendant cette manipulation).

Il faut agir assez rapidement, mais sans précipitation, surtout si la température ambiante est élevée (par exemple l'été) : la colle sèche plus vite.

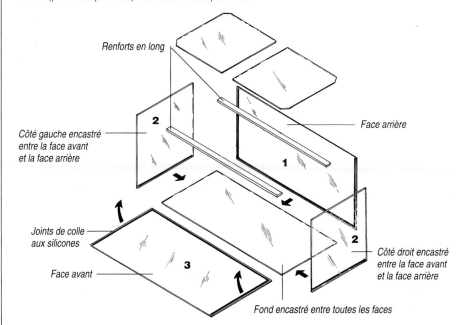

Renforts en long

Face arrière

2

Côté gauche encastré
entre la face avant
et la face arrière

1

Joints de colle
aux silicones

2

Côté droit encastré
entre la face avant
et la face arrière

Face avant

3

Fond encastré entre toutes les faces

6 - On maintient les vitres avec du ruban adhésif, fixé à l'extérieur des angles de l'aquarium.

7 - On lisse la colle, à l'intérieur des angles.
Pour cela, on trempe un doigt dans le récipient d'eau et on le passe dans les angles pour que la colle forme un petit bourrelet concave.

8 - En utilisant des cales, on colle les renforts, leur partie supérieure à 5 mm au-dessous du sommet de l'aquarium ; on lisse la colle.

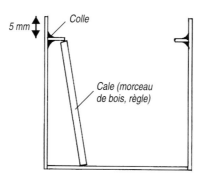

5 mm

Colle

Cale (morceau de bois, règle)

Les renforts évitent la courbure des vitres frontale et arrière, et supportent le couvercle.

9 - On colle les chutes de verre sur les deux parties du couvercle, en position verticale, pour former de petites poignées.

10 - On laisse sécher au minimum 48 h sans déplacer l'aquarium.

11 - Sans oublier d'intercaler une plaque d'un matériau tel que du polystyrène entre le support et l'aquarium, on remplit ce dernier pratiquement jusqu'à son niveau maximal pour détecter une éventuelle fuite.

12 - Si cela se produisait, il faut :
- vider l'aquarium, le sécher ;
- dégraisser l'endroit à encoller, remettre de la colle ;
- attendre de nouveau 48 h.
On constate l'importance du collage, et notamment l'absence de bulles d'air (point 5), pour éviter ces désagréments.

13 - Lorsqu'on est sûr qu'il n'y a aucune fuite, on vide l'aquarium, on le sèche, on élimine le surplus de colle avec un cutter :
- à l'extérieur des angles,
- à l'intérieur des angles, prudemment pour ne pas entailler le bourrelet de colle.

14 - L'aquarium est prêt à être mis en service, mais on peut envisager l'adjonction d'un filtre intérieur à décantation.

LA CONSTRUCTION D'UN FILTRE INTÉRIEUR A DÉCANTATION

Totalement intégré à l'aquarium, sur un de ses côtés, il est d'une conception simple et peut se réaliser après le collage général du bac.

Dans le cas des dimensions précédemment utilisées, il faut prévoir :
- un filtre dont le volume est au moins égal à 10 % de celui de l'aquarium total ;
- une plaque de verre de 37,3 x 28,6 cm, de 4 mm d'épaisseur. Faire percer cette plaque selon le croquis ci-dessous :

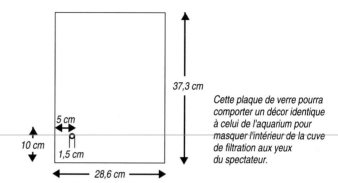

Cette plaque de verre pourra comporter un décor identique à celui de l'aquarium pour masquer l'intérieur de la cuve de filtration aux yeux du spectateur.

L'assemblage des éléments

On prend les mêmes précautions (éroder et dégraisser le verre), mais il faut prévoir l'emplacement du filtre à gauche ou à droite (l'aquarium étant vu de face, en fonction de sa position finale et de son accessibilité).

1 - On colle deux des baguettes de verre sur la plaque percée, de façon à la séparer en trois.

2 - On colle les deux autres baguettes sur un des côtés de l'aquarium, de façon qu'elles soient en face des précédentes.

3 - On place la plaque percée, munie de ses deux baguettes, la perforation en position basse et vers l'avant de l'aquarium.

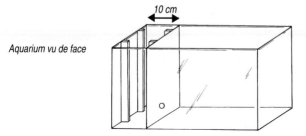

Aquarium vu de face

4 - On remarquera que la hauteur du filtre ainsi constitué est légèrement inférieure à celle du bac, pour permettre le rejet de l'eau filtrée. On laisse sécher au moins 48 h, d'éventuelles fuites minimes entre le filtre et le reste de l'aquarium n'ayant pas d'importance.

LE FONCTIONNEMENT DU FILTRE A DÉCANTATION

1 - L'eau pénètre dans le premier compartiment par la perforation. Si l'aquarium accueille des poissons de petite taille ou des alevins, on peut prévoir un grillage pour éviter qu'ils soient entraînés par le courant d'eau. A défaut de quoi, on risque de les retrouver dans ce compartiment (prévoir une petite épuisette pour les récupérer, mais on peut aussi considérer que les alevins seront à l'abri de la voracité de poissons plus grands, en attendant de leur réserver un bac d'élevage).

Les particules solides seront entraînées par l'eau et une certaine partie décantera dans ce compartiment.

2 - Le deuxième compartiment comprendra deux blocs de mousse de forme rectangulaire, de taille égale, maintenus par les baguettes de verre.

Cette mousse retiendra les fines particules et sera le siège de la filtration biologique (transformation des matières azotées par les bactéries).

Les deux blocs de mousse seront lavés alternativement pour les raisons évoquées précédemment (voir L'AQUARIUM DU DÉBUTANT).

3 - L'eau passe dans le troisième compartiment (cuve de récupération), puis sera rejetée dans l'aquarium d'ensemble par un exhausteur, ou grâce à une petite pompe à moteur électrique.

Cette partie du filtre peut également comporter une résistance chauffante (ou un combiné) et un diffuseur.

Ces éléments n'auront donc pas à être dissimulés dans la partie principale de l'aquarium, ce qui est pratique si celui-ci est visible sur trois faces (sur un muret de séparation, par exemple).

L'eau pénètre par l'orifice circulaire au bas de la vitre. Les plus grosses particules décantent dans le premier compartiment, tandis que les plus fines sont captées par la mousse, où se réalise également la filtration biologique. L'eau est ensuite récupérée dans le dernier compartiment, par une pompe ou un exhausteur, pour être rejetée dans l'aquarium.

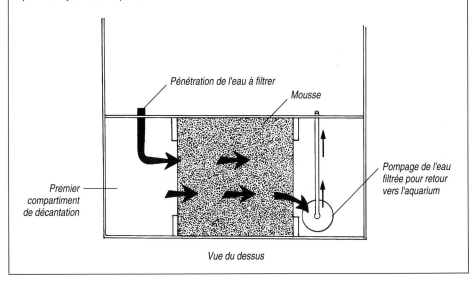

Pénétration de l'eau à filtrer

Mousse

Premier compartiment de décantation

Pompage de l'eau filtrée pour retour vers l'aquarium

Vue du dessus

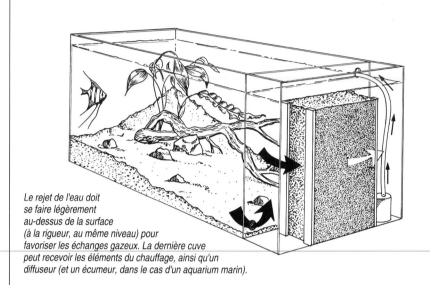

*Le rejet de l'eau doit
se faire légèrement
au-dessus de la surface
(à la rigueur, au même niveau) pour
favoriser les échanges gazeux. La dernière cuve
peut recevoir les éléments du chauffage, ainsi qu'un
diffuseur (et un écumeur, dans le cas d'un aquarium marin).*

4 - Le niveau de l'eau ne doit pas arriver jusqu'en haut de la vitre qui sépare le filtre du reste du bac, le rejet de l'eau filtrée devant se faire légèrement au-dessus de la surface de l'eau.

LES MOUSSES DE FILTRATION

Les mousses synthétiques (mousses de polyester) sont principalement utilisées pour la réalisation de matelas, canapés, sièges et coussins.

Ce sont des matériaux neutres vis-à-vis de l'eau, mais il est préférable de laver les mousses qui n'ont jamais été utilisées avant l'emploi.

La porosité de ces mousses est leur caractéristique la plus importante : trop fines, elles se colmatent rapidement ; plus grossières, elles ne facilitent pas l'établissement des colonies bactériennes réduisant les composés azotés en nitrates. Un bon compromis est réalisé par les mousses dont la densité est de 20 kg au m³.

Pour l'aquarium en verre collé précédemment décrit, cela représente deux blocs de forme rectangulaire pesant chacun environ 40 g.

Ce matériau quasi inaltérable a une durée de vie assez longue. Un petit truc pour le nettoyer soit avant sa première utilisation comme masse filtrante, soit ultérieurement : on le met dans une machine à laver, mais sans détergent.

Les performances de ces mousses sont connues depuis plus de vingt ans, grâce à leur utilisation par les aquariums publics et par les amateurs. Ceux-ci sont de plus en plus nombreux à être séduits par le double rôle qu'elles jouent, filtration mécanique et filtration biologique, ainsi que par leur simplicité d'utilisation.

LA DÉCORATION EXTÉRIEURE D'UN AQUARIUM A FILTRE A DÉCANTATION INTÉGRÉ

Bien entendu, un aquarium de ce type comporte un habillage extérieur, comme sur les modèles du commerce.

Un certain nombre de solutions existent pour l'amateur, dépendant en grande partie de la décoration de la pièce où se situera l'aquarium :

- placage avec feuille rigide en PVC ;
- placage en liège ;
- utilisation de rouleaux adhésifs en vinyle (imitation bois, marbre, etc.) ;
- collage de moquette à fibres rases, etc.

Il faut prévoir une bande horizontale sur le pourtour supérieur de l'aquarium, pour masquer le niveau de l'eau. Il ne reste plus qu'à prévoir une galerie (en bois, par exemple), décorée avec les mêmes matériaux que l'aquarium.

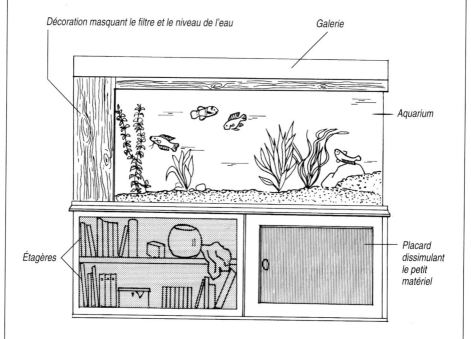

Décoration masquant le filtre et le niveau de l'eau   *Galerie*

Aquarium

Étagères

Placard dissimulant le petit matériel

Construire et habiller extérieurement son aquarium permet de l'intégrer totalement dans l'environnement domestique, ce qui n'est pas forcément le cas avec les aquariums intégrés disponibles dans le commerce. Rappelons qu'aucun élément électrique ne doit figurer sur les étagères, et que la galerie doit s'ouvrir aisément (pas de bibelots divers).

LES DÉCORS ARTIFICIELS

A ce stade de la construction d'un aquarium, on peut opter pour la mise en place d'un décor artificiel, plaqué contre la face arrière et, éventuellement, les côtés de l'aquarium.

LES MATÉRIAUX UTILISABLES

- *Le polystyrène expansé :* en bloc ou en plaque, il sert entre autres à emballer les éléments électroménagers pour les protéger des chocs.
Pour la décoration d'un aquarium, on dispose de plusieurs possibilités :
• utilisation d'une plaque de 2 cm d'épaisseur, pour réaliser un décor plaqué contre la face arrière ;
• sculpture d'un décor de volume plus important dans un bloc ;
• récupération de chutes plus ou moins volumineuses dans des emballages.

S'ils ne sont pas initiés aux techniques aquariophiles, les spectateurs d'un tel aquarium ne peuvent pas se douter que le décor arrière est réalisé à partir de polystyrène recouvert de résine et d'un sédiment à granulométrie moyenne.

Dans tous les cas, il est préférable d'utiliser du polystyrène à petits grains, plus rigide.
Le travail et la sculpture du polystyrène se font à la chaleur, avec un décapeur à peinture ou un chalumeau. Attention, car le polystyrène s'enflamme et dégage des vapeurs toxiques.

- *Le polyuréthane,* existant sous deux formes :
• à deux composants qu'il faut mélanger ;
• monocomposant, en bombe aérosol. Nettement plus pratique, c'est celui que nous vous conseillons. A la sortie de la bombe, le polyuréthane augmente de volume et se solidifie en quelques minutes.

- *La résine :* polystyrène et polyuréthane doivent être recouverts d'une ou deux couches de résine pour éviter, avec le temps, le dégagement de certaines molécules dans l'eau. On utilise de la résine dite alimentaire (résine époxy), qui ne pose pas de problème au contact de l'eau.
Elle peut être colorée ou recouverte de sable avant séchage (ou autre matériau identique ou non à ceux composant le sol).

Cette résine est en fait formée de deux composants dont la réunion permet son durcissement.

Il est très important de respecter scrupuleusement le mode d'emploi, notamment pour les proportions des deux composants et de travailler à une température supérieure à 20 °C (les vacances d'été sont le moment idéal pour résiner les décors).

LA FABRICATION D'UN DÉCOR EN POLYSTYRÈNE

Le matériel
- plaque ou bloc de polystyrène, stylofeutre, couteau à dents (éventuellement une scie pour les gros blocs), chalumeau portatif (à cartouche de gaz) ou décapeur à air chaud.

Le décor plaque
- le polystyrène sera découpé aux dimensions (intérieures) de la vitre du fond, contre laquelle il sera adossé ;
- on travaille la plaque au couteau ou avec un autre instrument pour lui conférer un léger relief en creux ; il faut faire attention à ne pas percer la plaque sur toute son épaisseur ;
- les deux faces et les tranches de la plaque sont ensuite flambées ou passées au décapeur ;
- la plaque est résinée ;
- elle sera ensuite collée contre la face arrière interne de l'aquarium, avec de la colle aux silicones ; quelques points suffisent, ce qui permettra éventuellement de pouvoir l'enlever ultérieurement ;
- il existe une variante pour l'utilisation d'un décor plaque : il peut simplement être glissé derrière la vitre arrière de l'aquarium !

Le décor dans un bloc
- on taille le bloc à la dimension de l'aquarium ;
- on dessine le futur relief avec un stylofeutre ; tout est possible : tombant, faille, grottes, surplombs, excavations prévues pour des plantes.

C'est à la fois une question de goût et d'habileté manuelle. Il est d'ailleurs possible de s'entraîner auparavant avec des chutes d'emballage ayant un certain volume ;

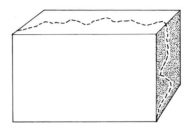

Bloc de polystyrène découpé aux dimensions de l'aquarium, avec tracé au stylo-feutre du futur relief (en pointillé).

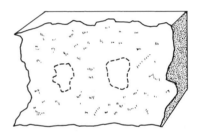

Découpage grossier du bloc (avec une scie ou un couteau à dents). En pointillé : éventuelles excavations (abri pour poissons ou site pour une plante).

- on sculpte le polystyrène au couteau à dents, et des fragments peuvent être cassés à la main.

L' affinage du décor
- l'ensemble du bloc est flambé au chalumeau (ou passé au décapeur) sur tout son ensemble. Le chalumeau est plus pratique pour les excavations et anfractuosités ;

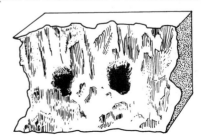

- le bloc est entièrement résiné, y compris dans ses plus fins reliefs. Il sera fixé à l'aquarium par plusieurs gros points de colle aux silicones, après dégraissage préalable des vitres (acétone, alcool). On veillera à ce qu'il n'existe aucune possibilité pour de petits poissons ou des alevins de se glisser entre le décor et les vitres (déposer par précaution un joint de colle aux silicones).

Que ce soit avec du polystyrène ou avec du polyuréthane, il est possible de prévoir la place d'un filtre à décantation.

Il faut également envisager l'aspiration de l'eau par une perforation dans le décor et le rejet de l'eau filtrée.

La fabrication d'un décor en polyuréthane

Il est prudent de faire un essai préalable, avec une bombe de polyuréthane monocomposant, pour se familiariser avec l'expansion et le durcissement de cette matière au contact de l'air.

Pour des aquariums assez faciles à manipuler (d'un volume et d'un poids restreints), il vaut mieux coucher le bac sur sa face arrière.

Pour des volumes plus importants, on travaille en position réelle, en commençant par le bas des vitres latérales et arrière, en remontant progressivement vers le sommet.

On peut prévoir une cuve à filtration ou toute autre excavation.

Pour cela, on place un moule (cuve rectangulaire pour un filtre, bocal, bouteille en PVC) préalablement enduit de matière grasse (huile, margarine, etc.), ce qui permettra de l'ôter facilement.

Ce décor sera ensuite résiné. Comparativement au polystyrène expansé, ce décor est fixé dès la création de l'aquarium et sera plus difficilement amovible.

La finition du décor avec de la résine

Au risque de nous répéter, rappelons qu'il faut parfaitement respecter les proportions des produits et travailler à une température supérieure à 20 °C.

Matériel : résine et son catalyseur, pinceau fin, pinceau plus grossier, bocal en verre, colorant (facultatif), divers matériaux à inclure dans la résine (quartz, sable ou autres substances en général identiques à celles composant le sédiment).

Précaution importante : le mélange des deux composants doit être utilisé rapidement ; il doit donc être préparé en quantité

Ce décor de polyuréthane finement sculpté n'a pas encore été résiné. L'emplacement prévu pour une future cuve de filtration est bien visible, il a été moulé à partir d'une bouteille en PVC.

Préparation d'un décor en polyuréthane. L'aquarium est couché sur sa face arrière, sa partie supérieure tournée vers le photographe ; on distingue une cuve de filtration incluse dans le polyuréthane. L'opérateur, équipé d'un masque et de gants, résine son décor en y incluant du sable. Il travaille avec plusieurs pinceaux de taille différente de façon que tous les recoins du relief tourmenté soient recouverts de résine. Le lendemain, il enlève le surplus de sable à l'aide d'un aspirateur.

raisonnable dans le bocal en verre, en fonction de la surface à recouvrir et de votre rapidité (10 cl de mélange pour un carré de 10 x 10 cm de côté).

Le pinceau grossier sert à enduire les surfaces planes et les surfaces à relief grossier, le pinceau fin permet l'application de la résine dans les détails du relief ; deux couches sont préférables.

Pour le polystyrène, on commence par résiner les parties qui ne seront pas visibles, car adossées aux vitres de l'aquarium.

On résine ensuite progressivement les parties visibles, par petites surfaces. Lors de la deuxième couche, il faudra assez rapidement saupoudrer (ou jeter plus ou moins vigoureusement) le sable, ou autre matériau, avant que la résine ne durcisse. L'excédent sera éliminé en tapotant ou en secouant le bloc de polystyrène. On traite ainsi l'ensemble du décor par étapes successives.

Dans le cas du polyuréthane, la finition avec la résine peut s'avérer plus délicate, puisque l'on travaille dans l'aquarium lui-même.

La mise en service du bac ainsi décoré est possible 48 à 72 h après la fin des opéra-

tions, temps requis pour garantir un bon séchage.

UN DÉCOR EXTÉRIEUR ?

A priori, cela peut paraître surprenant. En fait, lorsque l'aquarium est rempli d'eau, il paraît moins large d'un tiers ; un décor extérieur, derrière la face arrière, va permettre de regagner un peu de profondeur de champ.

Pour réaliser un décor extérieur, il faut prévoir un espace derrière le bac, ce qui est souvent le cas lorsque celui-ci est disposé contre un mur : on garde toujours de la place pour les tuyaux et les câbles à dissimuler. On pourra utiliser des branches, des écorces et des racines qui, ne trempant pas dans l'eau, n'ont pas besoin d'être traitées. Elles seront fixées sur un carton recouvert d'une feuille noire (type Canson), à l'aide de pâtes adhésives servant à coller des posters sur un mur (il est préférable d'utiliser des matériaux légers).

L'ensemble sera fixé derrière l'aquarium avec des bandes adhésives discrètes, le carton étant plié au niveau des angles de l'aquarium, ou incurvé.

Vous avez construit votre premier bac
avec un filtre à décantation et un décor artificiel.
Quelles plantes, quels poissons
allez-vous maintenant choisir ?
Bien sûr, vous pouvez réaliser un nouveau bac
communautaire, mais autant en profiter
pour vous diversifier avec des aquariums
spécifiques ; ils vont vous permettre
de découvrir d'autres espèces de poissons,
parfois un peu plus délicates à reproduire.

LES AQUARIUMS SPÉCIFIQUES

*Après une courte présentation des différents aquariums spécifiques,
nous vous proposons quelques séries d'encadrés qui vous aideront à reconstituer
chaque milieu : décor, flore, faune. Nous nous arrêterons sur certains
poissons caractéristiques de ces milieux et représentatifs de leur famille,
pour lesquels nous décrirons les conditions d'acclimatation et de reproduction.*

LES AQUARIUMS RÉGIONAUX

Plusieurs régions du globe peuvent faire l'objet d'un bac régional, chacune ayant des caractéristiques propres uniquement à certaines espèces de plantes et de poissons. En voici quelques exemples :

L'aquarium d'Amérique centrale (pp. 202 à 205)

L'eau est basique et caractérisée par une dureté élevée ; dans la plupart des cas, l'eau de conduite des grandes villes est susceptible de convenir. Deux types d'aquariums sont possibles :
- l'aquarium à poissons vivipares, densément planté ;
- l'aquarium à Cichlidés. Ces poissons pouvant atteindre une certaine taille, un bac de 300 l minimum est conseillé. De plus, compte tenu de leur caractère – voire de leur agressivité –, il est préférable de les conserver entre eux en veillant, dans un souci d'équilibre, à ce que leur taille soit sensiblement égale.

L'aquarium d'Amérique du Sud (pp. 206 à 215)

Dans la région amazonienne, les cours d'eau sont caractérisés par une faible dureté, un pH inférieur à 7, une couleur particulière plus ou moins prononcée, du jaune ambré au brun. Cette dernière est due à la présence de substances organiques végétales provenant des feuilles et des branches qui séjournent dans l'eau. Les caractéristiques de ce type d'eau peuvent être reconstituées en aquarium en utilisant de la tourbe parmi les masses filtrantes : elle teintera l'eau et contribuera à maintenir un pH inférieur à 7.
On rencontre deux principaux groupes de poissons dans cette région, pouvant donc faire l'objet de deux aquariums spécifiques :
- les Characidés, dont le populaire néon. La présence de ces poissons aux couleurs vives en groupe ou en banc dans un aquarium bien planté est un spectacle fort plaisant ;
- les Cichlidés, dont certaines espèces plutôt calmes (les scalaires, les discus, les Cichlidés nains) peuvent cohabiter entre elles ou avec les précédents. D'autres, de plus grande taille, sont plus vifs ; il est préférable de les garder entre eux.

L'aquarium ouest-africain (pp. 216 à 221)

En Afrique, il existe plusieurs régions piscicoles, l'Ouest étant représenté par des rivières plus ou moins rapides, recevant plus ou moins de lumière. L'eau, plutôt douce et acide, accueille des plantes solides qui résistent au courant. Ces milieux sont le royaume de certaines espèces de Cichlidés, d'un Characidé et de quelques poissons à l'anatomie et aux mœurs particulières.
On trouve également dans cette région du globe des zones aquatiques temporaires qui s'assèchent l'été. Ces mares, marigots ou autres pièces d'eau stagnante sont peuplés de petits poissons particuliers dont certains pondent des œufs qui résistent à l'assèchement et éclosent aux premières pluies suivantes.
On peut reconstituer ce type de milieu en aquarium, mais des amateurs préfèrent se spécialiser dans l'élevage de ces poissons particuliers, en s'intéressant à quelques espèces précises.

L'aquarium est-africain (pp. 222 à 229)

Seconde région piscicole importante de l'Afrique, l'Est est caractérisé par la pré-

Plusieurs espèces d'Aulonocara, endémiques du lac Malawi, sont disponibles dans le commerce. Elles ont une coloration bleu intense ou à dominante jaune.

sence de grands lacs, formant pratiquement de petites mers intérieures d'eau non salée. Sur les rives, on rencontre des zones sableuses qui sont le domaine d'espèces peu colorées dont certaines ont la particularité de s'abriter dans des coquilles vides d'escargots d'eau douce.

Ailleurs, dans des endroits rocheux, on trouve des poissons plus grands, plus colorés, au caractère particulier : la plupart sont combatifs et ne respectent pas les plantes, d'ailleurs fort rares dans leur milieu.

Ces poissons, très appréciés de certains aquariophiles, appartiennent à la famille des Cichlidés ; certains d'entre eux n'existent que dans ces lacs et ne se rencontrent nulle part ailleurs sur la planète : on parle alors d'espèces endémiques. Selon les es-

dants et diversifiés, facilement disponibles dans le commerce à des prix assez modiques. Pour toutes ces raisons, ce type de milieu est considéré comme un des plus faciles à reconstituer en aquarium ; bien planté, peuplé de poissons actifs vivant en groupe, il constitue un agréable spectacle.

L'aquarium mangrove (pp. 240 à 243)

A la frontière des eaux continentales et des eaux marines, on trouve dans certaines régions du globe des forêts marécageuses (les mangroves), dont certains arbres, les palétuviers, plongent directement leurs racines dans l'eau.

Celle-ci possède une salinité inférieure à celle de la mer, mais très variable dans le temps.

Cela permet l'établissement d'une faune particulière, adaptée et résistante aux variations de salinité. Par contre, les plantes aquatiques sont plutôt rares.

Les autres aquariums spécifiques

Le cas particulier des Cyprinodontidés ovipares (pp. 244-247)

Surnommés killies, leur classification est compliquée pour les non initiés ; de plus, de nouvelles espèces sont régulièrement découvertes. Ils sont largement répandus, mais la plupart des espèces aquariophiles proviennent d'Amérique du Sud et d'Afrique de l'Ouest. Ils vivent dans des eaux peu profondes (ruisseaux, mares, zones inondées).

Ces poissons sont particulièrement appréciés par certains amateurs qui se spécialisent dans leur reproduction : leurs unités d'élevage peuvent comporter plusieurs dizaines de petits bacs destinés chacun à une espèce différente. Les mâles, nettement plus colorés que les femelles, peuvent être maintenus ensemble pour réaliser un aquarium spécifique.

Les killies annuels (pp. 246-247)

Les milieux dans lesquels vivent les killies s'assèchent souvent une partie de l'année et, bien entendu, les poissons meurent

pèces, il existe plusieurs types de reproduction, le plus original étant celui où la femelle protège œufs et alevins dans sa bouche (voir pp. 230 à 233) !

L'aquarium asiatique (pp. 234 à 239)

En Asie, on rencontre deux principaux types de milieux aquatiques : les rivières et les eaux plus ou moins stagnantes (marais, rizières).

Les poissons et les plantes y sont abon-

(c'est pour cela que l'on dit qu'ils sont annuels, leur durée de vie n'excédant pas un an). Pour assurer la survie de l'espèce, ils pondent des œufs très résistants (œufs de durée) qui vont survivre dans la vase pendant la période sèche. Aux premières pluies abondantes, les œufs éclosent et libèrent les alevins.

Les genres *Notobranchus* (Afrique) et *Cynolebias* (Amérique du Sud) sont des poissons annuels, les *Aphyosemion* et les *Roloffia* (Afrique) sont annuels ou non annuels selon les espèces.

LE BAC HOLLANDAIS (pp. 248-249)

Véritable jardin aquatique, c'est le décor végétal qui est privilégié, les poissons étant relégués au rôle de figurants. Bien réalisé, ce tableau vivant a un effet esthétique indéniable, lorsqu'il est bien situé et mis en valeur dans une pièce.

Ce type d'aquarium est à la portée de l'amateur, mais sa réalisation (surtout la plantation) demande du soin, de la patience, de la précision et un certain goût artistique. Il est fort possible qu'un premier essai ne donne pas satisfaction, il se peut également qu'un bac bien conçu ne nécessite pas de décor inerte et ne laisse parfois pas le sol apparent !

L'équilibre biologique peut être délicat à maintenir, le faible nombre de poissons ne permettant pas une production importante de matières organiques normalement transformées en sels minéraux et ceux-ci pouvant donc manquer aux plantes ; il est alors nécessaire d'en rajouter sous forme d'engrais liquides.

On peut aussi enrichir le sol avec certaines matières, mais il faut se rappeler que c'est au moyen de leurs feuilles que les plantes absorbent toutes les substances qui leur sont utiles (sels minéraux, mais aussi fer, vitamines, etc.), les racines ayant pour rôle principal la fixation dans le substrat. De plus, si le sol est trop riche, on s'expose à un risque de fermentation ; néanmoins l'argile et le terreau en petites quantités s'avèrent favorables aux plantes. Plus l'aquarium sera grand, plus l'équilibre sera

facile à obtenir ; à cet effet, il est préférable de prévoir un volume minimal de 250 à 300 l. La face extérieure de la vitre arrière peut être recouverte d'un carton noir qui mettra les plantes en valeur.

L'entretien, notamment les opérations concernant les plantes, peut être plus fréquent et plus long que dans le cas d'un aquarium communautaire ou régional.

L'AQUATERRARIUM (pp. 250 à 253)

Idéal pour un aquariophile amateur de plantes vertes, l'aquaterrarium présente la continuité entre le monde aquatique et le monde terrestre, plus ou moins prononcée dans la nature.

Très décoratif, un aquaterrarium est plus délicat à concevoir qu'un aquarium, car il comporte deux parties de volume différent :

- la partie aquatique. La technologie, le décor et les poissons restent du domaine de l'aquariophilie ;
- le milieu terrestre, qui peut représenter une berge de rivière. Le maintien de la végétation s'apparente à la culture des plantes d'appartement.

Pour obtenir à la fois un bon équilibre et un réel aspect esthétique, il vaut mieux voir grand : à longueur égale, il sera plus large et plus haut qu'un aquarium. L'ensemble étant assez lourd, il faudra prévoir un support en conséquence.

La partie aquatique se conçoit comme un aquarium, avec quelques variantes :

- l'éclairage sera situé nettement au-dessus de la surface de l'eau. Même s'il est puissant, celle-ci recevra moins de lumière ;
- on peut y maintenir des plantes flottantes de taille plus conséquente ;
- le rejet de l'eau filtrée sera partiellement détourné vers la partie aérienne pour procurer de l'humidité aux plantes ;
- l'eau s'évapore parfois plus vite ;
- en plus des poissons, le peuplement peut comprendre d'autres animaux, notamment les tortues de Floride ou tortues à oreilles rouges (elles y seront plus à l'aise que dans les petits bacs où on les rencontre habituellement).

Le décor vertical de la partie terrestre sera élaboré à base de polyuréthane, en y incluant éventuellement des roches et du bois. Les plantes seront à affinité tropicale, c'est-à-dire aimant l'humidité, une température douce et un bon éclairage. Un certain nombre de végétaux d'appartement conviennent, mais également quelques plantes vendues pour les aquariums : elles préfèrent en effet vivre les pieds dans l'eau, et non pas totalement immergées. L'humidité sera entretenue par le rejet d'eau filtrée ruisselant sur le décor arrière, éventuellement par une petite cascade.

La condensation sur les vitres est évitée par une bonne aération de l'ensemble, ou même par une glace avant incomplète : dans ce dernier cas, l'aquaterrarium apparaît plus réel, plus naturel, n'étant pas séparé des spectateurs par un obstacle.

Le milieu vivant dans un aquaterrarium

Sans que le résultat soit hétéroclite, un assemblage de plantes et de poissons originaires de différentes régions du globe donne souvent un résultat heureux. On peut également se tourner vers un aquaterrarium régional : reconstitution d'une rivière et d'une berge d'Amazonie ou du Sud-Est asiatique. Les données suivantes concernent le premier cas.

Eau : neutre à légèrement basique (pH ≥ 7-7,2), dureté moyenne (10-15 °Fr). Cette eau, un peu passe-partout, correspond souvent à celle de nos robinets et permet un large choix de plantes aquatiques et de poissons.

Poissons : on accordera une prépondérance aux poissons de pleine eau vivant en banc, mais aussi aux espèces évoluant près de la surface.

Autres animaux : les tortues de Floride seront à l'aise, si on leur aménage un décor en pente douce, pour qu'elles puissent sortir de l'eau et venir se chauffer à la lumière. Si elles sont bien nourries, le risque de les voir s'attaquer aux poissons de petite taille est minime. Ces reptiles sont très populaires, mais il ne faut pas oublier qu'ils atteignent une taille de 30 cm et demandent un espace important pour nager. Les jeunes se nourrissent de tubifex ou de vers de vase, les adultes appréciant particulièrement les proies vivantes. En aquaterrarium, on peut leur offrir du foie ou du cœur de bœuf, mais il existe des nourritures sèches dans le commerce. En captivité, les tortues de Floride présentent souvent un ramollissement de la carapace dû à une carence en calcium et en vitamines. Il est donc nécessaire de varier l'alimentation et même parfois de la complémenter avec ces éléments. Elles sont également sensibles à certains troubles occulaires, probablement par manque de vitamine A.

Les tortues deviennnent souvent familières et acceptent alors de prendre leur nourriture dans la main de leur soigneur.

Plantes :

• partie aquatique : les plantes précédemment citées dans cet ouvrage conviennent, mais il faut savoir qu'elles recevront moins de lumière, certaines espèces s'adapteront donc mieux. Quant aux plantes à tige, certaines vont pouvoir atteindre la surface, continuer de pousser en s'y couchant, ou émerger.

Quelques plantes flottantes sont très ornementales : *Eichhornia* (jacinthe d'eau), *Pistia*, *Salvinia*, par exemple ;

• partie aérienne : un certain nombre de plantes d'aquarium vivent en fait en milieu humide, ou carrément les pieds dans l'eau, et sont donc adaptées à un aquaterrarium. Citons principalement quelques espèces appartenant aux genres *Acorus*, *Lobelia*, *Lagenandra*, *Spathiphyllum*. De plus, quelques plantes habituellement cultivées en pots dans nos appartements peuvent compléter ce décor végétal où elles supportent la lumière et l'humidité : *Aglaonema*, *Asparagus*, *Chlorophytum*, *Cyperus* (papyrus), *Dieffenbachia*, *Dracaena*, *Hedera* (lierre d'appartement), *Nephrolepis*. La combinaison des plantes dressées et des plantes plus ou moins tombantes (*Asparagus*, *Hedera*, *Nephrolpis*) permet une diversité décorative si l'ensemble est conçu avec goût et patience.

AQUARIUM POUR VIVIPARES D'AMÉRIQUE CENTRALE

Eau	Température (°C)	De 23 à 28, 25 de préférence.
	pH	7 à 7,8.
	Dureté (°Fr)	Jusqu'à 20. Possibilité d'adjonction de sels pour certaines espèces.
	Couleur	Transparente.
Éclairage		Normal à intense.
Filtration		Normale à élevée.
Sol		Sable grossier, quartz.
Décor inerte		Roches, bois.
Plantes		*Myriophyllum, Cabomba, Limnophila.* Ménagez une zone libre pour la nage des poissons.
Poissons		Vivipares : guppys, xiphos, mollies (voir L'AQUARIUM DU DÉBUTANT).

Les Cabomba *(ci-contre C. piauhyensis) se rencontrent dans les eaux calmes du continent américain. Tous demandent une lumière assez intense.*
Leur croissance est assez rapide et la reproduction se fait par boutures. Leur feuillage fin est parfois brouté par les guppys (ci-dessous) ou d'autres vivipares, caractéristiques des eaux d'Amérique centrale.

Cichlidés d'Amérique centrale

Noms scientifiques	Noms communs	Taille max. (cm)	Mode de vie	Alimentation	Reproduction	Observations
Cichlasoma nigrofasciatum	Nigro	15-20	A	OP	AF	Ponte sur support.
Cichlasoma meeki	Meeki, gorge de feu	13-15	A	OP	AF	Ponte sur support.

Il existe d'autres espèces de Cichlasoma (octofasciatum, salvini, synspilum). Agressifs et de grande taille, ils nécessitent un bac d'au moins 300 l. Il est préférable de conserver les Cichlasoma entre eux, en veillant à ce qu'ils soient de taille sensiblement égale.

Un bac spécifique pour Cichlidés d'Amérique centrale comporte un décor rocheux, mais peu de plantes car elles sont souvent malmenées par les poissons. Ceux-ci, appartenant au genre Cichlasoma, sont réputés pour leur comportement assez vif et leur agressivité. Ci-dessus, C. nicaraguense et C. zonatum, importés en France dans les années 80.

AQUARIUM POUR CICHLIDÉS D'AMÉRIQUE CENTRALE

Eau	Température (°C) pH Dureté (°Fr) Couleur	23 à 28. 7 à 7,8. Moyenne, 5 à 10. Transparente.
Éclairage		Normal.
Filtration		Puissante.
Sol		Sédiment à granulométrie grossière.
Décor inerte		Roches, racines, décors artificiels avec cachettes.
Plantes		*Vallisneria*. Les *Cabomba* peuvent convenir, mais sont parfois «bousculées» par les poissons.
Poissons		Les espèces du genre *Cichlasoma*. Pour commencer, on peut se tourner vers *C. nigrofasciatum* et *C. meeki*.

Les nigros (C. nigrofasciatum) *ont un comportement plutôt vif, mais forment des couples fidèles. La femelle dépose plusieurs centaines d'œufs sur une pierre, qui seront surveillés par les deux parents.*

Le meeki (C. meeki) *est un Cichlidé assez calme, sauf peut-être au moment de la reproduction.
Il apprécie les proies vivantes* (Artemia, *par exemple*).

GROS PLAN
SUR LE MEEKI

Lors de la reproduction, le mâle (qui se reconnaît à ses nageoires dorsale et anale en pointe) écarte largement ses opercules, et étend la membrane rouge vif de sa gorge.

Ainsi, il paraît plus imposant et tente d'intimider les autres poissons appartenant ou non à la même espèce.

La femelle dépose plusieurs centaines d'œufs sur un support : elle surveille ainsi les alevins qui naissent deux jours plus tard.

Dès qu'ils nagent, les alevins doivent disposer de nauplies d'*Artemia*. Leur croissance est rapide s'ils sont bien nourris.

Les adultes préfèrent une eau légèrement alcaline et apprécient des cachettes dans le décor ; ils ont néanmoins besoin d'espace pour nager.

AQUARIUM DE TYPE RIVIÈRE AMAZONIENNE

Eau	Température (°C)	23 à 26.
	pH	Entre 6 et 7, parfois moins.
	Dureté (°Fr)	Très faible, inférieure à 5, souvent 1-2.
	Couleur	Jaunâtre à brunâtre.
Éclairage		Moyen, pour produire une luminosité diffuse.
Filtration		Normale, en utilisant de la tourbe.
Sol		Couleur sombre, granulométrie moyenne à élevée.
Décor inerte		Racines, branches, quelques roches sombres.
Plantes		- A boutures : *Cabomba*, *Myriophyllum*. - En pied : *Echinodorus*.
Poissons		Characidés : nombreuses espèces de petite taille, vivant en groupe ou en petit banc. Cichlidés : les scalaires peuvent cohabiter avec les Characidés. Espèce de fond : corydoras. Espèce particulière : *Otoclincus*, qui peut se nourrir d'algues.

L'amazone (Echinodorus amazonicus) *est une des plus majestueuses plantes d'aquarium, qui gagne à être mise en valeur parmi d'autres végétaux. Si les conditions sont favorables (eau acide, bonne luminosité), les feuilles peuvent atteindre 40 cm de longueur et 2 à 3 cm de large. Deux espèces proches, aux exigences très voisines, atteignent la même taille. Toutes sont originaires d'Amérique centrale et d'Amérique du Sud.*

LA REPRODUCTION DES CHARACIDÉS

Elle est délicate pour la plupart des espèces, une des conditions les plus importantes étant la qualité de l'eau. Les œufs, semi-adhésifs, doivent être soustraits à l'appétit des parents. On utilisera pour cela un bac de petit volume (10 à 50 l), chauffé à 24-25 °C et plus ou moins obscurci : les alevins de certaines espèces ne supportent pas une lumière vive pendant leurs premiers jours.

L'eau sera très douce (à peine quelques degrés français) et acide (pH 6 à 6,5). On peut utiliser un petit filtre intérieur, contenant de la tourbe, pour maintenir le pH aux valeurs préconisées.

Plusieurs supports de ponte sont possibles :
- plantes à feuillage fin : *Myriophyllum*, *Cabomba* ;
- mousse de Java ;
- ouate de perlon, identique à celle utilisée en tant que masse filtrante ;
- un certain nombre d'œufs tombant au fond, celui-ci peut être garni de billes de verre.

On place dans le bac un couple de géniteurs que l'on retirera après la ponte. Les Characidés sont prolifiques et on peut obtenir plusieurs centaines d'œufs qui éclosent entre 1 et 3 jours selon les espèces. Par précaution, ils sont parfois traités au bleu de méthylène pour éviter le développement des champignons (disponible en solution aqueuse dans les pharmacies ; une ou deux gouttes d'une solution à 5 % suffisent pour 10 l d'eau). Les alevins doivent être nourris dès qu'ils nagent (quelques jours après l'éclosion) avec des infusoires, puis avec des nauplies d'*Artemia*. Une lumière normale sera graduellement rétablie, en l'espace d'une semaine environ.

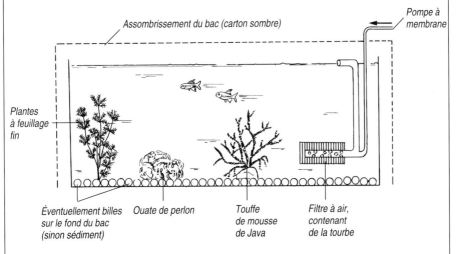

Plantes à feuillage fin

Assombrissement du bac (carton sombre)

Pompe à membrane

Éventuellement billes sur le fond du bac (sinon sédiment)

Ouate de perlon

Touffe de mousse de Java

Filtre à air, contenant de la tourbe

La reproduction des Characidés nécessite un aquarium réservé à cet usage, comportant quelques aménagements particuliers. Les supports de ponte (de gauche à droite : plantes à feuillage fin, ouate de perlon, mousse de Java) sont destinés aux œufs semi-adhésifs qui seront ainsi dissimulés à la vue des parents. Le petit filtre intérieur contient de la tourbe pour maintenir l'acidité de l'eau. L'obscurcissement du bac (symbolisé par un pointillé) est recommandé jusqu'à ce que les alevins soient âgés de quelques semaines.

Poissons pour aquarium de type rivière amazonienne

La plupart des espèces pouvant peupler un aquarium de ce type appartiennent à la famille des Characidés.

Noms scientifiques	Noms communs	Taille max. (cm)	Mode de vie	Alimentation	Reproduction	Observations
Hemigrammus ocellifer	Feux-de-position	5	CG	OV	D	Reproduction dans l'obscurité.
Hemigrammus erythrozonus	Néon rose	5	CG	O	D	Reproduction en lumière atténuée.
Gymnocorymbus ternetzi	Tétra noir, veuve	5	CG	O	D	Très prolifique. Il existe une forme voile.
Paracheirodon innesi	Néon	5	CG	OP	D	Reproduction en eau presque déminéralisée, pH = 6.
Cheirodon axelrodi	Cardinalis	5	CG	OP	D	Les alevins n'aiment pas la lumière.
Hyphessobrycon herbertaxelrodi	Néon noir	5	CG	OP	D	Reproduction en eau acide et de dureté très faible.

Le néon noir (H. herbertaxelrodi) vit dans des eaux douces et acides, mais transparentes. Il a sa place dans un bac de Characidés, où il est préférable de le garder en groupe. Il se reproduit dans une eau de très faible dureté. Les alevins doivent être nourris avec des infusoires, puis des nauplies d'Artemia.

Le feux-de-position (Hemigrammus ocellifer) doit son nom aux quelques taches brillantes qui parsèment son corps. Il vit en groupe, est très actif et peut être intégré à un bac sud-américain. La reproduction a lieu en eau acide ; plusieurs centaines d'œufs sont pondus par la femelle et incubent à l'obscurité. L'éclosion a lieu en deux jours, et il faut alors retirer les parents.

Le cardinalis (Cheirodon axelrodi) est un des Characidés qui présentent les couleurs les plus brillantes : un petit banc de plusieurs dizaines d'individus constitue un spectacle «lumineux» dans un bac de Characidés. Il se reproduit dans une eau très douce et très acide, en milieu obscurci. Les alevins doivent d'abord être nourris avec des infusoires.

Ci-dessus : le poisson-pingouin (Thayeria boehlkei) nage en position oblique, la tête vers le haut, et aime vivre en groupe. La femelle est très prolifique, elle peut pondre jusqu'à 1 000 œufs qui éclosent en 24 h.

Ci-contre : comme beaucoup d'autres Characidés, le tétra citron (Hyphessobrycon pulchripinnis) aime les petites proies vivantes proportionnées à la taille de sa bouche. Il se reproduit en groupe, parmi des plantes à feuillage fin, dans une eau acide.

Les poissons-hachettes vivent sous la surface de l'eau, ils complètent donc la population d'un aquarium de Characidés sans empiéter sur leur territoire, mais peuvent sauter hors de l'eau. Il existe plusieurs espèces voisines (sur cette photo, Gasteropelecus sternica*) dont la reproduction en captivité est rare.*

Noms scientifiques	Noms communs	Taille max. (cm)	Mode de vie	Alimentation	Reproduction	Observations
Hyphessobrycon callistus	-	5	CG	OP	D	Plusieurs espèces proches vendues sous ce nom.
Hyphessobrycon erythrostigma	Cœur saignant	10-12	CG	OP	TD	Peu prolifique.
Hyphessobrycon pulchripinnis	Tétra citron	5	CG	OP	D	Fraie en groupe.
Carnegiella strigata	Poisson-hachette	5	CG	OP	R	Vit juste sous la surface. Il existe une espèce proche.

Autres Characidés : *Hemmigrammus bleheri* (nez rouge), *Aphyocharax anisitsi, Hasemania nana, Anopichthys jordani* (tétra aveugle), *Megalamphodus megalopterus* (tétra-fantôme), *Thayeria boehlkei* (poisson-pingouin), *Pristella maxillaris, Nematobrycon palmeri* (tétra empereur), *Nannostomus* (poisson-crayon, plusieurs espèces proches).

Outre ces Characidés, l'aquarium peut également comprendre quelques corydoras, le très populaire scalaire (qui sera présenté en détail dans le chapitre L'AQUARIUM DE L'AMATEUR SPÉCIALISÉ) et l'*Otoclinclus*. Ce poisson (ou plutôt ces poissons, car il en existe plusieurs espèces), qui ne dépasse pas 4 à 5 cm, se nourrit presque exclusivement d'algues et est très sociable.

AQUARIUM POUR CICHLIDÉS D'AMÉRIQUE DU SUD

Eau	Température (°C) pH Dureté (°Fr) Couleur	23 à 26. 6 à 6,8. Faible, inférieure à 10, parfois moins. Transparente, mais jaunâtre à brunâtre.
Éclairage		Moyen, luminosité atténuée.
Filtration		Normale, avec de la tourbe.
Sol		De couleur sombre, granulométrie moyenne.
Décor inerte		Branches, racines, décor artificiel.
Plantes		- A boutures : *Myriophyllum*. - En pied : *Echinodorus*. Peuvent être bousculées par les poissons les plus vifs.
Poissons		Cichlidés nains, espèces de petite taille, plutôt calmes, respectant le décor : *Nannacara*, *Apistogramma*, *Papiliochromis*. Espèces plus grandes, calmes : scalaire, discus. Peuvent cohabiter avec les précédents (et avec des Characidés), possibilité de les maintenir toutes les deux, séparément ou ensemble, dans un aquarium spécifique (la maintenance et la reproduction de ces espèces seront traitées dans la dernière partie de cet ouvrage, au chapitre L'AMATEUR SPÉCIALISÉ). Espèces plutôt turbulentes : *Aequidens*, *Cichlasoma*, *Geophagus*. Espèce de fond : *Corydoras*.

Ci-dessus : les Cichlidés nains sont moins agressifs que les espèces de plus grande taille et ils respectent le décor. Le ramirezi (Papiliochromis ramirezi) est même parfois un peu craintif, mais c'est néanmoins une espèce territoriale. La reproduction a lieu en couple, les œufs sont déposés sur une pierre.

A droite : Cichlasoma festivum se reconnaît à sa bande noire oblique. C'est un Cichlidé plutôt calme, mais les plus grands spécimens peuvent devenir belliqueux. La femelle dépose ses œufs sur un support.

A gauche : agressif comme beaucoup d'autres Cichlidés, ce Cichlasoma (C. octofasciatum) modifie le décor et ne respecte pas les plantes. Il a besoin d'une nourriture carnée (tubifex, moules, cœur de bœuf), mais accepte aussi les nourritures artificielles. La femelle dépose ses œufs sur une pierre. Les alevins ont besoin de nauplies d'Artemia comme première nourriture.

Les acaras sont des Cichlidés qui pondent sur une pierre, puis transfèrent les œufs dans des dépressions qu'ils ont creusées dans le sédiment. L'acara bleu (Aequidens pulcher, à droite) est plus agressif que A. curviceps (à gauche) et Aequidens maronii (en haut).
Tous aiment une eau douce, acide et transparente.
Ils apprécient particulièrement les petites proies vivantes, mais s'adaptent aux aliments du commerce.

CICHLIDÉS SUD-AMÉRICAINS

Noms scientifiques et famille	Noms communs	Taille max. (cm)	Mode de vie	Alimentation	Reproduction	Observations
CICHLIDÉS NAINS						
Papiliochromis ramirezi	Apisto ramirezi	8	C	P	D	Ponte sur un support. Plusieurs espèces, voisines (genre *Apistogramma*).
Nannacara anomala	–	6	C	OP	AF	Ponte sur support.

AUTRES ESPÈCES						
Aequidens curviceps	–	8	A	OP	AF	Ponte sur support.
Aequidens pulcher	Acara bleu	15-20	A	OP	AF	Ponte sur pierres plates.
Aequidens maronii	Acara maroni	13	C	OP	AF	Ponte sur support.
Cichlasoma octofasciatum	–	20	A	OP	AF	Ponte sur une pierre.
Cichlasoma festivum	Festivum	15	C	OP	D	Ponte sur support.

Aquarium pour poissons ouest-africains

Eau	Température (°C)	23 à 26, 25 de préférence.
	pH	6,4 à 7.
	Dureté (°Fr)	Faible, en général inférieure à 5.
	Couleur	Claire.
Éclairage		Normal à intense.
Filtration		Puissante.
Sol		Granulométrie assez grossière.
Décor inerte		Roches, bois.
Plantes		De structure assez solide : *Anubias, Crinum natans.*
Poissons		Dans un premier temps : - Cichlidés : *Hemichromis bimaculatus* ; *Pelvicachromis pulcher* ; *Oreochromis mossambicus.* - Characidés : *Phenacogrammus interruptus.* - Familles diverses : *Pantodon buchholzi* ; *Gnathonemus petersii* ; *Synodontis nigriventris.* Par la suite : - Cichlidés : *Tilapia buttikoferi.*

Les Anubias *ne se rencontrent qu'en Afrique, certaines espèces atteignant 1 m. L'espèce présentée ici (A. barteri) a un développement plus modeste, mais ne demande pas beaucoup de lumière. La croissance est lente, la reproduction s'effectuant par fragmentation du rhizome, qui ne doit jamais être enterré. L'eau doit être acide et de dureté assez faible.*

Un bac spécifique ouest-
africain (ci-dessus) peut
contenir une assez grande
variété de plantes et abriter
diverses espèces
de poissons, dont
Pelvicachromis pulcher
(ci-contre). Le Cichlidé
est paisible et respectera
les plantations.
Il se reproduit dans
une anfractuosité naturelle
ou artificielle (pot de fleurs).
La femelle y restera
avec les œufs, puis elle
accompagnera les alevins
à leur première sortie,
le mâle défendant
sa petite famille.

POISSONS POUR AQUARIUM OUEST-AFRICAIN

Noms scientifiques et famille	Noms communs	Taille max. (cm)	Mode de vie	Alimentation	Reproduction	Observations
CICHLIDÉS						
Hemichromis bimaculatus	Cichlidé-joyau	13	A-PI	P	AF	Ponte sur substrat.
Pelvicachromis pulcher	–	13	C	OP	AF	Ponte dans une excavation.
Oreochromis mossambicus	–	30 et +	A	OP	AF	Incubation buccale maternelle. Volume minimal : 300 l.
Tilapia buttikoferi	–	30	A	OP	D	Les parents surveillent étroitement les alevins. Volume minimal : 300 l.

Sous le nom de cichlidé-joyau (Hemichromis bimaculatus) *sont en fait commercialisées plusieurs espèces différentes, mais très proches : comportement agressif (mais respect des plantes), nourriture artificielle complétée par des proies vivantes. La ponte a lieu sur une pierre, dans une portion de territoire bien délimitée et bien défendue.*

Oreochromis mossambicus *a une importance particulière dans certaines régions du globe où il est élevé pour l'alimentation humaine. En aquarium, c'est un poisson agressif qui creuse le sol et déterre les plantes. La femelle incube les œufs dans sa bouche et les alevins peuvent y retourner pour s'y protéger.*

Noms scientifiques et famille	Noms communs	Taille max. (cm)	Mode de vie	Alimentation	Reproduction	Observations
CHARACIDÉS						
Phenacogrammus interruptus	Tétra du Congo	13	G	OP	D	Espèce prolifique.

Le mâle du tétra du Congo (Phenacogrammus interruptus) *se distingue de la femelle par un prolongement central de sa nageoire caudale.*
*Paisible, il aime nager en groupe et a donc besoin d'espace. La reproduction, assez délicate, nécessite une eau douce et acide. Les alevins nagent dès l'éclosion à la recherche de petites proies vivantes (nauplies d'*Artemia*).*

Noms scientifiques et famille	Noms communs	Taille max. (cm)	Mode de vie	Alimentation	Reproduction	Observations
ESPÈCES DIVERSES						
Pantodon buchholzi	Poisson-papillon	13	1+	P	TD	Nage sous la surface.
Gnathonemus petersii	Poisson-éléphant	15-20	1+	P	R	Vit sur le fond, actif le soir et la nuit.
Synodontis nigriventris	–	13-15	1+	OP	R	Nage sur le dos, plus actif la nuit.

Quelques espèces de poissons présentent un comportement particulier : c'est le cas de Synodontis nigriventris qui nage systématiquement sur le dos.
Il est actif principalement la nuit, il faut donc lui procurer des abris pour la journée. Sa reproduction en aquarium n'est pas courante.
On peut également trouver sur le marché aquariophile d'autres espèces de Synodontis : si elles ont les mêmes exigences que S. nigriventris, elles ne nagent pas à l'envers !

Il n'y a qu'un poisson-papillon (Pantodon buchholzi) *sur cette photo... mais, comme il vit dans la partie supérieure de l'aquarium, on voit son reflet à la surface de l'eau. Parfois vif, il peut même sauter hors de l'eau. Il préfère nettement les proies vivantes, et sa reproduction est très délicate.*

En plus de son allure, le poisson-éléphant (Gnathonemus petersii) a la particularité d'émettre de faibles décharges électriques (inoffensives pour l'homme) qui lui servent à s'orienter.
Il est plutôt discret la journée, dissimulé dans le décor, et devient actif le soir. Il capture de petites proies vivantes sur le sol.

AQUARIUMS POUR POISSONS DES LACS EST-AFRICAINS

		Lac Tanganyika	Lac Malawi
Eau	Température (°C) pH Dureté (°Fr) Couleur	23 à 27. 7,5 à 8. 7-18. Transparente.	23 à 27. 7,5 à 7,8. 13-20. Transparente.
Éclairage		Intense.	
Filtration		Plutôt puissante.	
Sol		Granulométrie grossière.	
Décor inerte		Roches avec cachettes, anfractuosités, grottes. Bel effet des décors artificiels (polystyrène, polyuréthane).	
Plantes		Rares en milieu naturel. En aquarium, très souvent déracinées par les poissons, notamment lors de la reproduction. Mieux vaut développer le décor inerte, éventuellement en y laissant pousser quelques algues.	
Poissons	Pour commencer :	*Astatotilapia burtoni* *Julidochromis* *Neolamprologus*	*Pseudotropheus zebra* *Pseudotropheus tropheops* *Pseudotropheus lombardoi* *Aulonocara nyassae* *Melanochromis auratus* *Melanochromis johannii* *Labeotropheus fuelleborni*
	Par la suite :	*Tropheus* *Cyphotilapia frontosa*	Les *Haplochromis* (*Nimbochromis living-stonii* et *N. venustus*, *Cyrtocara moorii*)
	N. B.	Espèces souvent de grande taille, assez agressives entre elles ou avec d'autres poissons, notamment au moment de la reproduction. Quelques poissons sont considérés comme des «bulldozers» et passent leur temps à modifier le décor à leur gré.	

Les bacs d'Afrique de l'Est sont peuplés de certains poissons que l'on ne rencontre nulle part ailleurs (on parle alors d'espèces endémiques). Les eaux sont dures et basiques, et très peu de plantes s'y développent. Ces milieux peuvent faire l'objet de bacs spécifiques où prédominera le décor inerte à base de roches ou de produits artificiels (polystyrène, polyuréthane). Ci-contre : un aquarium présentant des poissons du lac Malawi ; ci-dessous : un bac recréant le milieu du lac Tanganyika.

CICHLIDÉS DU LAC TANGANYIKA

Noms scientifiques	Noms communs	Taille max. (cm)	Mode de vie	Alimentation	Reproduction	Observations
Astatotilapia burtoni	–	13	A-PI	OP	AF	Incubation buccale par la mère.
Neolamprologus elongatus	Princesse du Burundi	13	CG	OP	D	Pond dans une cavité.
Julidochromis sp.	Julido	13	A-PI	P	D	Pond dans une cavité. Plusieurs espèces proches.

Il existe d'autres espèces au comportement agressif, dont la reproduction est assez délicate : *Cyphotilapia frontosa, Tropheus moorii* et *Tropheus duboisi.*

En milieu naturel, *Neolamprologus elongatus* vit en banc pouvant compter plusieurs milliers d'individus dans des zones rocheuses. En aquarium, il faudra donc lui offrir un décor rocheux où il pourra se dissimuler, et des zones dégagées pour qu'il puisse évoluer à son aise. Son régime alimentaire se compose de petites espèces qui peuvent occasionnellement être remplacées par des paillettes. La ponte se fait dans une cavité.
Les alevins restent en banc sous la garde des parents, plusieurs générations successives pouvant cohabiter.

Les julidos sont des Cichlidés qui forment des couples stables. Ils vivent en milieu rocheux, dans des fissures et des anfractuosités. C'est là que la ponte a lieu ; les œufs sont surveillés par la femelle, tandis que le mâle protège le site de ponte. Les alevins nagent une semaine après leur éclosion et se nourrissent de nauplies d'Artemia.

Il existe cinq espèces de Julidochromis, parmi lesquelles J. marlieri (ci-dessus) et J. dickfeldi (ci-contre un jeune mâle) qui est caractérisé par une fine bordure sur les nageoires.

CICHLIDÉS DU LAC MALAWI

Noms scientifiques	Nom commun	Taille max. (cm)	Mode de vie	Alimentation	Reproduction	Observations
Pseudotropheus zebra	–	13	A	PV	AF	Plusieurs variétés de coloration. Incubation buccale maternelle.
Melanochromis auratus	–	13	A	PV	AF	Incubation buccale maternelle.
Labeotropheus fuelleborni	–	13	A	P	AF	Incubation buccale maternelle.
Aulonocara nyassae	–	13	A-Pl	OP	AF	Incubation buccale maternelle.
Nimbochromis livingstonii	Cichlidé-léopard	20	A-Pl	P	AF	Incubation buccale maternelle.

Citons également *Pseudotropheus tropheops* et *P. lombardoi, Melanochromis johannii, Nimbochromis venustus* et *Cyrtocara moorii*, en général agressifs et ne respectant pas tous les plantations.

Endémique du lac Malawi, Melanochromis auratus *possède un tel caractère qu'il ne peut être gardé qu'avec des poissons de sa taille (originaires du même lac si on veut créer un bac spécifique). La femelle pratique l'incubation buccale de quelques dizaines d'œufs pendant trois semaines. Les alevins se nourrissent d'abord de nauplies d'Artemia, puis acceptent de fines nourritures sèches.*

Autre espèce agressive du lac Malawi,
Pseudotropheus zebra *a besoin d'un apport végétal
dans son alimentation. Il apprécie un décor rocheux
lui offrant des cachettes pour qu'il puisse y choisir
son territoire. La femelle pratique également
l'incubation buccale.*

*Ces poissons peuvent présenter des colorations
légèrement différentes, la forme classique étant
bleue à bandes noires verticales (ci-dessus).
Les formes orangées et bleues (ci-contre,
un mâle bleu et une femelle orange)
sont parfois considérées comme des espèces
différentes. Elles sont couramment disponibles
sur le marché.*

227

Il existe bien d'autres poissons dans ce lac Malawi, très riche en espèces. Labeotropheus fuelleborni (ci-dessus) est essentiellement herbivore ; dans son milieu naturel, il racle de petites algues fixées aux amas rocheux. En aquarium, il faudra donc lui fournir de la salade cuite ou des épinards. Il existe plusieurs races et une espèce proche, L. trewavasae, au corps plus fin.

Aulonocara nyassae (ci-contre en haut) préfère les proies vivantes ainsi que d'autres aliments du commerce ; il respecte la plantation.

C'est également le cas de Nimbochromis livingstonii, le cichlidé-léopard (ci-contre en bas), dont il existe plusieurs espèces proches. Il aime évoluer dans un bac spacieux recelant de nombreuses cachettes.

Ces trois Cichlidés pratiquent une incubation buccale maternelle : les alevins se réfugient dans la bouche de la mère en cas de danger. On peut pratiquer une incubation artificielle avec ces trois espèces (voir détails pages suivantes).

Elle diffère notablement de celles de la plupart des autres poissons, les Cichlidés s'occupant de leurs œufs et de leurs alevins. Selon les espèces, il existe plusieurs modes de reproduction :
- ponte sur support visible : feuilles rigides, branches, pierres ;
- ponte sur support caché : paroi d'une cavité ;
- incubation buccale : œufs et alevins sont protégés dans la bouche même de la mère !
Les parents étant territoriaux et protégeant leur progéniture, la reproduction a souvent lieu dans l'aquarium d'ensemble, les autres occupants étant écartés plus ou moins vigoureusement.

Ponte sur support visible

Ce support de ponte est variable : bois, roche, le plus souvent une pierre plate horizontale. Après avoir choisi, les parents nettoient souvent le support, avant d'y déposer plusieurs centaines d'œufs. Ils écartent les autres poissons, surveillent les œufs et les aèrent avec leurs nageoires. Ils s'occupent également des alevins après leur éclosion. Dès que ceux-ci nagent librement, il faut leur fournir des nauplies d'*Artemia*.

Ponte sur support caché

La ponte a lieu dans une cavité prévue dans le décor ; on peut éventuellement utiliser un pot de fleurs ou une noix de coco vidée (avec une ouverture de quelques centimètres). Après la ponte, la femelle reste dans la cavité pour s'occuper des œufs, tandis que le mâle défend les environs et empêche les autres poissons d'approcher. Après une incubation de trois jours environ, les œufs éclosent, mais les alevins ne nageront librement qu'au bout d'une semaine environ, toujours sous la garde des parents : il faut alors leur donner des nauplies d'*Artemia*.
Chez *Neolamprologus brichardi*, les pontes sont espacées de quatre semaines environ, les alevins restant plusieurs mois sous la garde des parents. Il y a cohabitation de plusieurs générations successives, les plus anciens alevins s'occupant également des œufs et des plus jeunes, cas rare parmi les poissons.

Incubation buccale

La reproduction s'effectue souvent dans un bac d'ensemble, où il faut prévoir un mâle pour quelques femelles. La parade nuptiale est brève, les œufs sont pondus et fécondés sur le sol, parfois dans une cuvette préparée à l'avance par les poissons ; ils sont ensuite récupérés par la femelle dans sa cavité buccale. Chez quelques espèces du genre *Melanochromis*, il semblerait que la femelle aspire le sperme du mâle en même temps que les œufs, la fécondation ayant alors lieu dans sa bouche.
L'incubation dure environ trois semaines dans la majorité des cas, et la femelle ne peut s'alimenter ; elle aère les œufs par des mouvements des mâchoires. Après l'éclosion, lorsque les alevins nagent, ils se nourrissent de nauplies d'*Artemia*, éventuellement de fines particules du commerce. A la moindre alerte, ils regagnent la bouche maternelle pour s'abriter, mais deviendront rapidement indépendants.

Ponte sur support découvert : après nettoyage du support, les œufs sont déposés et fécondés, puis ils incubent sous la surveillance des parents.

Ponte sur support caché (paroi d'une grotte, face intérieure d'un pot de fleurs) : la femelle va s'occuper des œufs jusqu'à ce que les alevins nagent librement, tandis que le mâle surveille les environs et écarte les éventuels intrus.

Incubation buccale : pendant l'incubation, il vaut mieux que la femelle soit au calme, sans risquer d'être agressée par un autre poisson. On peut donc l'isoler dans un bac à part, les alevins y seront également plus en sécurité.

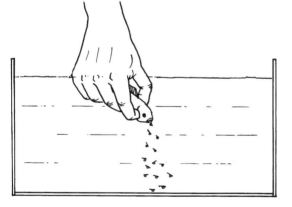

Une autre méthode consiste à pratiquer une incubation artificielle, lorsque les œufs ont éclos dans la cavité buccale de la femelle.
On lui fait expulser manuellement – et avec délicatesse ! – ses alevins dans un bac où ils poursuivront leur développement ; elle peut ensuite réintégrer l'aquarium d'ensemble.

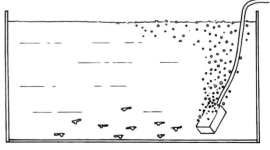

Dès que les alevins nagent, ils doivent pouvoir disposer de nauplies d'Artemia. L'eau sera fortement aérée et traitée avec du bleu de méthylène (voir également p. 207) pour parer au développement de champignons.

Certains Cichlidés (comme Hemichromis bimaculatus ci-contre) pondent sur un support découvert, dans un territoire précis, les parents chassant activement tout intrus.

D'autres espèces, par exemple Pelvicachromis pulcher, dissimulent leurs œufs dans une cachette ; on peut alors leur fournir des matériaux artificiels. Un dernier groupe pratique l'incubation buccale. La femelle garde les œufs dans sa bouche et les alevins s'y réfugient (Melanochromis exasperatus, p. 233). Lorsque le danger est écarté, les alevins ressortent mais restent prudemment à proximité (Cyrtocara moorii).

Cyrtocara moorii.

Pelvicachromis pulcher.

LES CICHLIDÉS ET LEURS DIFFÉRENTS MODES DE REPRODUCTION

	Espèces	
	Amérique	**Afrique**
Ponte sur support découvert	centrale : *Cichlasoma nigrofasciatum* et *C. meeki*. du Sud : *Cichlasoma octofasciatum, C. festivum, Aequidens**.	de l'Ouest : *Hemichromis bimaculatus, Tilapia buttikoferi*.
Ponte sur support caché	du Sud : A*pistogramma*.	de l'Ouest : *Pelvicachromis pulcher*. de l'Est : *Neolamprologus, Julidochromis*.
Incubation buccale	du Sud : *Geophagus steindachneri*.	de l'Ouest : *Oreochromis mossambicus*. de l'Est : *Astatotilapia burtoni, Nimbochromis, Aulonocara nyassae, Pseudotropheus, Melanochromis, Labeotropheus fuelleborni*.

* Les scalaires et les discus, traités dans le chapitre L'AQUARIUM DE L'AMATEUR SPÉCIALISÉ, appartiennent à ce groupe.

Aquarium pour poissons du marais asiatique

Eau	Température (°C)	24 à 28, température préférentielle 26.
	pH	6,5 à 7.
	Dureté (°Fr)	Inférieure à 10, parfois même à 5.
	Couleur	Transparente.
Éclairage		Intense, pour favoriser le développement des plantes.
Filtration		Normale.
Sol		Sable, quartz.
Décor inerte		Roches, bois, éventuellement bambous.
Plantes		- pouvant se bouturer : plusieurs espèces d'*Hygrophila* ; - en pied : *Vallisneria*, *Cryptocoryne* ; - à bulbe : *Aponogeton*. Plusieurs espèces très décoratives, parfois délicates à cultiver. Floraison possible en aquarium, au-dessus du niveau de l'eau.
Poissons		Ovipares présentés dans le chapitre L'AQUARIUM DU DÉBUTANT : danios, barbus, *Tanichthys*, kuhli, Anabantidés. Autres Cyprinidés : les autres espèces de barbus, les rasboras, les labéos. Cobitidés : botias. Quelques espèces particulières : silure de verre, perche de verre.

Quelques Aponogeton *sont originaires du Sud-Est asiatique, mais la plus curieuse* (A. fenestralis) *nous vient de Madagascar. Ses nervures entrecroisées ne comportent pas les tissus présents chez les autres végétaux. La plupart des espèces du même genre ne présentent pas cette particularité et nécessitent peu de lumière.*

Un bac régional asiatique est facile à concevoir, compte tenu du très grand nombre de plantes et de poissons originaires de ce continent disponibles dans le commerce. Il faut cependant respecter une certaine harmonie et éviter d'utiliser trop d'espèces différentes, ce qui pourrait conduire à un résultat hétérogène.

UNE PRATIQUE DOUTEUSE ET INUTILE

Le *Chanda ranga* (perche de verre) fait l'objet d'une curieuse pratique dans le Sud-Est asiatique : les individus pêchés et élevés sont teintés artificiellement au niveau du dos et du ventre (jaune, rose, rouge, vert, bleu). A part un sordide aspect mercantile, cela n'a aucun intérêt : ce qui fait la particularité du poisson, c'est justement sa transparence ! De plus, la couleur ne tient pas à long terme.

Pour limiter, stopper ou éviter la propagation de ce genre de procédé, nous déconseillons vivement aux aquariophiles d'acheter ces poissons teintés : il y a suffisamment d'espèces colorées disponibles sur le marché !

LES POISSONS DU SUD-EST ASIATIQUE

Noms scientifiques et famille	Noms communs	Taille max. (cm)	Mode de vie	Alimentation	Reproduction	Observations
CYPRINIDÉS						
Capoeta tetrazona	Barbus de Sumatra	8	CG	OP	AF	Peut parfois taquiner des poissons de petite taille. Plusieurs variétés.
Capoeta titteya	Barbus cerise	5	CG	O	AF	Plutôt timide.
Rasbora heteromorpha	Arlequin	5	CG	O	D	Très robuste.
Rasbora trilineata	Rasbora-ciseaux	10-13	CG	O	D	Très prolifique.
Rasbora borapetensis	Rasbora à queue rouge	5	CG	O	D	Très prolifique.
Labeo bicolor	Labéo	10-13	1+	OV	R	Reproduction quasi impossible pour un amateur (utilisation d'hormones dans les élevages).

Le mâle de Capoeta titteya *prend une couleur rouge caractéristique au moment de la reproduction, ce qui lui a valu son surnom de barbus cerise.*

A gauche : Rasbora heteromorpha *est un Cyprinidé de petite taille, très résistant, et qui vit en groupe. Sa reproduction, peu aisée, demande une eau acide filtrée sur tourbe. La croissance des alevins est assez rapide.*

A droite : Labeo frenatus *est un poisson de fond ; il y cherche sa nourriture dans l'obscurité et se dissimule la journée. L'espèce proche,* Labeo bicolor, *n'a que la nageoire caudale colorée en rouge.*

Le rasbora-ciseaux (Rasbora trilineata) contracte sa nageoire caudale pour se déplacer, c'est ainsi qu'il a acquis son nom commun. Il est préférable de le garder en petit groupe avec un espace libre pour qu'il puisse nager. Il accepte facilement les nourritures sèches.

Noms scientifiques et familles	Noms communs	Taille max. (cm)	Mode de vie	Alimentation	Reproduction	Observations
COBITIDÉS						
Botia macracantha	Loche-clown	10-13	1+	O	R	Plusieurs autres espèces assez proches.
SILURIDÉS						
Kryptopterus bicirrhis	Silure de verre	13	CG	O	R	Presque totalement transparent.
CENTROPOMIDÉS						
Chanda ranga	Perche de verre	8	CG	O	TD	Presque totalement transparent ; variétés colorées artificiellement (voir encadré p. 235).

Les botias sont des poissons de fond qui détectent leur nourriture grâce à leurs barbillons. Ils sont plus actifs la nuit et se dissimulent parmi le décor le jour.
La reproduction de ces espèces est extrêmement rare en captivité. La loche-clown (B. macracantha) est couramment importée, mais il existe plusieurs autres espèces, dont le B. striata *(ci-dessous)* qui présente de fines bandes verticales.

Le silure de verre (Kryptopterus bicirrhis, *ci-contre*) surprend toujours ceux qui le découvrent pour la première fois : son corps est quasi transparent. On distingue parfaitement la colonne vertébrale et la masse des viscères, située ventralement en arrière de la tête.
Son comportement est bon, en groupe, dans un bac communautaire peuplé d'autres espèces paisibles.
Sa reproduction est très rare en aquarium.

La mangrove et les milieux d'eau saumâtre

Eau	Température (°C)	24 à 28, de préférence 26-27.
	pH	7 à 8 selon la salinité de l'eau.
	Dureté (°Fr)	Il est préférable de parler de salinité : jusqu'à 10 ‰.
	Couleur	Transparente.
Éclairage		Intense.
Filtration		Normale.
Sol		Sédiment fin.
Décor inerte		Branches, racines, pas de roches.
Plantes		Peu de plantes supportent une eau saumâtre, citons cependant une myriophylle et *Cryptocoryne ciliata*.
Poissons		Les black-mollies (vivipares). *Monodactylus*, *Scatophagus*, *Tetraodon fluviatilis*, *Brachygobius*, *Toxotes*. La perche de verre *(Chanda ranga)* peut supporter de faibles taux de salinité (jusqu'à 8 ‰ environ).

La mangrove est un milieu bien particulier que l'on peut reconstituer en aquarium, peuplé d'espèces supportant des eaux à salinité variable.

Le poisson-archer (Toxotes jaculator) *a une curieuse façon de se nourrir dans son milieu naturel :*
il émet un jet d'eau avec sa bouche pour atteindre des petits insectes aériens qui tombent à la surface
de l'eau où ils sont dévorés. En aquarium, il faut lui fournir des proies vivantes.

UN MILIEU TRÈS PARTICULIER

Sous le nom de mangroves, on regroupe des zones tropicales d'Afrique, d'Asie et d'Australie formant des estuaires et des lagunes envasés. La température de l'eau peut atteindre 35 °C et la salinité y est variable selon l'influence des marées. La végétation s'y fixe, mais croît hors de l'eau, seules les racines étant immergées.

Les végétaux les plus connus sont les palétuviers, on y trouve également des plantes habituées aux milieux humides, comme les fougères.

Les poissons qui y vivent peuvent supporter de grandes variations de salinité (ils sont dits euryhalins) et sont spécifiques de ces milieux.

Le plus connu et le plus curieux est le *Periophthalmus* qui est amphibie et peut se déplacer hors de l'eau grâce à ses nageoires pectorales modifiées. L'humidité ambiante et l'absorption d'oxygène par divers organes lui permettent de résister un certain temps à l'air libre.

Tetraodon fluviatilis *(à gauche) habite les eaux légèrement salées et il se nourrit presque uniquement de proies vivantes. La perche de verre* (Chanda ranga) *vit habituellement dans des eaux continentales dures, mais supporte des eaux faiblement salées (à droite).*

LES POISSONS D'EAU SAUMÂTRE

En plus des black-mollies (voir L'AQUARIUM DU DÉBUTANT), un certain nombre d'espèces supportent les eaux à salinité variable.

Noms scientifiques	Noms communs	Taille max. (cm)	Mode de vie	Alimentation	Reproduction	Observations
Monodactylus argenteus	Mono	20	G	OP	R	Plutôt craintif. Salinité jusqu'à 20 ‰.
Scatophagus argus	Scato	15	G	OV	R	Une variété rougeâtre.
Tetraodon fluviatilis	-	7-9	1+	P	R	Salinité minimale : 5 à 8 ‰.
Brachygobius xanthozona	Gobie-abeille	4-5	1+	P	R	Salinité minimale : 2 à 5 ‰.
Toxotes jac·ilator	Poisson-archer	10-12	1+	P	R	En milieu naturel, crache hors de l'eau sur des insectes pour les faire tomber à la surface.

Le scato (Scatophagus argus) est une espèce d'estuaire dont le régime alimentaire demande un apport végétal qu'il faudra lui fournir sous la forme de salade ou d'épinards bouillis (à gauche).

Monodactylus argenteus *(à droite) peut être élevé en eau continentale lorsqu'il est jeune, mais demande de l'eau de plus en plus salée au fil de sa croissance. Paisible et craintif, il sera dominé s'il est en compagnie de poissons de grande taille au comportement plus vif. Il apprécie les proies vivantes et les nourritures carnées fraîches.*

La perle d'Argentine (Cynolebias bellottii) *a une durée de vie inférieure à 1 an. Ses œufs, pondus en eau acide, sont conservés pendant quelques mois dans de la tourbe humide (visible ici) et éclosent lorsqu'ils sont replacés dans l'eau.*

La conservation des Notobranchius *est délicate car ils s'avèrent très sensibles à l'* Oodinum. *N.* guentheri *(sur cette photo) est une des espèces les plus colorées disponibles sur le marché.*

Il existe un grand nombre d'espèces d'Aphyosemion, originaires d'Afrique. Les mâles sont nettement plus colorés que les femelles, ils manifestent parfois une certaine agressivité entre eux.
Le cap-lopez (sur cette photo) est une espèce que l'on peut se procurer assez facilement. L'incubation de ses œufs dure environ 15 jours à 24-25 °C ; la croissance des alevins est rapide, ils pourront se reproduire à leur tour au bout de 3 mois.

QUELQUES ESPÈCES DE CYPRINODONTIDÉS OVIPARES

Noms scientifiques	Noms communs	Taille max. (cm)	Mode de vie	Alimentation	Reproduction
Aphyosemion australe	Cap-lopez	5-8	C, mâles parfois agressifs entre eux	OP	F, espèce non annuelle
Notobranchius guentheri	-	5	C	OP	AF, espèce annuelle
Cynolebias bellottii	Perle d'Argentine	5-8	Mâle souvent agressif	OP	D, espèce annuelle

LA REPRODUCTION DES KILLIES

Les killies sont peu courants dans le commerce aquariophile, mais peuvent être obtenus grâce aux clubs et associations. Nous vous conseillons vivement leur fréquentation : vous y trouverez toutes les données particulières à chaque espèce, les quelques lignes qui suivent n'ayant d'autre but que de vous présenter succinctement leur reproduction si particulière. En effet, malgré des caractéristiques communes, certaines espèces présentent des particularités, notamment pour la durée d'incubation des œufs.

Le matériel
On utilise un bac de petit volume, peu éclairé, légèrement aéré, muni d'un couvercle. L'eau sera douce et acide, à une température peu élevée (20 à 24 °C). On peut éventuellement garnir le bac avec quelques plantes à feuillage fin ou flottantes.
Le support de ponte sera constitué de tourbe bouillie (pendant 1/4 d'heure) et rincée (pour éliminer les fines particules déposées au fond du bac). La quantité nécessaire varie suivant les espèces : 3 à 5 cm pour les poissons qui pondent dans le substrat, moins pour ceux qui pondent en pleine eau. La coloration de l'eau obtenue ne doit pas être trop foncée, la valeur du pH variant entre 6,5 et 6,8.

Les killies non annuels
Nous prendrons l'exemple du cap-lopez (Aphyosemion australe). On place un mâle pour deux ou trois femelles et, après la parade nuptiale, les œufs fécondés tombent dans la tourbe. On retire alors les parents.
Si certains œufs blanchissent, ils ne se développent plus et doivent être retirés avant un éventuel développement de champignons. L'éclosion débute au bout de 1 à 2 semaines, et s'étale sur plusieurs jours.

Les killies annuels
Après l'émission des œufs, la tourbe est retirée de l'aquarium, puis pressée pour en extraire l'eau. Elle est stockée pendant 2 à 4 mois suivant les espèces, dans un récipient en verre ou en plastique. Le taux d'humidité et la température de la tourbe diffèrent suivant les espèces. L'éclosion est provoquée en versant de l'eau douce et acide sur la tourbe, et s'étale sur quelques jours.

Le transport des œufs
Que ce soit pour les espèces annuelles ou non annuelles, les œufs se transportent facilement, ce qui permet des échanges entre amateurs (même par voie postale).
Les œufs des espèces annuelles sont expédiés dans la tourbe où ils seront conservés avant l'éclosion : les œufs des espèces non annuelles voyagent dans de la tourbe très humide, dans un récipient hermétique.

Les alevins
Ils doivent être nourris dès l'éclosion, d'abord avec des infusoires, ensuite avec des nauplies d'Artemia.
Leur croissance est rapide, et ils deviennent adultes en quelques mois. On augmente le volume d'eau au fur et à mesure de leur développement. Il existe cependant une exception pour Aphyosemion bivittatum dont les alevins grandissent deux fois moins vite.

Ponte des killies non annuels

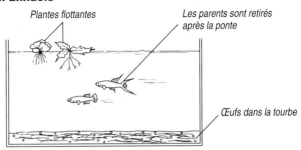

Plantes flottantes

Les parents sont retirés après la ponte

Œufs dans la tourbe

Une fois la ponte terminée, on retire les parents du bac de reproduction. On laisse les œufs se développer quelques semaines, ils n'éclosent pas tous en même temps. Les plantes flottantes produisent des infusoires qui constitueront la première nourriture des alevins. Ils acceptent ensuite rapidement des nauplies d'Artemia.

Ponte des killies annuels

Tourbe égouttée et pressée, contenant les œufs

Chez les espèces annuelles, la durée d'incubation des œufs est plus longue et peut atteindre presque un an dans certains cas. Après avoir égoutté la tourbe, on la conserve en milieu tempéré et humide.
Lorsque les yeux de l'embryon deviennent nettement visibles par transparence, l'éclosion est proche et débute peu après un apport d'eau identique à celle de la ponte.

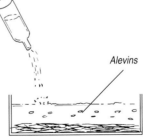

Alevins

Tourbe plus ou moins humide en récipient hermétique.

Le versement d'eau aux caractéristiques identiques à celle de la ponte provoque une éclosion des œufs étalée dans le temps.

LES CARACTÉRISTIQUES D'UN AQUARIUM HOLLANDAIS

Dimensions et volume minimal	L = 130 ou 140 cm, l = 40 ou 50 cm, h = 50 cm, volume brut = 250 à 350 l. Les données suivantes concernent ces dimensions.
Éclairage	4 tubes de 120 cm, 2 de type horticole, 2 de type blanc chaud ; durée recommandée : 14 h.
Filtration	Inférieure aux puissances habituelles, soit environ 150 à 200 l/h. On peut prévoir un ou plusieurs filtres plaques, mais avec un débit faible, juste pour assurer une bonne oxygénation du sol, sans entraîner un «lessivage» néfaste aux racines.
Aération	Inutile. Les plantes produiront assez d'oxygène pour les poissons. De plus, l'aération fera dégager le CO_2 hors de l'aquarium, or ce gaz est indispensable aux plantes (les spécialistes des aquariums hollandais diffusent du CO_2, à faible dose, dans leurs bacs).
Sol	Granulométrie assez grossière pour permettre une bonne circulation de l'eau. Si l'on veut y incorporer de l'engrais, on peut envisager la composition suivante (en % du volume du sédiment) : - 10 % d'argile en boulettes concassées ; - 10 % de terreau. Celui-ci doit être tamisé et ne contenir aucune substance nocive ; - 10 % d'Aqualite ou équivalent. Ce sont des sols enrichis, disponibles dans le commerce aquariophile ; - 70 % de quartz grossier.

L'aquarium hollandais est un bac spécifique dans lequel on privilégie les végétaux et leur culture. La conception du décor demande un certain goût artistique. L'entretien est un peu plus prenant que pour un aquarium plus classique. Il faut donc de la patience et de l'expérience pour arriver aux résultats présentés ici.

Sol (suite)	Les trois premiers composants seront mélangés entre eux et avec la moitié du sable, puis disposés dans l'aquarium, le reste du sable formant une couche supérieure. La mise en eau et la plantation doivent se faire très délicatement pour éviter le passage du terreau en pleine eau.
Décor inerte	Réduit, voire inexistant. De préférence choisir des roches sombres, des branches ou des racines.
Eau	Température 23 à 26 °C ; pH 7 à 7,5. Dureté moyenne de 8 à 15 °F. L'eau de conduite de la plupart des villes est susceptible de convenir.
Plantes	Il serait fastidieux de les nommer et de les décrire toutes. Il vaut mieux choisir en fonction de ses goûts, de ses moyens financiers et de leur adaptation aux caractéristiques de l'eau. Les plantes à tige dont la croissance est rapide seront disposées le long des vitres latérales et arrière. La plantation est l'opération la plus délicate : l'effet final dépend de sa réussite.
Poissons	Quelques espèces vivant en groupe, dont la couleur tranchera avec celle du décor végétal, compatibles avec la qualité de l'eau (vivipares, par exemple). A proscrire : les poissons de grande taille, vifs, vivant sur le fond, à régime alimentaire nécessitant un apport végétal.
Engrais liquide	Apport régulier, aux quantités préconisées par le fabricant, à intervalles réguliers selon l'état et la croissance des plantes (mais parfois plus courts que ceux conseillés).

LA CONCEPTION D'UN AQUATERRARIUM

Toutes les données ci-dessous ne figurent qu'à titre indicatif ; elles sont en général fonction de la taille de l'aquaterrarium, dépendant lui-même de la place disponible et des moyens financiers mis en œuvre.

La lecture de documentation spécialisée, la fréquentation de clubs aquariophiles, la visite d'aquariums publics sont vivement conseillées pour se référer à des exemples et bénéficier de plus amples renseignements.

	Partie aquatique	Partie aérienne
Dimensions (m) et volume (l)	**Ensemble** Long. : 1,4 ; larg. : 0,8 à 1 : haut. : 1 à 1,2 ; vol. : 1 100 à 1 700.	
	L. : 1,4 ; l. : 0,4-0,5 ; h : 0,5 ; V. : 300	L. : 1,4 ; l. : 0,4-0,5 ; h. : 1 à 1,2 ; V. : 500 à 750.
Conception de la cuve	En verre collé. Compte tenu de la faible part de l'eau par rapport au volume d'ensemble, l'épaisseur du verre sera au minimum de 10-12 mm. Pour des dimensions plus importantes, ou pour un grand volume d'eau, on prendra du verre de 15 mm, ou on fera appel à une technologie plus sophistiquée (béton, par exemple, voir la littérature spécialisée).	
Éclairage	6 à 8 tubes fluorescents, moitié type horticole, moitié type lumière du jour ou blanc chaud. Éventuellement lampes à vapeur de mercure.	
Filtration	Puissante, minimum 300 l/h, jusqu'à 500 l/h.	Une partie de l'eau filtrée pourra être détournée pour ruisseler sur le décor arrière, ou former une cascade.

Cet aquaterrarium de grande taille (3,50 m de long sur 2 m de haut), sans glace frontale, est le fruit d'un travail d'équipe dans un club aquariophile. L'éclairage comporte des tubes fluorescents et des lampes à incandescence dont la complémentarité donne un résultat proche de la lumière solaire. Le décor est conçu à partir de polyuréthane et a été prévu pour recevoir des plantes terrestres, parmi lesquelles on peut reconnaître plusieurs espèces courantes dans nos appartements. Une vaporisation automatique, programmée à intervalles réguliers, maintient une certaine humidité dans la partie aérienne. La partie aquatique (3,50 m de long, 0,40 m de profondeur, soit environ 2 000 l) abrite provisoirement des Cichlidés et des tortues de Floride de taille respectable. Confiés au club par des amateurs chez qui ils sont devenus encombrants, ces animaux sont répartis chez des particuliers, dans des clubs ou des aquariums publics. Les tortues disposent de pentes pour accéder à un surplomb où elles se chauffent sous des lampes à infra-rouges. Elles sont nourries avec des croquettes pour chien à base de bœuf ; le contrôle de l'alimentation et la limitation de la pollution sont faciles, car ces croquettes flottent. L'eau passe par une cuve de décantation, traverse des mousses filtrantes, et est rejetée en cascade par une pompe permettant de brasser environ 4 000 l/h.

	Partie aquatique	**Partie aérienne**
Chauffage	Normal, t = 24-26 °C.	L'air sera à une température légèrement supérieure à celle de la pièce, grâce aux lampes (surtout celles à mercure) et au dégagement de chaleur par l'eau.
Sol	Sédiment à granulométrie moyenne (quartz).	50 à 60 % de quartz, 30 à 40 % de terreau tamisé, 10 % d'argile.
Décor inerte	Roches, bois, racines.	Polyuréthane. Son emploi permet la réalisation d'une cuve de filtration dissimulée, de surplombs, de cavités destinées aux plantes et d'accès destinés aux tortues. On peut compléter par des roches et des branches qu'il est possible d'inclure dans le polyuréthane pour animer le décor.

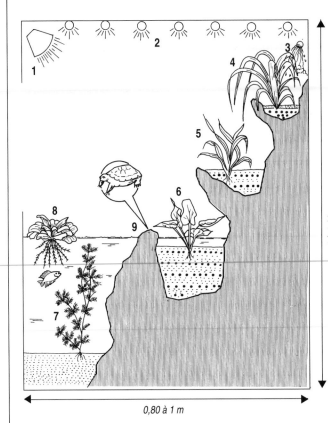

L'aquaterrarium peut être entièrement inclus dans une cuve de verre, ou présenter une glace frontale incomplète, comme c'est le cas sur le schéma ci-contre).

1 à 1,20 m

0,80 à 1 m

Quartz

Quartz + terreau + argile

Éventuellement uniquement terreau, recouvert d'une couche de quartz (pour éviter qu'il ne soit lessivé par le rejet de l'eau filtrée).

Polyuréthane, incluant éventuellement roches et bois

1 - Lampe à vapeur de mercure.
2 - Tubes fluorescents.
3 - Rejet partiel de l'eau filtrée sur le décor en polyuréthane : ruissellement ou cascade.
4 - Plantes d'appartement, plus ou moins tombantes.
5 - Plantes d'appartement dressées, recevant plus ou moins de lumière.
6 - Plantes souvent vendues comme entièrement aquatiques (commerce aquariophile), mais vivant en milieu très humide.
7 - Plantes réellement aquatiques.
8 - Plantes flottantes.
9 - Prévoir des accès si on veut maintenir des tortues de Floride.

LES LAMPES A VAPEUR DE MERCURE

Se présentant sous la forme de spots, ce sont des lampes à décharge : la vapeur de mercure émet diverses radiations sous l'effet d'un courant électrique.

Quelques modèles employés en horticulture donnent de bons résultats sur la croissance des plantes. Pour des raisons d'esthétique (couleur émise), elles seront couplées à des tubes fluorescents. Plus coûteuses que ces derniers, elles durent cependant plus longtemps et dégagent plus de chaleur.

Les tortues de Floride (Pseudemys scripta) ont leur place dans un aquaterrarium. Elles y seront plus à l'aise que dans les petits bacs plastique habituellement commercialisés à leur intention et qui deviennent rapidement exigus. Il arrive souvent dans ce cas qu'elles soient relâchées dans la nature (jardins publics et même rivières !) ; il vaut mieux les confier à quelqu'un qui en prendra soin (c'est le cas de l'aquaterrarium présenté à la page précédente, qui héberge plusieurs dizaines de tortues).

L'AQUARIUM MARIN

Contrairement à une idée trop répandue, que de nombreux aquariophiles combattent, l'aquariophilie marine n'est pas plus délicate que celle d'eau continentale.

Cette idée vient peut-être du fait que les poissons marins sont considérés comme plus sensibles, ce qui n'est pas l'exacte réalité : si le poisson est sain à l'achat, il n'y a pas de raison pour qu'il ne soit pas à l'aise en aquarium si ses conditions de maintenance sont respectées.

En fait, tout est question de soins, de patience et de régularité, et un débutant peut parfaitement se lancer dans la conception d'un aquarium d'eau de mer, sans être passé par des aquariums plus traditionnels.

Nous avons cependant inclus l'aquarium marin dans ce chapitre de l'amateur confirmé, en considérant qu'il était préférable (mais pas obligatoire) de posséder un certain état d'esprit aquariophile. En effet, contrairement à ceux d'eau continentale, la plupart des poissons marins ne se reproduisent pas en captivité et sont donc toujours capturés en milieu naturel. Le gros reproche est donc le pillage du milieu naturel, mais il est probable que de meilleures conditions de capture et de transport limiteraient les prélèvements dans les zones récifales.

Parallèlement, il est fort possible que le développement de l'aquariophilie marine entraîne l'acquisition de connaissances qui pourront permettre, à long terme, de reproduire certaines espèces et de contribuer ainsi (modestement) à la préservation de la faune tropicale.

On dit aussi souvent que l'élevage des poissons marins est plus coûteux que celui des poissons d'eau continentale, voire même exorbitant. C'est faux globalement, mais il faut nuancer le propos :

- les poissons marins et l'équilibre biologique du bac demandant un volume minimal conseillé plus important, le coût s'en ressent obligatoirement ;
- il est nécessaire d'acquérir quelques équipements supplémentaires, peu onéreux par rapport à l'ensemble ;

- les poissons marins sont en général coûteux, mais il existe quelques espèces dont les prix restent à la portée des budgets modestes.

En résumé :
- l'aquariophilie marine n'est pas forcément le prolongement de l'aquariophilie d'eau continentale ; elle permet la découverte et la compréhension d'un autre type de milieu ;
- elle ne coûte pas vraiment plus cher ; si on dispose d'un budget réduit, il faut simplement se limiter à un certain volume, sachant qu'on ne pourra y maintenir que certaines espèces ;
- ce n'est pas plus compliqué, mais cela nécessite toujours un minimum d'attention.

L'aquarium et son équipement

L'eau de mer est un liquide nettement plus corrosif que l'eau douce ; tout matériau qui entre en son contact doit être chimiquement neutre.

Le bac : les cuves en verre conviennent en aquariophilie marine, mais il faut prévoir un volume minimal plus important que pour l'eau continentale, 250 l constituant la limite minimale. Plus le volume est grand, plus on favorise l'équilibre général de l'aquarium.

L'équipement courant : l'éclairage est souvent moins important qu'en aquariophilie d'eau continentale.

En effet, les aquariums marins des amateurs contiennent peu ou pas de plantes, la lumière a donc pour but principal de recréer la luminosité du milieu naturel et de mettre en valeur les poissons. Sans plantes, on utilise des tubes fluorescents de type blanc chaud ou lumière du jour ; avec plantes, on peut compléter par des tubes fluorescents horticoles.

L'aération doit être importante, il faut prévoir un diffuseur (ou exhausteur) pour 60 à 80 l d'eau. Il faut qu'il produise des bulles plus fines qu'en eau continentale, mais, comme il se colmate souvent plus rapidement, il est préférable d'utiliser les modèles en bois ou en céramique.

Le matériel de chauffage est identique à celui utilisé en eau continentale, c'est principalement la filtration qui va être différente.

Il faut prévoir que le volume du bac sera filtré deux ou trois fois par heure pour un aquarium normalement peuplé, plus souvent si le nombre de poissons est important (ce qu'il vaut mieux éviter).

Pour un bac de 250 l, prévoir un débit de filtration de 500 à 800 l/h. Il existe plusieurs méthodes de filtration, chacune présentant des avantages et des inconvénients, l'utilisation conjointe de deux d'entre elles donne de bons résultats dans la plupart des cas.

ÉQUIPEMENT D'UN PREMIER AQUARIUM D'EAU DE MER

Bac	En verre collé, volume minimal 250 l. Les données ci-dessous concernent un bac dont les dimensions sont : L : 1,4 m ; l = 0,5 m ; h = 0,5 m ; volume brut = 280 l.
Éclairage	Sans plantes : 2 ou 3 tubes de 1,2 m de long, puissance 40 W, type lumière du jour ou blanc chaud. Avec plantes : suivant la quantité, on complète avec 1 ou 2 tubes horticoles de même puissance.
Filtration	Puissante, 2 à 3 fois le volume du bac par heure. L'ensemble des systèmes doit débiter 500 à 800 l/h. Masses filtrantes : mousses synthétiques de densité 20 kg/m^3, éventuellement sable de corail.
Chauffage	Environ 150 W.
Aération	Un diffuseur (ou exhausteur) pour 60 à 80 l d'eau, soit 4 pour le bac préconisé. Diffuseur bois ou céramique.
Écumeur	Un écumeur alimenté par un diffuseur.
Lampe UV	Une lampe de 15 W maximum, alimentée par un débit de 100 à 200 l/h environ.
Sol	Sable de corail, quartzite, éventuellement sable coquillier de nos côtes. 7 à 10 cm d'épaisseur avec un filtre plaque, sinon 2 à 3 cm suffisent.
Décor	Corail, roches (sans éléments métalliques), polyuréthane.
Petit équipement	Thermomètre, densimètre, épuisette, matériel d'analyses, éventuellement horloge pour l'éclairage.
Eau (données moyennes)	Température 24 à 26 °C, salinité 33 à 35 ‰, densité 1022 environ.

L'ÉCUMEUR

L'eau, entraînée par les bulles d'air du diffuseur, provoque la formation d'une mousse plus ou moins colorée, récupérable dans le godet supérieur.

Pompe à air

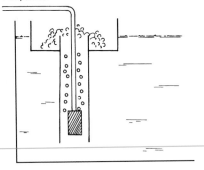

LA LAMPE UV

Elle est constituée d'un tube isolé dans une gaine de quartz, matériau perméable aux UV (en pointillé), autour duquel l'eau circule sur une faible épaisseur (flèches) dans un tube de verre (non perméable aux UV).
Ce type de lampe se raccorde à la fin du circuit de filtration (eau la plus transparente possible), le débit étant proportionnel à la puissance de la lampe (de 100 à 500 l/h).
D'autres modèles peuvent être plongés directement dans la dernière cuve d'un filtre à décantation intégré.

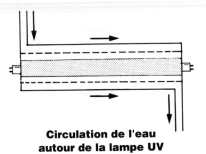

**Circulation de l'eau
autour de la lampe UV**

Le matériel spécifique à l'eau de mer

L'équilibre d'un bac marin étant différent de celui d'un bac d'eau continentale, deux équipements particuliers sont nécessaires.

- *L'écumeur :* certaines substances organiques risquent de se trouver en trop grande quantité dans l'eau. On utilise un écumeur, appareil alimenté par un diffuseur, qui va précipiter ces substances sous forme d'une mousse que l'on éliminera. C'est ce processus qui a lieu dans la nature, par exemple lorsque la mer agitée se brise sur les rochers : il en résulte la formation d'une écume blanchâtre, qui n'est donc (en général !) pas due à la pollution comme beaucoup le pensent.

- *La lampe UV :* les rayons ultraviolets, invisibles à nos yeux, ont la propriété de détruire certains germes pathogènes auxquels les poissons sont sensibles ; par contre, ils n'ont pas d'effets défavorables sur le plancton, les plantes, les invertébrés et les poissons.
En aquarium marin, on utilise des lampes étanches autour desquelles circule l'eau.

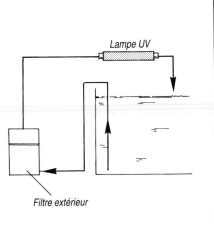

Lampe UV

Filtre extérieur

**Placement de la lampe UV
dans le circuit de filtration**

Pour que leur action soit efficace, ce mouvement doit se faire à débit modéré, sur une faible épaisseur ; il est indispensable que l'eau soit la moins turbide possible (d'où l'importance déterminante d'une filtration puissante).

Les lampes UV émettent également des rayons lumineux visibles (dans le bleu), ce qui permet de vérifier qu'elles fonctionnent.

On les trouve dans le commerce aquariophile ; pour obtenir de bons résultats, on évitera les petits modèles pour choisir une puissance minimale de 15 W. Selon les modèles, les lampes UV sont placées dans le dernier compartiment d'un filtre à décantation, ou en série à la fin du circuit de filtration.

Le sol

Si on utilise un filtre plaque, il faut prévoir une épaisseur de 7 à 10 cm ; dans les autres cas, 2 à 3 cm suffisent.

Le sable de corail est couramment employé, seul, ou parfois mélangé à une certaine proportion de quartzite (ce qui réduit le coût, le premier étant plus onéreux que le second). N'oubliez pas que du sable coquillier peut être récolté dans certaines zones côtières de France et mélangé aux deux précédents.

- *Le sable vivant :* on trouve dans le commerce un sable de corail, qualifié de sable vivant. Il présente un certain taux d'humidité et comporte des bactéries (vivantes) qui participent à la transformation des matières azotées. Nous verrons exactement son rôle lors de la mise en route de l'aquarium.

Le décor inerte

Contrairement à l'eau continentale, on peut introduire des roches contenant du calcaire dans un aquarium marin. Par contre, toute roche contenant des éléments métalliques est à proscrire.

La plupart des poissons marins étant originaires des récifs coralliens, il semble plus logique d'utiliser du corail mort comme élément de décoration, soit en blocs plus ou moins massifs, soit en forme de branches ramifiées. Il sera nettoyé comme il est préconisé p. 83.

Les décors artificiels en polyuréthane résinés, puis recouverts de sable de corail peuvent constituer un relief de base, avec grottes et cachettes pour les poissons.

L'eau de mer

Nous en avons déjà parlé (voir p. 60). Rappelons qu'elle peut être naturelle, reconstituée (dans ce cas il faut utiliser une eau non salée de bonne qualité) ou formée par un mélange des deux.

Lors des changements partiels d'eau, celle que l'on introduira dans le bac devra avoir les mêmes caractéristiques que celle d'origine ; il faut donc prévoir dès le départ de fabriquer une eau synthétique (ou récolter une eau naturelle) en quantité nettement supérieure au volume du bac, et de la stocker dans de bonnes conditions.

La mise en route d'un aquarium marin

Sauf pour la plantation, elle est identique à celle d'un aquarium d'eau continentale, mais il faudra être beaucoup plus patient avant d'introduire des poissons.

En effet, ce bac d'eau de mer est un milieu quasi stérile, et il va falloir attendre qu'un certain équilibre s'établisse, le temps que les bactéries se développent. Durant cette période, les produits du cycle de l'azote vont atteindre des concentrations incompatibles avec la vie des poissons ; celles-ci descendront ensuite à un seuil raisonnable grâce à l'action des bactéries qui auront proliféré. La durée de cette période s'étale entre 4 et 10 semaines, il n'y a pas de règle générale, chaque aquarium doit être considéré comme un cas particulier. Tous les deux jours, on mesurera la teneur en nitrites (et éventuellement celle en ammoniac et en nitrates), et les poissons ne seront introduits que lorsqu'il n'y aura plus aucun risque, c'est-à-dire quelques jours après que les nitrites seront tombés à une valeur normale.

Il y a plusieurs solutions pour réduire cette période de latence, qui peuvent être utilisées simultanément : on parle dès lors d'ensemencement du bac.

Quelques méthodes pour réduire la durée de la phase de latence

La phase de latence est due à l'installation des bactéries ; pour la réduire, il faut soit les introduire, soit faciliter leur développement.

Apport d'eau naturelle ou d'un autre aquarium

Contrairement à ce que l'on pourrait penser au premier abord, cette méthode n'est pas très efficace ; en effet les bactéries qui nous intéressent et vont coloniser le bac se trouvent dans le sédiment et non dans l'eau.

MISE EN ROUTE D'UN AQUARIUM MARIN :
LA PHASE DE LATENCE

Peu de temps après la mise en eau, la concentration en ammoniac augmente rapidement pour atteindre un maximum. Parallèlement, les bactéries qui transforment l'ammoniac en nitrites se développent (phase 1), la concentration de ces derniers augmente également jusqu'à un maximum (phase 2).

D'autres bactéries prolifèrent, elles vont transformer les nitrites en nitrates, tandis que l'ammoniac disparaît presque totalement (phase 3).

On obtient finalement une eau où ammoniac et nitrites sont au-dessous des seuils dangereux pour les poissons ; seuls les nitrates présentent une certaine concentration, compatible toutefois avec les exigences des poissons (phase 4).

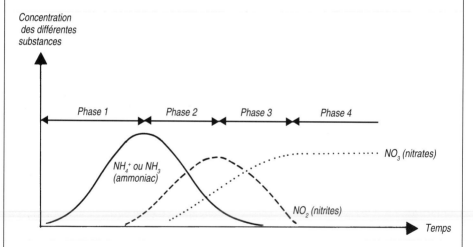

Ce schéma n'illustre que l'aspect théorique du problème, c'est pourquoi nous n'y avons pas fait figurer de valeurs précises : chaque aquarium est un cas particulier, c'est à l'aquariophile de suivre l'évolution des produits azotés et de patienter avant d'introduire les poissons.

Signalons cependant que le temps total peut varier de 4 à 10 semaines, et que les substances azotées vont atteindre des concentrations de l'ordre de :

- quelques milligrammes par litre pour l'ammoniac et les nitrites (soit plusieurs dizaines de fois le seuil toxique !) ;

- quelques dizaines de milligramme par litre pour les nitrates.

*Apport de sédiment comportant
des bactéries*
- Originaire d'un autre aquarium : c'est une bonne solution si l'aquarium est en service depuis un certain temps et surtout s'il n'y a jamais eu de problèmes (maladies, pollution, etc.).
- Disponible dans le commerce : il s'agit du sable de corail vivant qui donne de bons résultats si son conditionnement et son stockage ont été réalisés dans de bonnes conditions. Son coût est plus élevé que celui du sable de corail classique.

Apport de bactéries lyophilisées
On les trouve dans le commerce aquariophile ; les résultats sont variables, mais ne semblent pas extraordinaires.

*Utilisation d'un filtre bactérien
préalablement mis en service*
A partir d'un bac déjà en service depuis un certain temps et n'ayant pas eu de problème, on transfère une partie des matériaux de filtration. L'opération est pratique avec les mousses, bien colonisées par les bactéries, et donne des résultats satisfaisants.

Introduction de matières organiques
On utilise un ou plusieurs petits fragments de moules cuites, qui vont permettre aux bactéries de se développer plus rapidement.

L'emploi d'une ou de plusieurs de ces méthodes réduit la phase de latence (parfois de 50 %), mais, rappelons-le, chaque aquarium est un cas particulier et l'aquariophile devra adapter la méthode choisie à ses besoins.

Les différents moyens de filtration en eau de mer

Filtre sous sable alimenté par air
Il présente les mêmes avantages et inconvénients qu'en eau continentale. Il assure une bonne oxygénation du sol (donc des bactéries transforment les matières azotées), mais entraîne son colmatage plus ou moins rapide (tout cela s'effectuant au niveau de la plaque).

*Filtre sous sable inversé, alimenté par un
moteur électrique*
Le trajet de l'eau est inversé, il n'y a donc pas de colmatage, mais les diverses particules ayant sédimenté sont remises en suspension. Il faut donc une filtration complémentaire pour les récupérer.

Filtre avec cuve et matériaux de filtration
- Extérieur : il peut être mis en service après la conception du bac.
- Intérieur : le filtre à décantation intégré est sûrement le système le plus pratique, et le matériel annexe (chauffage, aération, lampe UV, écumeur) peut y être dissimulé.
La masse filtrante principale sera de la mousse synthétique, et on peut prévoir du sable de corail (enfermé dans un filet à mailles très fines) comme matériau de préfiltration.

Quel est le meilleur système ?
Chacun a ses adeptes qui en sont satisfaits. Un bon compromis consiste à utiliser simultanément un filtre plaque (normal ou inversé) et un filtre avec matériaux de filtration, placé à l'opposé l'un de l'autre dans l'aquarium. En bénéficiant de deux types de filtration complémentaires, on dispose d'une certaine marge de sécurité si l'un des deux systèmes tombe en panne.

L'ÉQUILIBRE DANS UN AQUARIUM MARIN

Les plantes marines étant rares ou absentes dans un aquarium marin, le cycle des matières organiques azotées est différent de celui qui existe en eau continentale.
Les substances participant au cycle de l'azote, notamment les nitrates, vont avoir tendance à s'accumuler, ce qui présente des risques pour les poissons. Les changements d'eau et l'utilisation d'un écumeur permettent de limiter ce problème.
Il faut aussi garder en mémoire qu'en milieu basique (ce qui est le cas de l'eau de mer, où le pH est supérieur à 8), une certaine partie de l'ammoniac se rencontre sous sa forme la plus toxique (voir p. 52).

Les poissons marins vivent dans des zones où la qualité bactériologique est généralement très satisfaisante. Ce n'est pas forcément le cas dans un aquarium, milieu confiné où il existe un risque potentiel de prolifération de bactéries, souvent lié à l'accumulation de matières organiques, préjudiciable à l'équilibre général et aux poissons. Il est recommandé, dans un premier temps, d'éviter ces proliférations en contrôlant les substances organiques (éviter les surplus de nourriture, siphonner les déchets, bien filtrer l'eau) ; il sera ensuite possible de stériliser l'eau grâce à une lampe à ultraviolets.

Le taux de gaz carbonique dans un aquarium marin est généralement faible, mais peut s'élever lorsqu'il y a beaucoup de matières organiques, leur décomposition en produisant une certaine quantité et consommant de l'oxygène.

L'eau doit donc être fortement brassée pour favoriser les échanges gazeux : élimination du CO_2 et oxygénation du milieu pour favoriser le travail des bactéries. Si, malgré cela, le CO_2 est en trop grande quantité, le pH risque de baisser ; en temps normal, le carbonate de calcium limite les variations du pH ; si celui-ci descend au-dessous de 8, il est prudent d'introduire des coquilles d'huîtres brisées ou du sable de corail dans le filtre.

L'ENTRETIEN
D'UN AQUARIUM MARIN

Il vaut mieux éviter d'intervenir trop souvent dans un aquarium marin, pour ne pas déranger les poissons. Excepté la distribution de nourriture, la mesure de la température et de la densité, les opérations les plus courantes sont l'élagage des algues qui auraient tendance à proliférer et les changements partiels d'eau. Lors de ces derniers, on veillera à bien siphonner tous les éléments organiques (surplus de nourriture, débris végétaux) qui entraînent des risques de pollution.

Les changements d'eau

Rappelons que l'eau qui s'évapore est de l'eau non salée, et que les sels restent dans l'aquarium : au cours de l'évaporation, la salinité de l'eau aura donc légèrement tendance à augmenter.

L'eau évaporée sera donc remplacée par de l'eau continentale ; peu importe sa dureté, pourvu qu'elle soit de bonne qualité.

Changements d'eau partiels
Sans plantes pour les utiliser, les nitrates vont s'accumuler, et bien que le seuil toxique soit élevé, il y a lieu de les éliminer. Dans un bac planté, la quantité de végétaux est rarement suffisante pour empêcher une augmentation des nitrates, toutefois plus lente que dans le cas précédent.

Il est difficile a priori de dire quelle proportion d'eau il faut changer et avec quelle fréquence. Cela dépend du peuplement du bac et du taux de nitrates : on évitera de dépasser une valeur de 100 mg/l.

Si on dispose du matériel pour analyser les nitrates, on déterminera par la pratique la fréquence des changements d'eau ; dans le cas contraire, cette fréquence sera purement arbitraire.

De toute façon, tout changement d'eau doit se faire dans les conditions suivantes :
- par petite quantité et régulièrement ;
- avec de l'eau aux caractéristiques identiques à celle de l'aquarium ;
- le plus lentement possible.

S'il fallait vraiment donner un chiffre, on pourrait se baser sur un changement de 5 à 10 % du volume du bac par semaine ou par quinzaine.

Les autres opérations d'entretien

Elles sont globalement identiques à celles d'un aquarium d'eau continentale. Il faut donc veiller à la bonne transparence des vitres sur lesquelles peuvent s'incruster des micro-algues, ainsi que celle du couvercle où peuvent se former des dépôts de sel.

L'éclairage doit être surveillé et les lampes UV changées régulièrement, la qualité de la lumière diminuant avec le temps.

Bien entendu, deux paramètres importants – les nitrites et le pH – doivent être mesurés régulièrement.

CALENDRIER DE L'ENTRETIEN D'UN AQUARIUM MARIN

Opérations	Fréquence			Observations
	Quoditienne	Hebdomadaire	2 fois par mois	
Alimentation classique (nourriture artificielle du commerce)		X		Si les poissons l'acceptent, de temps en temps, uniquement pour des raisons de facilité
Aliments frais	X	X		Selon leur présence
Gros déchets				
Siphonnage		ou	X	
Vitres et couvercle			X	Plus souvent si nécessaire (algues)
Sol		X	X	Sarclage au-dessus du filtre plaque
Eau (renouvellement et compensation de l'évaporation)		ou X (5 à 10 % du volume)		
Plantes		Variable suivant leur vitesse de croissance		
Température, densité	Quotidienne ou plusieurs fois par semaine			
pH, nitrites				Plus souvent, si un problème est détecté
Éclairage		X		Remplacement annuel des tubes
Chauffage		X		Selon l'état
Aération				Décolmatage des diffuseurs
Masses filtrantes		Une à plusieurs fois par semaine	X par moitié	
Écumeur				En fonction de la quantité de mousse
Lampe UV				Changement 2 fois par an

LES POISSONS MARINS EN AQUARIUM

Les poissons marins ont certaines exigences découlant de leurs conditions de vie en milieu naturel, aussi leur maintenance en aquarium présente-t-elle quelques particularités.

Sensibles aux variations brusques et aux altérations du milieu, ils préfèrent une eau de bonne qualité, très transparente et aux caractéristiques stables.

Dans la nature, beaucoup d'espèces vivent sur un territoire déterminé, en permanence ou temporairement (par exemple au moment de la reproduction), sur lequel ils trouvent abris et refuges. Leur comportement s'avère très variable, l'agressivité intra ou interspécifique étant assez courante.

Il faut donc être vigilant sur le choix de vos pensionnaires, en fonction de la qualité de l'eau et de leur compatibilité.

L'alimentation des poissons marins

En milieu naturel, leurs régimes alimentaires sont très variés ; en aquarium, ils n'apprécient pas forcément les nourritures artificielles.

Il faudra donc se tourner vers différents types d'aliments, dont voici quelques exemples :

- *proies vivantes : Artemia* adultes, tubifex, vers marins (par exemple ceux vendus comme appâts de pêche). Une mention particulière doit être faite aux alevins de poissons vivipares d'eau continentale (guppy, platy, xipho) qui constituent des proies de choix pour certains poissons. Leur élevage et leur conservation sont aisés et ils survivent un certain temps lorsqu'ils sont placés en eau de mer ;

- *proies congelées : Artemia*, tubifex. Elles sont acceptées par un certain nombre de poissons ;

Si les aliments du commerce conviennent pour la plupart des poissons marins, il faut cependant diversifier leur alimentation avec de la nourriture fraîche, des proies vivantes ou congelées. Ici, ces poissons semblent apprécier une huître fraîche.

- *nourriture fraîche* : les moules, particulièrement appréciées, sont faciles à se procurer. Elles doivent être cuites et peuvent être stockées au congélateur. Suivant la taille des poissons (surtout celle de leur bouche), elles seront distribuées entières ou en fragments plus ou moins gros. La chair de poisson permet de varier les menus, mais il faut cependant éviter les espèces grasses. Enfin, le cœur de bœuf cru, découpé et rincé, est un aliment de choix. La salade tendre et les épinards, tous deux cuits ou ébouillantés, complètent les repas des poissons à régime alimentaire partiellement végétarien ;
- *aliments du commerce* : il existe actuellement une assez grande variété d'aliments pour les poissons marins soit en présentation classique (poudre, paillettes, granulés), soit sous forme d'*Artemia*, de crevettes, de tubifex lyophilisés. Certains poissons les acceptent, mais ils ne doivent être considérés que comme un appoint ou une solution de dépannage, les aliments frais, congelés ou les proies vivantes devant constituer la nourriture de base.

Les poissons marins apprécient la diversité et ne supportent pas les jeûnes de trop longue durée : il faudra donc recourir à un aquariophile compétent pour résoudre le problème des vacances.

Rappelons que tous les aliments non consommés étant source potentielle de pollution, ils doivent être enlevés le plus rapidement possible de l'aquarium ; l'observation régulière des poissons et l'expérience de l'aquariophile doivent permettre d'éviter la suralimentation.

Le choix des premières espèces

Plusieurs points importants sont à prendre en considération :
- *la robustesse* : il est conseillé de choisir des espèces connues pour leur résistance et d'éviter les poissons difficiles à acclimater ;
- *le type d'alimentation* : il sera préférable que vos premiers pensionnaires aient un régime alimentaire classique : *Artemia*, moules et aliments secs du commerce ;
- *la taille par rapport au volume d'eau nécessaire* : il n'existe pas vraiment de

règle précise, il faut tenir compte de la longueur (mais aussi de la hauteur) du poisson et de son activité (peu actif ou nageur). Pour les petites espèces, on considère qu'il faut 10 l d'eau pour 1 cm de poisson, dans un volume minimal de 200-250 l (soit 3 à 5 petits poissons). Pour les plus grandes espèces, un volume minimal de 300-350 l est préférable ;
- *le comportement et la sociabilité* : beaucoup de poissons ont un comportement agressif envers les individus de leur propre espèce, ou d'une espèce voisine à coloration proche. Ils ne doivent être gardés en captivité qu'isolés, mais supportent parfois la présence d'autres poissons. Certains ayant par contre un bon comportement intra et interspécifique, ils constituent des premiers hôtes intéressants.

Les demoiselles (pp. 268-269)

Ce ne sont pas les poissons les plus spectaculaires, mais leur comportement et leur coût en font des sujets idéaux pour les aquariophiles qui débutent en eau de mer. Le comportement est généralement bon, mais les adultes du genre *Dascyllus* deviennent agressifs avec l'âge.

Ces poissons vifs apprécient les *Artemia*, les tubifex, les moules cuites, mais acceptent également les nourritures du commerce.

Les poissons-clowns (pp. 270 à 272)

Les poissons-clowns des genres *Amphiprion* et *Premnas* appartiennent à la même famille que les demoiselles. Ces espèces très populaires sont relativement faciles à maintenir en aquarium et peuvent même s'y reproduire.

Leur particularité réside dans le fait qu'ils vivent en association avec une anémone, malgré le pouvoir urticant de cet invertébré (voir encadré). Ils peuvent en effet rester à son contact et se reproduire à proximité, à l'abri d'éventuels ennemis. Lorsqu'un poisson-clown a choisi une anémone, il s'y frotte progressivement pour se familiariser, et en quelque sorte s'immuniser contre son venin. Ce phénomène est temporaire. Lorsqu'un poisson-clown est

séparé de son hôte pendant un certain temps, il doit recommencer à s'habituer à son contact.

L'anémone ne retire pas vraiment de bénéfice de cette association. On pensait qu'elle profitait des restes du repas des poissons, ce qui est partiellement vrai, mais ceux-ci récupèrent en fait rapidement les fragments de nourriture parmi les tentacules.

En aquarium, il est préférable d'offrir aux poissons-clowns l'anémone avec laquelle ils vivent habituellement (parmi une ou plusieurs espèces tropicales précises). On introduit d'abord l'anémone, puis les poissons quelque temps après : ils vont immédiatement chercher celle qui leur convient. Quelques espèces peuvent se passer de leur hôte habituel, ou le voir remplacé par une anémone méditerranéenne.

Les poissons-clowns vivent souvent en couple, un seul dans une petite anémone, plusieurs dans une grande. Ces couples sont stables, et la reproduction souvent possible, voire même courante pour quelques espèces.

Le comportement social dépend des espèces, mais on constate parfois une certaine agressivité, notamment au moment de la reproduction.

Après s'être progressivement immunisée contre le venin de l'anémone, cette espèce (Amphiprion bicinctus) *y évolue à l'aise, à l'abri d'éventuels ennemis.*

Pour garder plusieurs poissons-clowns ensemble, et avec d'autres espèces, il faut prévoir un bac spacieux comportant plusieurs anémones. La température de l'eau se situera aux alentours de 26 °C, la salinité entre 32 et 37 ‰, ce qui correspond à une densité de 1022 à 1025.

Les amphiprions acceptent des nourritures assez variées : *Artemia*, tubifex, moules, proies surgelées et nourriture du commerce. Ils semblent plus particulièrement sensibles à deux maladies : l'oodinium et le cryptocarion, protozoaire cillié. Ce parasite est assez semblable à celui responsable de l'ichtyophtiriose chez les poissons d'eau continentale, et les symptômes sont voisins.

Les poissons se frottent contre le décor, leur respiration devient difficile ; l'apparition de champignons se produit parfois. Il existe des traitements spécifiques dans le commerce aquariophile ; le vert de malachite (5 mg pour 100 l) donne d'appréciables résultats.

Les anémones (p. 271)

Ces invertébrés assez primitifs appartiennent au groupe des cœlentérés (ainsi que les méduses et les coraux) ; tous ces animaux sont caractérisés par un mode de défense particulier. Des cellules urticantes (les cnidoblastes) sont réparties sur toute la surface du corps, et particulièrement sur les tentacules. Ces minuscules sacs fermés sont munis d'un cil sensoriel qui déclenche l'ouverture du sac lorsqu'il est touché ; un filament prolongé par un dard se détend et pique l'ennemi ou l'intrus, et du venin est injecté. Lorsqu'un poisson, ou un autre animal, effleure une anémone, des milliers de dards se déclenchent : la proie est alors paralysée, retenue par les tentacules, puis dévorée.

Bien que les anémones soient moins dangereuses que certaines méduses, il vaut mieux s'abstenir de les toucher sous peine d'une réaction cutanée locale (rougeur, démangeaison).

Les anémones vivent fixées, mais peuvent se déplacer. Elles se reproduisent par voie sexuée (existence des deux sexes) ou asexuée (bourgeonnement du pied). Ce sont des invertébrés carnivores, se nourrissant de proies vivantes passant à leur portée (petites crevettes, poissons) ; en aquarium, elles acceptent *Artemia* et chair de moule.

N.B. : Comme un certain nombre d'animaux, les anémones changent parfois de noms scientifiques, en fonction des progrès de la zoologie. Dans le tableau de présentation de la p. 271, nous avons essayé de faire figurer le nom scientifique le plus usité, même s'il n'est pas celui retenu par les scientifiques. Un revendeur compétent, quelques amateurs avertis dans les clubs, les revues spécialisées seront particulièrement utiles pour obtenir de plus amples renseignements.

Les chétodons (poissons-papillons) (p. 273)

Ils sont souvent considérés comme délicats ou difficiles à maintenir en aquarium, néanmoins quelques espèces plus robustes sont à la portée des amateurs attirés par leur beauté.

Une de leurs principales caractéristiques est leur mauvais comportement intraspécifique : ils ne supportent pas leurs congénères et doivent donc être gardés en un exemplaire unique ; par contre, ils sont assez sociables envers les autres espèces. Ils ont besoin d'espace pour nager et se développer, un volume minimal de 300 l étant conseillé. L'alimentation doit être variée : *Artemia*, vers, avec parfois un apport végétal sous forme de salade bouillie ou d'épinards cuits.

La coloration est un facteur important chez les chétodons, les jeunes étant parfois différents des adultes. Chez ces derniers, la couleur influe sur le comportement : en général, les différentes espèces se supportent mieux si leur patron de coloration est très différent.

Les autres espèces (pp. 274 à 275)

Un certain nombre d'autres poissons peuvent intéresser les aquariophiles marins qui ne sont pas attirés par les espèces précédentes. Ils ont tous un comportement satisfaisant et peuvent être gardés ensemble dans un aquarium communautaire.

- *L'apogon pyjama* : il s'acclimate facilement, si possible en groupe ; son régime alimentaire n'a rien de particulier : tubifex, crevettes et autres proies vivantes. La reproduction est possible en aquarium, mais les cas de réussite sont rares car la nutrition des alevins pose des problèmes.

- *Le barbier rouge* : habitué à vivre en banc en milieu naturel, il est préférable de placer plusieurs congénères dans un bac marin qui comportera des cachettes et un espace pour qu'ils évoluent. Sociable, il apprécie les proies vivantes et accepte les proies surgelées.

- *Les petits labridés* : très sociables, ils ont besoin d'espace pour nager et s'adaptent à un certain nombre de nourritures. Deux des espèces que nous vous présentons (*Coris aygula* et *Coris formosa*) ont la particularité d'avoir un patron de coloration très différent selon leur âge.

- *Deux espèces particulières*. La bécasse à long nez chasse à l'affût, appuyée sur ses nageoires pectorales. C'est une espèce robuste au comportement satisfaisant.

Le labre-nettoyeur (famille des Labridés) débarrasse les autres espèces de leurs parasites externes, à un endroit précis de l'aquarium où les patients viennent se faire traiter, attirés par la parade du nettoyeur. Son comportement et son action en font donc un hôte intéressant, à ne pas confondre avec le faux-nettoyeur qui lui ressemble, et qui abuse les poissons pour les attaquer !

LES VÉGÉTAUX DANS L'AQUARIUM MARIN

Ils sont moins courants que dans les aquariums d'eau continentale, principalement parce qu'il existe moins d'espèces disponibles sur le marché.

Les vraies plantes à fleurs (phanérogames ou plantes supérieures) sont rares en milieu marin ; par contre, les algues y prospèrent si les conditions de milieu (notamment la lumière) le permettent.

Les algues sont des végétaux rudimentaires fixés à un support, dont le développement dépend de la lumière, des sels minéraux, du gaz carbonique, de la température et de bien d'autres facteurs.

C'est le thalle (partie dressée de l'algue) qui absorbe les sels minéraux, les substrats riches n'auront donc aucun effet sur la croissance. C'est également le thalle qui reçoit l'énergie lumineuse nécessaire à la croissance, les algues vertes demandant plus de lumière que les brunes ou les rouges. Elles peuvent se reproduire par voie sexuée, mais également par diverses formes de multiplication végétative.

Certaines algues filamenteuses apparaissent spontanément en aquarium, où elles se développent sur le décor et sur les côtés. Même si le résultat n'est pas toujours esthétique, elles ont leur importance, puisqu'elles vont utiliser une partie des nitrates présents dans l'eau ; elles peuvent également satisfaire quelques poissons à régime alimentaire partiellement végétal. Dans le cas d'un développement trop important, l'élimination manuelle reste la solution la plus sage, l'utilisation de divers produits pouvant se révéler désastreuse.

En dehors de ces algues filamenteuses, on peut introduire volontairement quelques espèces particulières, telles les caulerpes.

Les caulerpes

Ces algues vertes assez résistantes et assez tolérantes vis-à-vis du milieu ont une croissance rapide.

Ci-contre : Hippocampus kuda *dans* Caulerpa prolifera.

Caulerpa prolifera
*est une des algues
les plus communes dans
les aquariums marins.
Sous une lumière intense,
sa croissance est importante
et sa propagation rapide.
Elle s'accroche sur le sable
ou au décor à partir de son stolon rampant.*

A partir d'un stolon rampant, fixé aux roches ou au substrat, se dressent des frondes à l'aspect de feuilles. Suivant les espèces, le contour est régulier, ou la fronde présente un aspect semblable à une plume. La croissance se matérialise par un allongement du stolon, sur lequel se développent progressivement d'autres frondes. La multiplication végétative est obtenue en aquarium par section de ce stolon. Dans les meilleures conditions, la croissance peut atteindre et même dépasser 0,5 cm en une journée !

Comme beaucoup d'autres algues, les caulerpes supportent assez mal certaines substances, notamment les sulfates de cuivre et de zinc utilisés comme médicaments.

- *Caulerpa prolifera* : c'est la plus connue et peut-être la plus commune en aquarium. Elle ne se rencontre pas que dans les milieux tropicaux, puisqu'elle prospère dans certains sites de nos côtes méditerra-

néennes. La fronde, de forme régulière, atteint 10 à 12 cm de haut. Cette algue apprécie les eaux assez chaudes et les éclairages intenses.

- *Caulerpa sertularoides*. Ses frondes à l'aspect de plumes la rendent très décorative, et sa croissance est très rapide.

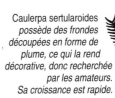

Caulerpa sertularoides possède des frondes découpées en forme de plume, ce qui la rend décorative, donc recherchée par les amateurs. Sa croissance est rapide.

Les autres espèces

D'autres algues vertes sont susceptibles d'être maintenues en aquarium. Citons les genres *Halimeda*, *Udotea*, *Dasycladus*, *Codium*, qui sont représentés par quelques espèces sur nos côtes. Elles peuvent être récoltées en milieu naturel, en prélevant un fragment de leur support. Leur croissance est moins spectaculaire que celle des caulerpes.

Noms scientifiques	Noms communs	Taille max. (cm)	Mode de vie	Alimentation	Observations
Chromis caerulea	Demoiselle bleu-vert	8	Comportement généralement satisfaisant.	PO	Les mâles se battent parfois entre eux.
Chrysiptera cyanea	Demoiselle bleue à queue jaune	8	Comportement parfois agressif, assez territorial.	PO	Assez robuste.
Glyphidodontops cyaneus	Demoiselle bleue	8	Parfois agressif, surtout envers ses congénères.	POV	Coloration variable.
Dascyllus trimaculatus	Demoiselle à trois taches	8	Assez agressif, (surtout les adultes).	PO	Il existe une espèce proche, plus petite.

Cette demoiselle bleu-vert (Chromis caerulea), *de petite taille, est un hôte pacifique pour un aquarium marin, et sa nutrition ne pose pas de problèmes. Cette espèce est d'ailleurs souvent recommandée aux débutants.*
La reproduction peut avoir lieu en aquarium, mais l'élevage des alevins s'avère délicat.

Ci-dessus : le caractère
de la demoiselle à trois
taches (Dascyllus
trimaculatus) évolue avec
l'âge pour devenir assez
mauvais chez les adultes.
Elle vit parfois avec une
anémone, mais supporte
parfaitement la captivité
en son absence.

Ci-contre : la demoiselle
bleue (Glyphidodontops
cyaneus) est parfois
agressive avec ses
congénères, mais entretient
de bonnes relations
avec les autres espèces.
Sa coloration, qui varie
suivant son sexe et son
origine géographique
(les mâles adultes ont
généralement la queue
et le ventre jaune orangé),
est parfois confondue
avec celle d'une espèce
proche.

Il existe environ une vingtaine de poissons-clowns dans le monde ; quelques espèces sont assez régulièrement présentes sur le marché.

Noms scientifiques et familles	Noms communs	Taille max. (cm)	Mode de vie	Anémone(s) associée(s)* (voir ci-contre)	Observations
Genre AMPHIPRION					
A. akallopisos	Poisson-clown à bande dorsale ; poisson-clown sans parure	8	Peut vivre sans anémone.	5	Facile à conserver.
A. bicinctus	Poisson-clown de mer rouge ; poisson-clown orange	11	En couple dans une anémone ; assez sociable.	2, 3, 4, 6	Robuste.
A. clarkii	Poisson-clown à queue jaune	10	En couple dans une anémone ; défend son territoire.	1, 2, 3, 4, 6, 7, 8, 9	Espèce courante et robuste.
A. ephippium	Poisson-clown à selle de cheval	9	Peut vivre sans anémone ; plus ou moins agressif.	2, 4, 6, 7, 8	Territorial lorsqu'il est en couple.

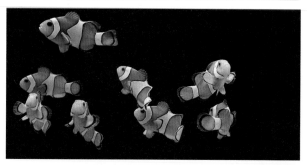

Amphiprion ocellaris vit en couple dans une grande anémone. C'est un poisson-clown robuste qui s'acclimate bien en aquarium et s'y reproduit assez couramment.

A. frenatus	Poisson-clown rouge	11	En couple dans une anémone ; agressif envers ses congénères.	2	Facile à conserver.
A. ocellaris	Poisson-clown à trois bandes	8	En couple dans une anémone ; défend son territoire.	5, 6, 8	Une des espèces les plus courantes, mais pas forcément la plus robuste.
Genre PREMNAS					
P. biaculeatus	Poisson-clown épineux	11	En couple dans une anémone, mais peut s'en passer ; relativement sociable.	2	Plus délicat à conserver. Une épine sur l'opercule.

CLOWNS

Bien que quelques espèces de poissons-clowns puissent vivre en son absence, une anémone est indispensable à la plupart des amphiprions. Originaires des mêmes régions, un certain nombre d'entre elles sont disponibles dans le commerce aquariophile, mais il y a une certaine confusion dans leur nomenclature, les noms scientifiques ayant été modifiés récemment.

LES ANÉMONES ASSOCIÉES

Références	Anciens noms encore usités	Noms actuels	Poissons-clowns associés
1	-	Cryptodendrum adhesivum	A. clarkii
2	Radianthus gelam, Physobrachis douglasi	Entracmaea quadricolor	A. bicinctus, A. clarkii, A. ephippium, A. frenatus, P. biaculeatus
3	Radianthus simplex	Heteractis aurora	A. bicinctus, A. clarkii
4	Radianthus malu	Heteractis crispa	A. bicinctus, A. clarkii, A. ephippium
5	Radianthus ritteri	Heteractis magnifica	A. ocellaris, A. akallopisos
6	Stoichactus kenti	Stichodactyla gigantea	A. bicinctus, A. clarkii, A. ephippium, A. ocellaris
7	Stoichactus sp.	Stichodactyla haddoni	A. clarkii, A. ephippium
8	Stoichactus giganteum	Stichodactyla mertensii	A. clarkii, A. ephippium, A. ocellaris
9		Anémones méditerranéennes (Actinia equina, Condylactis)	A. clarkii

Le poisson-clown
à selle de cheval
(A. ephippium)
vit en couple
dans une anémone
(en général Entracmaea
quadricolor) mais peut
s'en passer. Il aime
à trouver sur son
territoire, qu'il défendra
vaillamment,
de nombreuses
cachettes.

Le poisson-clown épineux (Premnas biaculeatus) peut être confondu avec le poisson-clown
à trois bandes (A. ocellaris) mais il s'en distingue par la présence d'une épine sur l'opercule.
Il vit habituellement en couple dans l'anémone Entracmaea quadricolor et manifeste
un comportement territorial assez marqué, ce qui a pour conséquence de le rendre parfois agressif
envers ses propres congénères ou envers d'autres poissons-clowns.

LES POISSONS-PAPILLONS

Noms scientifiques	Noms communs	Taille max. (cm)	Mode de vie	Alimentation	Observations
Chaetodon auriga	Poisson-papillon cocher, poisson-papillon jaune	20	Sociable avec les poissons autres que les chétodons.	Proies vivantes et mortes.	La nageoire dorsale de l'adulte est prolongée par un filament.
Chaetodon collare	Poisson-papillon à collier	20	Sociable.	Proies de petite taille.	Broute les algues sur le décor.
Chaetodon lunula	Poisson-papillon rayé	20	Sociable (sauf avec les chétodons) dans un bac spacieux.	Proies animales et apport végétal.	Espèce robuste.
Chaetodon vagabundus	Poisson-papillon vagabond	20	Sociable (sauf avec les chétodons).	Proies vivantes, aliments surgelés, aliments artificiels.	Broute les algues sur le décor.

Les chétodons ne peuvent pas être conservés avec des invertébrés marins, car ils s'attaquent aux tentacules des anémones, aux coraux et aux vers tubicoles.

Dans de bonnes conditions, le poisson-papillon cocher (Chaetodon auriga) peut vivre plus de 5 ans en captivité. Le prolongement de la nageoire dorsale de l'adulte, en forme de fouet, est à l'origine de son nom ; il n'existe pas chez les juvéniles. Il est agressif envers les espèces de la même famille dont la coloration est proche de la sienne.

Noms scientifiques et familles	Noms communs	Taille max. (cm)	Mode de vie	Alimentation	Observations
APOGONIDÉS					
Apogon nematopterus	Apogon pyjama	8	Calme et sociable, vit en groupe.	Tubifex, *Artemia*.	Apprécie les cachettes et l'obscurité.
SERRANIDÉS					
Anthias squamipinnis	Barbier rouge	8	En petit groupe, sociable.	Proies vivantes et congelées.	Peut changer de sexe.
LABRIDÉS					
Coris aygula	Labridé-clown	30 et +	Agressif envers ses congénères en milieu exigu.	Accepte les aliments secs ou surgelés au bout d'un certain temps.	Livrée juvénile jusqu'à 10-15 cm, les adultes sont moins colorés.
Coris formosa	Labridé rouge	20	Sociable et actif.	Proies vivantes.	Coloration différente entre le jeune et l'adulte.
Labroides dimidiatus	Labre-nettoyeur	10	Sociable et actif.	*Artemia*, moules.	Débarrasse les autres poissons de leurs parasites externes.
CIRRIHITIDÉS					
Oxycirrhites typus	Bécasse à long nez, bécasse à carreaux	12	Sociable.	Proies vivantes.	Chasse à l'affût.

La coloration du labridé-clown (Coris aygula) *évolue avec l'âge. Les jeunes présentent des points noirs et des taches rouges sur fond blanc, qui vont progressivement disparaître au cours de la croissance, l'adulte étant de couleur uniforme (photo ci-dessus).*

A droite : le labre-nettoyeur (Labroides dimidiatus) *effectue une sorte de danse par attirer les autres poissons (ici, Holacanthus ciliaris*) *qu'il nettoie pour les débarrasser de leurs parasites, à un endroit précis de l'aquarium.*

A gauche : le mâle du barbier rouge (Anthias squamipinnis) *se distingue de la femelle par sa coloration rouge violacé et par le troisième rayon de sa nageoire dorsale, plus long. Dans la nature, les femelles peuvent se transformer en mâles et se reproduire ; la reproduction reste peu courante en aquarium.*

Certains secteurs de l'aquariophilie continentale
ou marine ne peuvent être explorés que lorsqu'on possède
une certaine expérience,
acquise grâce à la maintenance et à la reproduction
d'espèces relativement robustes.

L'aquarium de l'amateur spécialisé

*Si certains amateurs restent
fidèles à l'aquarium
d'ensemble, d'autres
se tournent résolument
vers d'autres horizons :
la construction de grands
aquariums, la reproduction de
poissons réputés très délicats
ou encore la conception
de bacs marins d'invertébrés.
C'est ce que nous allons évoquer
dans les pages suivantes,
en précisant certains points :
- l'aquariophilie étant un
domaine assez vaste, il existe
bien d'autres spécialisations
que celles proposées ici.
Bien entendu, ne pouvant toutes
vous les présenter, nous vous
renvoyons (encore une fois)
à la lecture d'ouvrages
et de revues spécialisés, et à la
fréquentation d'associations ;
- certaines techniques ne
peuvent être mises en œuvre
par une seule personne ;
il est donc nécessaire de
s'entourer d'amis aquariophiles ;
- l'acclimatation comme la
reproduction de quelques
espèces demandent des
connaissances de base, puis
une certaine rigueur pour créer
un environnement optimal.*

*Les grands aquariums vont permettre l'élevage
d'espèces de grande taille. Dans ce chapitre,
vous pourrez constater qu'ils offrent un bon
environnement à certaines espèces dont
la reproduction est considérée comme délicate.
Pour finir, quelques données sur les invertébrés
marins vous donneront peut-être l'envie
de vous intéresser à ces animaux particuliers.*

LES GRANDS AQUARIUMS

Étant donné que la hauteur d'un bac est limitée (à cause de la propagation de la lumière), que sa largeur dépend souvent de la place dont on dispose, un grand aquarium sera donc assez long, les proportions idéales préconisées au début de cet ouvrage ne pouvant plus être respectées. Un grand aquarium atteint un poids élevé, à répartir sur une certaine surface, ce qui suppose l'installation d'un support très résistant. Enfin, détail à ne pas négliger, un tel bac rentre difficilement dans un appartement et il est quasi impossible de le déplacer : il doit être construit à l'endroit même de sa place définitive.

A partir de quelles dimensions un aquarium est-il considéré comme grand ? Globalement, on peut considérer que les grands aquariums (ou aquariums lourds) ont une longueur supérieure à 1,40 ou 1,50 m et un volume supérieur à 450-500 l.

LE PRIX

Dans le cas du verre collé, le prix augmente avec le volume, mais il ne faut pas croire qu'une cuve de 600 l vaut deux fois plus qu'une cuve de 300 l. En effet, plus un aquarium est grand, plus les vitres doivent être épaisses, et leur coût n'est pas proportionnel : du verre de 12 mm d'épaisseur ne vaut pas deux fois plus cher que du verre de 6 mm, mais s'élève nettement. Il y a donc une limite de volume, environ 500 l, à partir de laquelle l'utilisation d'autres matériaux devient plus rentable.

LE SUPPORT

Le poids d'un grand aquarium repose sur un support qui doit être solide, et il existe plusieurs solutions :
- un support en maçonnerie : c'est un travail qui doit être confié à un professionnel pour obtenir un résultat parfait, c'est-à-dire une horizontalité rigoureuse ; cela entraîne des frais non négligeables ;
- un support en briques et tasseaux : le poids de l'aquarium sera réparti sur des murets de briques parallèles et perpendiculaires à sa longueur. Les briques ne sont pas liées entre elles par du ciment, elles sont surmontées de gros tasseaux à sec-

---

DONNÉES POUR LA CONSTRUCTION D'UN AQUARIUM EN VERRE COLLÉ DE 2 M DE LONG

Dimensions de la cuve en verre :
- longueur = 2 m, largeur = 0,50 m, hauteur = 0,50 m ;
- volume brut = 500 litres ;
- épaisseur du verre = 10 à 12 mm.
Pour un aquarium de 0,60 m de hauteur (longueur et largeur identiques au cas précédent, volume = 600 litres), l'épaisseur du verre doit atteindre 12 à 15 mm.
Ces données intègrent un coefficient de sécurité :

Hauteur	Épaisseur du verre (mm)	Coefficient de sécurité *
0,50 m	10	≈ 3
0,50 m	12	≈ 6
0,60 m	12	≈ 3
0,60 m	15	≈ 6

* Les valeurs 3 et 6 signifient que le verre se briserait (en théorie) pour des hauteurs d'eau 3 à 6 fois supérieures.

tion carrée de 8 à 10 cm, parallèles à la longueur de l'aquarium.

Au-dessus, on place des tasseaux de 3 à 4 cm de section, perpendiculairement, c'est-à-dire dans le sens de la largeur de l'aquarium. Selon ses dimensions, les tasseaux seront espacés de 15 à 20 cm. Une ou plusieurs plaques de polystyrène de 2 à 3 cm d'épaisseur complètent l'ensemble. Le poids de l'aquarium, après remplissage, maintiendra l'ensemble.

LES DIFFÉRENTS MATÉRIAUX POUR GRANDS AQUARIUMS

Le verre collé

Nous avons déjà signalé auparavant que l'épaisseur des vitres est proportionnelle à la hauteur d'eau. Elle est également proportionnelle à la longueur de l'aquarium, pour limiter une courbure (minimale) des glaces frontale et arrière.

Pour accroître la sécurité, il faut prévoir des renforts longitudinaux et transversaux de la même épaisseur que les vitres.

La construction d'un aquarium de ce type nécessite de la main-d'œuvre (quatre personnes ne semblent pas superflues).

Le polyester

Au-delà d'un certain volume, le verre n'est plus rentable. Il faut donc utiliser un matériau moins coûteux, mais aussi solide.

A partir d'un moule (en général en bois) enduit successivement de mat de verre et de résine polyester, on peut concevoir des aquariums aux formes différentes des bacs rectangulaires traditionnels.

Le moule peut rester incorporé à l'aquarium ou en être séparé ; il restera alors disponible pour la réalisation d'autres aquariums identiques au premier.

Comme pour les grands bacs en verre collé, la construction d'un tel aquarium requiert l'aide et les conseils d'aquariophiles ayant déjà pratiqué cette technique, ce qui peut éviter bien des déboires aux néophytes.

Les autres matériaux

Les matériaux de type Fibrociment et béton demandent une certaine spécialisation et sont plus particulièrement réservés aux aquariums publics.

Compte tenu d'une faible porosité des matériaux et d'une éventuelle dissolution ultérieure de substances toxiques, la partie interne doit être recouverte de résine.

LA RÉALISATION D'UN AQUARIUM EN MAT DE VERRE ET RÉSINE SUR UN MOULE PERMANENT

Les parois intérieures du moule en bois sont successivement recouvertes de couches alternées de résine et de mat de verre. La dernière couche (celle qui sera au contact de l'eau) peut être colorée et recouverte de divers matériaux (quartz, sable de corail) selon un procédé assez semblable à la réalisation des décors artificiels.

L'ensemble des opérations demande du soin, de la patience et un certain nombre de précautions, notamment :
- une protection pour les mains (gants) et une aération de la pièce de travail ;
- une température adaptée (pas au-dessous de 15 °C, optimum vers 19-20 °C).

Le mat de verre

C'est un matériau constitué de fibres de verre enchevêtrées, applicable sur des surfaces relativement planes, dont la densité (pour les aquariums) est de 450 g/m².

La résine polyester

Elle doit être de qualité dite alimentaire, car elle se trouvera au contact de l'eau ; un catalyseur est nécessaire. Cette résine peut être colorée.

LES RENFORTS POUR AQUARIUMS DE GRANDES DIMENSIONS

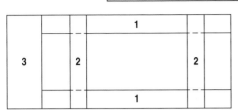

1 - Renforts longitudinaux, minimum 5 cm de large.
2 - Renforts transversaux, minimum 5 cm de large.
3 - Compartiment de filtration.

Baguettes de verre de même épaisseur que celui de l'aquarium.

Vue du dessus

Dans certains cas, des matières synthétiques peuvent remplacer le verre, notamment le polyméthacrylate de méthyle. Ce nom compliqué cache un produit distribué sous des noms commerciaux tels que Plexiglas ou Altuglas.
Il présente un certain nombre d'avantages, notamment conférés par sa légèreté et sa flexibilité. Il possède néanmoins un inconvénient : il se raie plus vite que le verre, mais les rayures peuvent être estompées et supprimées par le polissage. Ce faux verre, aussi transparent que du vrai, est utilisé pour la construction de bacs de très grande taille (plusieurs mètres cubes) dans les aquariums publics ; il peut également être utilisé pour la conception de bacs à forme spécifique (cylindrique ou cylindro-conique, pour l'aquariophilie et pour la culture des algues planctoniques dans des laboratoires scientifiques et des fermes marines).

LES AQUARIUMS PANORAMIQUES

L'utilisation de la résine et du mat de verre permet la réalisation d'aquariums de forme non traditionnelle, souvent qualifiés de panoramiques.

Aquariums panoramiques, vus du dessus

1 - Moule en bois, incorporé à l'aquarium et inamovible.
2 - Couches successives de mat de verre et de résine polyester.
3 - Glace frontale, épaisseur identique à celle d'un aquarium en verre collé de même dimension (donc fonction de la hauteur).
4 - Cuve extérieure de filtration, incluant divers équipements : chauffage, aération, lampe UV, écumeur, etc.

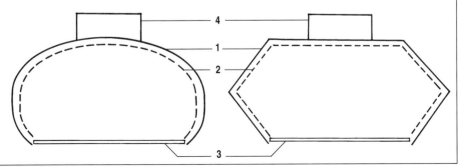

LES POISSONS D'EAU DOUCE

Les plus grands poissons appartiennent à la famille des Cichlidés ; leur caractère particulier oblige à les garder avec d'autres poissons de même taille, dans un bac où les plantes seront rares, car peu respectées. Un certain nombre d'espèces déjà citées dans cet ouvrage sont dans ce cas, mais il en existe quelques autres.

Cichlasoma synspilum

Originaire d'Amérique centrale, il peut dépasser 30 cm de long dans de bonnes conditions. Les jeunes sont moins colorés que les adultes qui présentent des teintes rouge orangé sur la partie antérieure du corps, complétées par du vert-bleu vers l'arrière du corps. Les mâles les plus âgés portent une bosse frontale caractéristique. Un volume minimal de 400 l est nécessaire et le bac doit comporter des cachettes aménagées avec des roches. L'eau doit être basique et moyennement dure (pH : 7 à 7,5 ; dureté 15-20°).

La reproduction n'est pas trop délicate ; la ponte s'effectue dans un trou creusé dans le sol, ou sur une pierre. Les parents gardent les œufs, qui éclosent en quatre jours environ ; les alevins s'alimentent vers le cinquième jour et doivent être nourris de nauplies d'*Artemia*. Les adultes acceptent de la nourriture fraîche et des paillettes du commerce.

L'oscar (Astronotus ocellatus)

Il est particulièrement apprécié de certains amateurs, car il peut devenir très familier, se laissant caresser et mangeant dans la main. Pourtant, son caractère est plutôt changeant : s'il est calme, tout va bien. Dans le cas contraire, il décide de temps en temps de bouleverser tout l'aquarium... Il accepte pratiquement toutes les nourritures, et préfère une eau légèrement acide et assez douce.

Une femelle peut pondre sur une pierre plate plusieurs centaines d'œufs qui se développeront en trois jours. Cinq jours après la naissance, les alevins nagent et se nourrissent de nauplies d'*Artemia*. Leur croissance est rapide.

L'oscar est originaire d'Amazonie, mais les poissons livrés sur le marché aquariophile proviennent d'élevages ; des variétés (rouge, bronze) y ont parfois été sélectionnées.

Uaru amphiacanthoides

Cette espèce est rarement présente sur le marché ; c'est regrettable car, malgré une taille pouvant atteindre 30 cm, elle présente un comportement très satisfaisant. Originaire de l'Amérique du Sud, ce poisson préfère une eau douce et acide, et ne détruit pas les plantes, dont certaines lui procurent un refuge.

Son régime alimentaire est à dominante végétale, il accepte cependant des proies vivantes et parfois des paillettes du commerce. La reproduction est délicate, les alevins se nourrissant du mucus des parents pendant les premiers jours (voir La reproduction du discus p. 296).

Noms scientifiques	Noms communs	Taille max. (cm)	Mode de vie	Alimentation	Observations
Cichlasoma synspilum	–	30	A	OP	Bosse frontale sur les mâles âgés.
Astronotus ocellatus	Oscar	30 et plus	A	P	Parfois destructeur.
Uaru amphiacanthoides	–	30	C	POV	Reproduction délicate.

L'oscar rouge est une variété sélectionnée au milieu des années 60 dans le Sud-Est asiatique.
Elle n'existe pas en Amazonie, région d'où est originaire la variété standard d'oscar (Astronotus ocellatus).

Cichlasoma synspilum *illustre parfaitement le dimorphisme sexuel existant chez les adultes de certaines espèces.*
Le mâle (à gauche) se reconnaît aisément à sa bosse frontale, sa coloration plus vive.
Ces différences, appelées caractères sexuels secondaires, apparaissent progressivement au cours de la croissance.

On peut parfois se demander pourquoi ces poissons sont si populaires, leurs couleurs n'étant pas parmi les plus remarquables du milieu aquatique. L'impression de sérénité qu'ils produisent lorsqu'ils sont en groupe dans un aquarium qui leur est consacré est peut-être une des explications. Il y a également une autre raison : ces poissons ont longtemps été considérés comme délicats à reproduire ; c'est actuellement plus facile, compte tenu des données acquises par les aquariophiles qui s'y sont plus particulièrement intéressés.

Ceux-ci pourront d'ailleurs s'étonner que le scalaire figure dans la partie de cet ouvrage consacrée à L'AMATEUR SPÉCIALISÉ, alors qu'un bon amateur confirmé peut parfaitement produire des portées de scalaires. En fait, nous avons voulu y consacrer un chapitre plus détaillé que pour certains poissons, considérant qu'il existe une différence entre réussir une ou deux pontes (plus ou moins involontairement) et produire régulièrement des alevins à partir d'adultes maintenus dans des conditions les plus proches possible de celles rencontrées dans la nature : le scalaire nous a paru être un bon exemple pour illustrer cette différence.

Les différentes espèces et leur provenance

On considère actuellement que les scalaires de nos aquariums appartiennent à deux espèces différentes, originaires de la même région et fréquentant parfois le même biotope : l'altum (*Pterophyllum altum*) et le scalaire commun (*Pterophyllum scalare*).

- *L'altum :* il est bien plus rarement commercialisé que le scalaire commun, l'approvisionnement se faisant avec des spécimens sauvages capturés dans le milieu naturel, la région amazonienne et plus particulièrement l'Orénoque. Vivant le long des berges des fleuves et des rivières pas trop rapides où l'eau est douce et acide, il peut atteindre une longueur de 8 à 9 cm, parfois plus, et une hauteur de 20 cm (nageoires déployées). Son prix élevé ne décourage pas les aquariophiles passionnés.

- *Le scalaire commun :* il est originaire de l'Amazone et des fleuves affluents où on le rencontre également près des berges, dans une eau possédant des caractéristiques identiques à celles convenant à l'altum. Il se différencie de ce dernier par la zone frontale, entre la bouche et l'œil ; il atteint une longueur et une hauteur légèrement supérieures. Les sujets sauvages importés sont très rares dans le commerce, les scalaires étant couramment élevés dans le Sud-Est asiatique et en Europe. Les élevages ont d'ailleurs produit des variétés inconnues dans la nature, souvent mal considérées par les amateurs puristes.

Le comportement

Les scalaires sont des poissons paisibles, qui se déplacent la plupart du temps assez lentement. Lorsqu'ils sont effarouchés, par exemple par un mouvement brusque de celui qui les observe, ils se réfugient rapidement parmi les plantes et le décor.

Malgré cela, ils deviennent assez familiers et connaissent parfaitement l'endroit de l'aquarium où la nourriture leur est distribuée.

Ce comportement permet d'envisager leur cohabitation avec d'autres espèces calmes, même de petite taille. Toutefois, au moment de la reproduction, si elle a lieu en présence d'autres poissons, les scalaires défendent et protègent leur zone de ponte.

Les conditions générales d'acclimatation en aquarium

On peut envisager de garder ces poissons dans un bac spécifique où l'altum et le scalaire commun peuvent cohabiter. On peut également se tourner vers la réalisation d'un bac sud-américain où d'autres espèces calmes leur tiendront compagnie. Les données qui suivent sont exploitables dans les deux cas.

A part les scalaires sauvages importés, la plus grande partie de ceux disponibles sur le marché aquariophile proviennent d'élevages du Sud-Est asiatique. Néanmoins, quelques sociétés françaises reproduisent, élèvent et commercialisent différentes variétés de scalaires (ainsi que d'autres poissons d'aquarium). Une rigoureuse hygiène garantit de bons résultats ; les bacs d'élevage comportent un équipement minimal : une filtration à base de mousse synthétique. Les couples reproducteurs, bien identifiés, sont isolés dans des bacs avec un support de ponte peu sophistiqué, mais efficace : un simple tuyau de PVC.

Le personnel lui-même respecte des normes de salubrité (bottes désinfectées dans des pédiluves). C'est dans ces conditions que l'on peut régulièrement produire des poissons robustes et en bonne santé.

- *L'aquarium* devra être assez vaste et haut ; un volume de 250 à 300 l permet la maintenance de quelques individus en compagnie d'autres poissons.
- *L'eau :* les scalaires communs provenant d'élevages, il n'est pas impératif que l'eau présente strictement les caractéristiques du milieu naturel dont ils sont originaires. Elle devra toutefois être douce (7 à 12° français) et légèrement acide (pH 6,6 à 6,8) ; il est préférable que la température soit au minimum de 26 °C. L'espèce altum a besoin d'une eau plus douce et plus acide. L'eau ne doit pas être brassée trop vigoureusement, et une filtration dont le débit par heure est au maximum égale au volume du bac est suffisante.
- *La luminosité* doit être plutôt modérée ; pour cela, on utilise des plantes flottantes et un sol assez sombre.
- *Le décor typique* d'un aquarium spécifique pour les scalaires comporte des branches et des racines, éventuellement quelques roches sombres. Les plantes constituent un élément sécurisant et parfois un support de ponte. *Echinodorus* et *Myriophyllum,* entre autres, conviennent parfaitement.

- *Les espèces associées :* les scalaires supportent très bien la présence de petits Characidés (néons par exemple), ainsi que celle des poissons de fond du genre *Corydoras* ; ce sont d'ailleurs des espèces originaires de la même région. La présence de discus n'est pas non plus incompatible.
- *L'alimentation :* ces poissons apprécient les petites proies vivantes proportionnées à la taille de leur bouche (tubifex, *Artemia*), les nourritures carnées (viande, crevettes) et acceptent les paillettes de nourriture artificielle.
- *Les maladies :* en plus des maladies touchant classiquement les poissons d'eau continentale, les scalaires subissent parfois une «pourriture» des nageoires, provoquée par des bactéries, qui sera soignée grâce aux antibiotiques.

La reproduction

Deux possibilités s'offrent à l'amateur : la reproduction dans un bac d'ensemble ou dans un aquarium spécifique. Il existe certaines différences sur le plan technique.
- *Le bac de reproduction* doit être suffisamment vaste (notamment en hauteur, minimum 35 cm) pour que les scalaires s'y déplacent à leur aise. La température de l'eau peut être portée à 28 °C, la dureté inférieure à 10° français, le pH compris entre 6,5 et 6,8. Sur ces derniers points, le scalaire altum est un peu plus exigeant : dureté de 5° environ, pH 5,5 à 6,5.
- *Le support de ponte :* les scalaires pondent des œufs adhésifs, à mi-hauteur d'un support vertical. Dans un bac communautaire, ils vont utiliser des plantes à larges feuilles (*Echinodorus*) ou les roches plates.
Dans un aquarium de reproduction, on peut leur offrir les mêmes supports, ou des matériaux artificiels : tubes de PVC de différents diamètres, pots de fleurs en terre cuite renversés. Il est toutefois fort possible qu'ils choisissent un autre endroit pour pondre, par exemple la partie extérieure d'un exhausteur ou même une des vitres.
- *Les géniteurs :* les scalaires se choisissent et sont fidèles. Pour envisager de voir un couple se former, il faut posséder au moins huit à dix individus. La différenciation sexuelle est délicate, parfois impossible ; la femelle pourra être identifiée au moment de la ponte, si on a la chance d'y assister. Les scalaires sont matures à partir d'une taille de 5 cm environ, l'élément le plus important pour leur conditionnement étant la nourriture : elle doit être variée et distribuée au moins deux fois par jour. Dans un aquarium d'ensemble, il faut s'assurer que vos scalaires, reproducteurs potentiels, ne soient pas gênés lors de leurs repas par d'autres poissons plus vifs.
- *La ponte :* après nettoyage du support de ponte, les œufs (jusqu'à 300 et parfois plus) sont déposés sur le support par la femelle, puis fécondés par le mâle. Les parents ventilent la ponte et surveillent la zone de reproduction. L'incubation dure environ deux jours. Il est fort possible qu'ils abandonnent leur ponte ou commencent à la dévorer : dans cette éventualité, il faut pratiquer une incubation artificielle. Le support de ponte est enlevé de l'aquarium et déposé verticalement dans un autre bac où les caractéristiques de l'eau sont identiques. Une aération très légère doit agir près des œufs sans que les femelles soient à leur contact ; on remplace ainsi la ventilation normalement assurée par les parents. Une désinfection préventive peut être effectuée avec du bleu de méthylène, pour éviter aux œufs de moisir. Le plus grand soin doit être apporté à cette suite d'opérations pour obtenir un résultat satisfaisant.
- *Les alevins :* ils nagent environ cinq jours après l'éclosion et doivent être nourris avec des nauplies d'*Artemia*. D'abord de forme allongée (on ne dirait pas des scalaires), ils grandissent rapidement pour devenir progressivement de plus en plus hauts et acquérir une forme caractéristique après 5 ou 6 semaines. Leur croissance est facilitée par une nourriture appropriée distribuée 3 ou 4 fois par jour, ainsi que par des changements partiels d'eau effectués régulièrement.
- *Le devenir des parents :* quelle que soit la réussite de la ponte, on sait que l'on est en présence d'un couple qui restera fidèle et pourra de nouveau se reproduire. On peut donc envisager leur maintenance dans un aquarium particulier où ils pourront produire d'autres alevins en toute quiétude.

La reproduction des scalaires procure de grandes satisfactions aux amateurs qui parviennent à maîtriser le problème.
Quoi qu'il en soit, le spectacle de ces poissons majestueux est généralement très apprécié. Leur calme, leur allure, leurs déplacements donnent une impression de sérénité rarement égalée par d'autres espèces pourtant plus vivement colorées, si ce ne sont les discus, originaires de la même région, avec qui ils peuvent cohabiter.

1 - Scalaire altum (*Pterophyllum altum*) ;
2 - Scalaire commun (*Pterophyllum scalare*) : forme standard ;
3 - Scalaire commun (*Pterophyllum scalare*) : forme voile ;
4 - Scalaire commun (*Pterophyllum scalare*) : variété bicolore ;
5 - Scalaire commun (*Pterophyllum scalare*) : variété noire ;
6 - Scalaire commun (*Pterophyllum scalare*) : variété fumée ;
7 - Scalaire commun (*Pterophyllum scalare*) : variété marbrée.
Les variétés 4 à 7 existent également en forme voile.

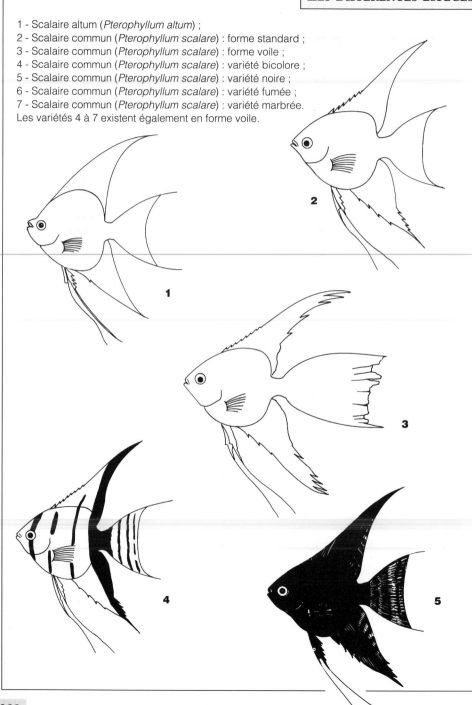

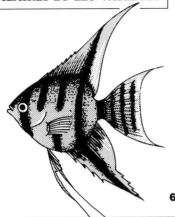

6

7

LES DIFFÉRENCIATIONS SEXUELLES CHEZ LES SCALAIRES

Il n'est pas du tout évident de distinguer le mâle de la femelle ; c'est surtout possible au moment de la ponte. En dehors de cette période, quelques détails anatomiques peuvent donner des indications, mais il faut bien se garder de généraliser.

	Mâle	**Femelle**
Différences au moment de la reproduction		
Papille génitale	de forme conique	de forme cylindrique
Différences en dehors de la reproduction (pas systématiques et non généralisables)		
Premiers rayons de la nageoire dorsale	semblent plus irréguliers et dentelés	moins dentelés
Espace ventral entre les pelviennes et l'anale	plus long et moins courbe	plus court
Bande noire de l'œil	étroite	plus large, s'incurvant vers la dorsale
	Compte tenu de la variabilité des scalaires d'élevage, ce critère est plutôt délicat à interpréter	
Poisson vu de face, largeur du corps entre pectorales et pelviennes	plus étroite	moins étroite

Le scalaire altum, moins courant et plus coûteux que son cousin le scalaire commun, se distingue de ce dernier par la partie de son front située au-dessus de l'œil qui adopte une forme légèrement bombée. Sa reproduction s'avère délicate. Les poissons importés proviennent du milieu naturel, et il n'existe pas de formes voile ou différemment colorées comme chez le scalaire commun.

La forme marbrée du scalaire commun a été sélectionnée en élevage aux États-Unis dans les années 60. Elle est aujourd'hui courante dans le commerce aquariophile comme la plupart des autres variétés qui peuvent se croiser entre elles. Dans une même portée de scalaires issus de parents marbrés, il est rare que le patron de coloration soit identique chez les alevins.

- Scalaire fumé : la coloration argentée est estompée par un fond noirâtre ;
- Scalaire marbré : à la place des rayures, les scalaires présentent des marbrures plus ou moins prononcées ;
- Scalaire noir : obtenu à partir du scalaire fumé, pratiquement totalement noir ;
- Scalaire bicolore : la partie antérieure du corps (à l'exception des nageoires) est noire, la partie antérieure n'est pas modifiée ;
- Scalaire zebra : dérivé du scalaire marbré, intermédiaire entre ce dernier et le scalaire commun classique ;
- Scalaire léopard : également dérivé du marbré, les marbrures étant moins importantes ;
- Scalaire xanthochromique : aucune tache de couleur noire, coloration dorée, œil noir (ce n'est pas une forme albinos).

Toutes ces variétés existent également sous forme voile, les nageoires dorsale, anale et caudale étant nettement plus allongées.

Le scalaire noir a été sélectionné à partir du scalaire fumé et importé en Europe après 1950. Les amateurs puristes n'apprécient pas cette variété, trop éloignée à leur goût des individus standards.

Contrairement à ce que l'on pense, les scalaires dorés ne sont pas des albinos, l'œil restant coloré en noir. Les variétés les plus parfaites ne présentent pas de taches noires sur le corps : on leur donne le nom de scalaires xanthochromiques. Toutefois, certains croisements peuvent enrichir la livrée de ponctuations noires, comme c'est le cas ici.

Le scalaire fumé est probablement une des variétés les plus anciennes. Comme chez le scalaire marbré et le scalaire noir, des sélections poussées ont permis l'obtention de formes voile.

Les parents choisissent une plante à feuilles larges ou une roche plate sur laquelle la femelle déposera plusieurs centaines d'œufs fécondés par le mâle.

Lorsque les œufs sont en place sur la plante, les parents les ventilent et les protègent en écartant les autres poissons.

Si les parents se désintéressent des œufs ou les dévorent, il faut alors sortir le support de ponte et pratiquer l'incubation artificielle.

On peut offrir aux parents un support de ponte artificiel : pot de fleurs, tube en PVC.
Si tout se passe bien, ils s'occupent de la ponte ; dans le cas contraire, il faut passer à l'incubation artificielle en déplaçant le support dans un bac dont les caractéristiques de l'eau seront très voisines. Il faudra aérer les œufs par un léger bullage.

Quel que soit le support, les œufs sont aérés artificiellement avec un diffuseur à débit modéré. Ceux qui ne se développent pas doivent être enlevés (c'est normalement le rôle des géniteurs auxquels il faut se substituer).
Le traitement au vert de malachite ou au bleu de méthylène peut éviter le développement de champignons.

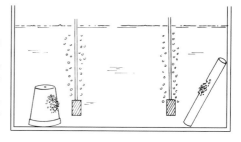

Les alevins, d'abord de forme allongée (à gauche), prennent peu à peu la forme caractéristique des scalaires (à droite) et grandissent rapidement grâce à une nourriture appropriée distribuée régulièrement et à des changements d'eau fréquents.

Les différentes espèces et leur provenance

Les deux espèces de discus disponibles sur le marché sont originaires de l'Amérique du Sud : le discus de Heckel (*Symphysodon discus*) vit dans le rio Negro et surtout dans ses affluents, l'autre espèce (*S. aequifasciatus*) dans l'Amazone et les rivières qui s'y jettent. Les spécimens sauvages sont importés du Brésil et de la Colombie (mais il existe également des fermes d'élevage dans ces régions, ainsi que dans le Sud-Est asiatique).

Ils vivent près des berges escarpées, parmi les branches. L'eau y est douce et acide et contient du fer en quantité non négligeable dans certains endroits ; la température est la plupart du temps supérieure à 25 °C.

Le comportement

Les discus sont réputés paisibles, surtout s'ils sont sécurisés par leur environnement : décor, poissons accompagnateurs sociables. Leur comportement peut devenir plus vif, notamment au moment de la reproduction.

Les conditions générales d'élevage en aquarium

Le discus brun d'élevage est considéré comme plus facile à acclimater, l'important étant la qualité de l'eau.

Ces poissons pouvant atteindre un diamètre de 15 cm, il leur faut de l'espace et une hauteur d'eau minimale de 50 cm : on peut se baser sur un volume d'une centaine de litres par discus adulte.

- *L'aménagement du bac :* on maintiendra un éclairage assez diffus, éventuellement grâce à la présence de plantes flottantes. On peut bien entendu utiliser un décor artificiel qui sera préférentiellement complété par des branches et des racines habituelles dans le milieu d'origine ; les roches ne sont pas indispensables. L'effet décoratif sera renforcé par quelques plantes, mais en faible quantité : la qualité de l'eau ne permet pas d'envisager un véritable jardin aquatique et, de plus, les plantes sont assez rares dans le biotope des discus. Le sol sera de couleur assez foncée.

- *Le type de bac :* deux cas sont possibles :
. un aquarium régional sud-américain, où d'autres poissons côtoient les discus. Ils seront introduits avant ces derniers pour se familiariser avec leur nouvel environnement ;
. un aquarium spécifique, où ils seront seuls, la qualité de l'eau étant différente dans les deux cas, mais elle sera de toute façon acide – l'acidité étant maintenue par l'utilisation d'une petite quantité de tourbe dans le système de filtration. Il est très important de se renseigner sur la provenance des discus que l'on va se procurer (spécimens sauvages ou d'élevage) ainsi que sur les caractéristiques de l'eau d'origine qu'il faudra recréer dans le bac d'élevage.

Le discus brun est la variété la plus courante de l'espèce S. aequifasciatus. *Sur le sujet de droite, on distingue les neuf barres verticales sombres caractéristiques de cette espèce, un peu moins marquées sur le sujet de gauche. La coloration varie en effet suivant le comportement du poisson et en fonction de son environnement. Les discus peuvent s'intégrer dans un bac d'ensemble en compagnie d'espèces calmes telles que les scalaires.*

LES DEUX TYPES DE BACS POUR LES DISCUS

	Aquarium régional sud-américain	Aquarium spécifique à discus
Peuplement	Espèces accompagnatrices au comportement social excellent : scalaires, petits Characidés, corydoras.	Uniquement composé de discus.
Qualité de l'eau	Doit favoriser l'acclimatation de toutes les espèces : 26 à 28 °C, dureté 5 à 10°, pH 6 à 6,8.	Peut être proche de celle du milieu d'origine : 28 °C, dureté égale ou inférieure à 5°, pH 5,7 à 6,5.
Décor	Branches, racines, plantes typiques d'un bac sud-américain.	Branches, racines, peu de plantes (*Echinodorus*, par exemple).

- *L'alimentation :* les discus sont voraces, mais ils ont une petite bouche qui limite la taille des proies qu'ils peuvent attraper. Peut-être plus que pour d'autres poissons, la fréquence et la variété du régime alimentaire sont une des clés de la réussite de leur maintenance. Deux ou trois fois par jour, ils seront donc nourris avec des larves de moustiques, des tubifex, des *Artemia*. Ils acceptent également les paillettes du commerce, mais il ne faut pas en faire l'alimentation de base. On peut également leur fournir des alevins de poissons vivipares, âgés de quelques jours.

- *Les maladies :* les discus peuvent contracter les maladies courantes des poissons d'eau continentale, mais également subir quelques problèmes spécifiques. Nous renvoyons le lecteur à la littérature spécialisée, très explicite dans ce domaine, tout en précisant que, dans certains cas, une élévation de température jusqu'à 35 °C pendant quelques jours donne des résultats satisfaisants (les discus ne seront pas nourris et l'eau sera fortement brassée pour favoriser son oxygénation).

La reproduction

Les discus figurent parmi les poissons d'eau continentale les plus délicats à reproduire ; ils réclament des conditions assez strictes et un calme général autour de l'aquarium. Il n'y a pas de grandes différences entre les deux espèces, la reproduction du discus de Heckel (*S. discus*) étant en général un peu moins facile.

- *Le bac de reproduction :* les discus peuvent se reproduire dans leur aquarium de maintenance, mais il est préférable de prévoir un bac de reproduction d'un volume minimal de 200 l, pourvu de

LA REPRODUCTION DES DISCUS

Après la phase de nutrition sur le mucus parental, la réussite de l'élevage dépend de l'apport de proies vivantes.
Les alevins se nourrissent tout d'abord des nauplies d'Artemia, puis acceptent progressivement des proies de taille plus importante (Artemia à des stades ultérieurs, daphnies). Lorsque tous ces types d'aliments sont appréciés, les alevins peuvent être séparés des parents et placés dans un bac d'élevage où l'eau aura les mêmes caractéristiques que dans le bac de ponte.

supports de ponte identiques à ceux qu'utilisent les scalaires (pierre plate, tube de PVC, pot de fleurs).

L'eau doit posséder des caractéristiques très précises : la dureté sera la plus faible possible (voire même pratiquement nulle) et le pH maintenu aux alentours de 5 à 5,5 (valeur exceptionnellement basse pour un poisson).

L'utilisation de tourbe s'avère donc quasi indispensable, la quantité exacte à utiliser étant de l'ordre de 1 l pour 200 l d'eau ; il est toutefois prudent de faire quelques essais préalables. La température sera maintenue entre 28 et 30 °C.

- *Les géniteurs :* il est difficile de connaître exactement l'âge des poissons ; or, il est important de ne pas utiliser des poissons trop âgés.

Dans le cas des discus, il vaut encore mieux se procurer des individus de 4 à 5 cm de diamètre, n'ayant pas encore reproduit (ce ne sont toutefois plus des juvéniles, on parle de subadultes), et les élever ensemble. Les discus sont monogames, un couple se formera sans intervention de l'amateur.

La différenciation sexuelle est très délicate, elle ne peut se faire avec certitude que par observation de la papille génitale, ce qui suppose une manipulation des géniteurs. Certains détails peuvent parfois permettre de distinguer le mâle : présence d'une légère bosse sur le front, prolongement des derniers rayons de la nageoire dorsale. Ces particularités ne peuvent cependant pas être généralisées pour tous les couples, la reconnaissance du mâle et de la femelle ne se faisant sûrement qu'à la ponte.

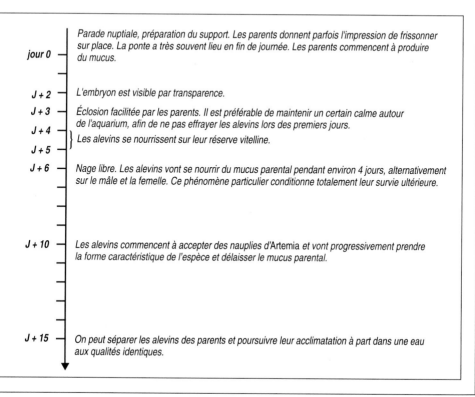

jour 0 — *Parade nuptiale, préparation du support. Les parents donnent parfois l'impression de frissonner sur place. La ponte a très souvent lieu en fin de journée. Les parents commencent à produire du mucus.*

J + 2 — *L'embryon est visible par transparence.*

J + 3 — *Éclosion facilitée par les parents. Il est préférable de maintenir un certain calme autour de l'aquarium, afin de ne pas effrayer les alevins lors des premiers jours.*

J + 4 }

J + 5 — *Les alevins se nourrissent sur leur réserve vitelline.*

J + 6 — *Nage libre. Les alevins vont se nourrir du mucus parental pendant environ 4 jours, alternativement sur le mâle et la femelle. Ce phénomène particulier conditionne totalement leur survie ultérieure.*

J + 10 — *Les alevins commencent à accepter des nauplies d'Artemia et vont progressivement prendre la forme caractéristique de l'espèce et délaisser le mucus parental.*

J + 15 — *On peut séparer les alevins des parents et poursuivre leur acclimatation à part dans une eau aux qualités identiques.*

Lorsque le couple s'isole et entame une parade nuptiale (frottements, mouvements et nage rapides, comportement plus vif), la ponte est proche, et on les isole dans un bac de reproduction si cela est possible.

- *La ponte :* le couple s'isole près d'un support, le nettoie, tout en continuant sa parade nuptiale. Le mâle devient assez agressif envers les autres pensionnaires d'un bac d'ensemble et protège le lieu de ponte.

La ponte a souvent lieu en fin d'après-midi et dure jusqu'à trois quarts d'heure. La femelle dépose un groupe d'œufs aussitôt fécondés par le mâle, l'opération se répète plusieurs fois, la ponte pouvant compter jusqu'à 200 œufs.

L'incubation dure environ trois jours, et dès le deuxième jour l'embryon est visible par transparence. Pendant ce temps, les parents jouent un rôle actif de surveillance.

Les œufs sont «mâchonnés» par les parents pour faciliter l'éclosion, les larves sont fixées par la tête sur le support ou à proximité, des glandes sécrétant un mucus facilitant cette opération.

LE MUCUS PARENTAL

Son utilisation par les alevins est obligatoire pendant leurs premiers jours de nutrition. Il contient certaines substances nutritives qu'ils peuvent assimiler, mais joue très certainement également un rôle olfactif et immunitaire.

Le mucus devient plus abondant chez les parents dès la ponte et la fécondation ; ils apparaissent alors grisâtres et laiteux.

Lorsque le mucus s'épuise sur un des deux géniteurs, il se secoue, le nuage d'alevins qui se nourrissaient passe alors sur le second géniteur, qui attend à proximité, nageoires écartées.

- *Les alevins :* deux à trois jours plus tard, ils se détachent, passent en phase de nage libre et sont regroupés par les parents. C'est là qu'intervient un phénomène très particulier, excessivement rare chez les poissons : les alevins vont se nourrir du mucus des parents. Cette phase de l'élevage, qui dure environ quatre jours, est impérative : on ne peut espérer voir survivre la progéniture en dehors de la présence des parents.

Les alevins sont ensuite nourris avec des nauplies d'*Artemia* ; ils peuvent alors être séparés des parents et placés dans un bac d'élevage pas trop volumineux, de manière à être toujours en contact avec leurs proies.

Ils acquièrent progressivement leur silhouette caractéristique. Leur croissance est rapide, mais dépend de la nutrition, du volume du bac et des changements d'eau. Il faut donc les transférer dans des aquariums de plus en plus grands, dans lesquels on changera régulièrement et fréquemment une petite partie de l'eau, la distribution de nourriture étant étalée au cours de la journée.

- *Les échecs :* il est fort possible que les parents dévorent leur première ponte, ce n'est pas un phénomène exceptionnel.

L'aquariophile, déçu, s'interroge : quelle erreur a-t-il pu commettre ? En fait, il ne semble pas y avoir une influence extérieure, mais un comportement particulier du couple pouvant être considéré comme une forme d'apprentissage.

Cela peut se renouveler, mais les discus vont régulièrement pondre et les succès remplaceront les échecs. Toutefois, lorsque les œufs ne sont pas fécondés, les parents s'en aperçoivent et les dévorent également.

Une première ponte, même sans résultat positif, permet néanmoins à l'aquariophile d'acquérir un début d'expérience sur ces poissons délicats, par exemple pour la reconnaissance des sexes.

LES DEUX ESPÈCES DE DISCUS

A l'heure actuelle, les spécialistes s'accordent généralement pour distinguer deux espèces de discus : *Symphysodon discus* (discus de Heckel) et *Symphysodon aequifasciatus* (discus). La différence se fait notamment sur le nombre de barres verticales foncées, pas toujours visibles (voir ci-dessous).

	S. discus (discus de Heckel)	S. aequifasciatus (discus)
Œil	noir	rouge
Barres verticales	3, celle du milieu toujours visible	9, plus ou moins visibles

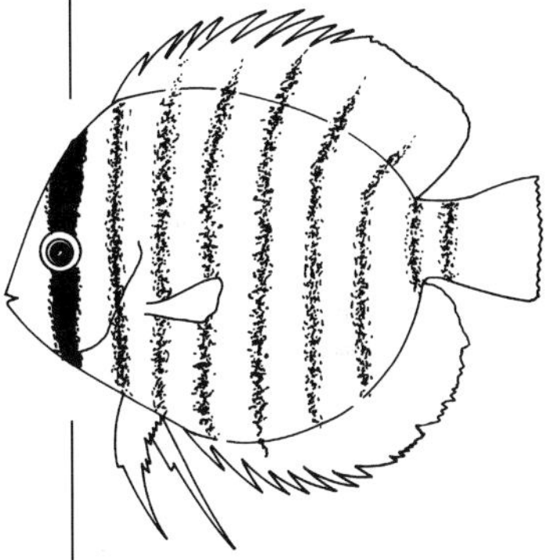

LA COLORATION DES DISCUS

Elle est sujette à variation, en fonction de plusieurs facteurs :
- l'environnement ;
- le comportement (peur, parade nuptiale) ;
- la qualité de l'alimentation ;
- certaines substances dissoutes dans l'eau (dont le fer). Les discus élevés dans des eaux où ces substances sont faiblement concentrées sont généralement moins vivement colorés. Signalons pour terminer que, dans des élevages du Sud-Est asiatique, les discus sont parfois artificiellement colorés à l'aide d'hormones.

Il existe, en milieu naturel, quelques variétés de discus *(S. aequifasciatus)*, dont certaines valent très cher. Elles se différencient par la teinte de fond, par les lignes ondulées horizontales et par la couleur des nageoires pelviennes.

Variétés	Coloration de fond	Lignes ondulées horizontales	Coloration des nageoires pelviennes
Discus vert (*S.a. aequifasciatus*)	jaune-brun clair, partie ventrale bleu-vert	bleues sur la tête et le début du dos	rouge
Discus brun (*S.a. axelbrodi*)	brun	bleues sur la tête	rouge
Discus rouge (*S.a.*, variété rouge)	jaune-brun clair, dos et ventre rouges, parties noires bien marquées	bleues sur la tête, peu importantes	noire
Discus bleu (*S.a. haraldi*)	jaune-brun clair	bleues sur presque tout le corps, y compris les nageoires dorsale et anale, parfois incomplètes	rouge
Discus bleu royal (*S.a.*, variété Royale Blue)	bleu	brun-rouge continues	partiellement rouge

Il existe également des variétés d'élevage, toujours issues du discus (*S. aequifasciatus*) : turquoise, turquoise-rouge, azur, cobalt. Pour compliquer les choses, le croisement des variétés naturelles ou sélectionnées produit des couleurs parfois intermédiaires, entraînant l'apparition d'autres noms. On trouve également une forme géante, mesurant plus de 20 cm de haut (discus de Wattley).

Le discus bleu est une variété naturelle de Symphysodon aequifasciatus. *Localisé dans certains affluents de l'Amazone, il est moins commun sur le marché, donc plus coûteux, ce qui ne l'empêche pas d'être un des discus les plus recherchés par les amateurs.*

Les croisements entre les deux espèces et les différentes variétés produisent souvent des poissons dont la coloration ne permet pas une identification sûre. Les passionnés les plus puristes ne sont pas favorables à de tels croisements.

Malgré la présence d'individus de sa propre espèce dans le même bac, un discus peut choisir un partenaire de l'espèce proche, auquel il restera fidèle.

LES POISSONS MARINS

Un certain nombre d'espèces ne peuvent être élevées que dans des grands volumes : les poissons-chirurgiens, les poissons-anges, les balistes, les rascasses et les mérous.

Les poissons-chirurgiens

Méfiez-vous de l'épine érectile du pédoncule caudal qui peut provoquer des blessures. Les poissons-chirurgiens sont réputés difficiles, notamment à cause de leur alimentation en partie herbivore, mais les jeunes s'adaptent plus facilement en captivité. Parmi les espèces les moins délicates, citons le chirurgien à poitrine blanche *(Acanthurus leucosternon)*, le chirurgien rayé *(Aspisurus lineatus)*, le chirurgien jaune *(Zebrasoma flavescens)*.

Les poissons-anges

Ce sont des poissons magnifiques, dont la coloration des jeunes diffère parfois notablement de celle des adultes. Ces poissons territoriaux ne supportent pas la présence d'individus de la même espèce (ou d'une espèce proche, à coloration peu différente). L'acclimatation de ces poissons et leur élevage sont assez délicats ; il faut en particulier leur fournir de petites proies vivantes complémentées par des végétaux.

Les balistes

Relativement faciles à conserver, les balistes ne se supportent pas entre eux. Il est préférable qu'ils ne cohabitent pas avec de petites espèces. Ils apprécient les cachettes et acceptent les aliments d'origine animale ; pour éviter une pousse trop importante de leurs dents, il faut également leur fournir des proies dures dont ils briseront la carapace ou la coquille (petits crabes, mollusques, oursins).

Les rascasses

Sous une apparence majestueuse et relativement calme, les rascasses sont des animaux potentiellement dangereux (voir p. 306). Leur comportement est assez satisfaisant ; les rascasses se supportent entre elles, mais elles s'intéressent beaucoup aux poissons de petite taille. Il faut d'ailleurs les nourrir avec des proies vivantes sur lesquelles elles se jetteront dès qu'elles seront à leur portée ; si on utilise de la nourriture congelée, elle doit couler lentement à leur proximité.

Les mérous

Ces poissons appartenant à la famille des Serranidés peuvent atteindre 30 cm en aquarium. Très voraces, ils acceptent de la nourriture carnée (moules, viande) et sont friands de petits poissons vivants. Il faut donc éviter de les faire cohabiter avec ce type d'espèces, mais on peut élever des vivipares (guppy, platy, xipho) pour varier leur alimentation.

LA REPRODUCTION DES POISSONS MARINS

Très peu d'espèces se reproduisent en aquarium. Elles n'y trouvent probablement pas certaines conditions nécessaires qui existent en milieu naturel – conditions que l'on ignore parfois, malgré l'intérêt des scientifiques et des amateurs.

Il existe cependant quelques espèces qui sont susceptibles de procurer de grandes joies aux aquariophiles *(Apogon, Anthias,* et surtout les Pomacentridés), mais la réussite de leur reproduction dépend de nombreux facteurs :
- il faut posséder un couple qui s'apprécie et accepte de se reproduire ;
- des soins, de l'expérience et une présence de tous les instants sont requis lorsque l'événement se produit ;
- il faut aussi un peu de chance, facteur non négligeable et parfois sous-estimé. La plupart du temps, la reproduction de poissons marins a lieu sans intervention de l'aquariophile, qui laisse faire la nature et essaie de suivre ;
- le point le plus délicat est certainement l'alimentation des alevins. Si vos poissons marins se reproduisent, vous disposez de peu de temps pour obtenir une nourriture adaptée, il vaut mieux prévoir ce problème assez longtemps à l'avance.

L'alimentation des alevins

Très souvent (mais ce n'est pas une règle générale), la taille des alevins de poissons marins est inférieure à celle des poissons d'eau douce, ce qui implique la même règle pour la taille de la bouche. Il faut donc disposer d'une nourriture appropriée, présentant des qualités nutritives intéressantes.

Dans tous les types d'eaux, il existe une catégorie d'invertébrés particuliers, les rotifères (voir p. 304). Ils forment un groupe à part, au même titre que les vers et les crustacés, et, pour simplifier, on pourrait dire qu'ils sont leurs intermédiaires. Ces animaux planctoniques, dont la taille varie de 80 à 300 microns en fonction de la souche d'origine et du milieu, se nourrissent d'algues planctoniques en filtrant l'eau. Ils constituent la nourriture des alevins pendant leurs premiers jours avant que ceux-ci n'acceptent les nauplies d'*Artemia* ; leur acclimatation ne pose pas de problèmes particuliers.

La reproduction des poissons-clowns

Parmi ces derniers, plusieurs espèces de poissons-clowns se reproduisent fréquemment chez les amateurs, parfois peu préparés à ce phénomène...
Il y a quelques variantes suivant les espèces, mais les données qui suivent sont communes à tous les poissons-clowns.

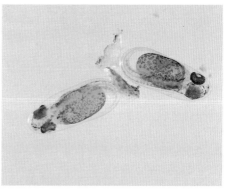

Dès que les larves de poissons marins se déplacent, après résorption de leur vésicule vitelline, il faut leur fournir des proies animales vivantes de petite taille. Les rotifères conviennent parfaitement.

- *Le bac de reproduction :* les poissons-clowns sont capables de se reproduire dans un aquarium marin d'ensemble, mais la survie des alevins peut y être compromise. On peut donc prévoir un bac de reproduction (ou plus précisément un bac d'éclosion) où seront transférés les œufs. L'eau doit être strictement identique à celle du bac d'ensemble. On veillera particulièrement à la bonne qualité de l'eau : taux de matières azotées satisfaisant, écumage, stérilisation éventuelle, la température devant atteindre 26-27° C.

- *Les géniteurs :* les amphiprions ont la possibilité de changer de sexe : d'abord mâles, ils se transforment ensuite en femelles capables de se reproduire. Comme

Le poisson-clown à trois bandes (A. ocellaris) se reproduit à proximité de l'anémone qui l'abrite. Les œufs sont déposés sur un support et surveillés par le mâle. L'éclosion se produit après 4 ou 5 jours d'incubation alors que les larves mesurent 3 à 4 mm.

Obtention de souches

La récolte en milieu naturel est très aléatoire et potentiellement risquée (capture simultanée d'organismes indésirables).

Il reste deux possibilités ; la première, relativement évidente, est de s'adresser à des aquariophiles qui élèvent des poissons marins ; le «bouche à oreille» fonctionne parfaitement dans ce milieu, et on doit arriver à contacter un amateur qui pourra fournir des rotifères et vous conseiller.

La seconde possibilité est de contacter des laboratoires spécialisés où l'on cultive des rotifères pour diverses raisons (recherche, élevage de poissons marins européens). Il existe différents organismes, pas forcément situés en bord de mer, qui pourront vous fournir des rotifères (gracieusement, les refus étant excessivement rares).

Dans les deux cas, vous pourrez également obtenir les algues nécessaires à leur alimentation.

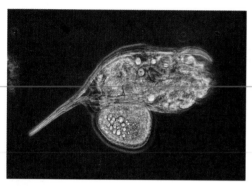

Rotifère mesurant 0,2 mm.

Exigences et élevage

Un récipient de quelques litres à quelques dizaines de litres, neutre, convient parfaitement (une cuve en verre collé par exemple).

La concentration de rotifères ne doit pas dépasser 200 individus par millilitre, dans une eau moyennement agitée, aux alentours de 20 °C (les rotifères, tout juste visibles à l'œil nu, peuvent se compter dans une pipette graduée, maintenue horizontale devant une lumière forte. On calcule ainsi une concentration plus ou moins approximative, mais suffisante).

Élevage et prélèvement des rotifères

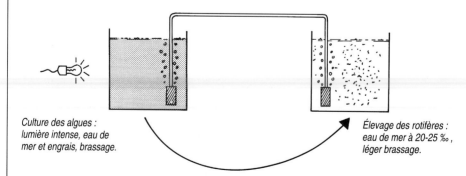

Culture des algues : lumière intense, eau de mer et engrais, brassage.

Élevage des rotifères : eau de mer à 20-25 ‰, léger brassage.

Nutrition des rotifères avec les algues : l'eau du bac doit prendre une teinte vert translucide. Après disparition de cette teinte, renouveler l'opération.

Selon l'origine de la souche, la salinité optimale peut varier. Toutefois ces animaux sont résistants et on peut les élever dans une eau à 20-25 ‰ (c'est-à-dire de 2/3 d'eau de mer, 1/3 d'eau continentale). Les algues planctoniques constituant leur nourriture sont cultivées dans des récipients transparents de quelques litres (en verre ou en PVC), devant une source lumineuse intense, si possible quasi continue (les tubes fluorescents conviennent ; à défaut de lumière artificielle, on placera les récipients de culture sous l'influence directe de la lumière solaire, en plein sud). Le milieu de culture est constitué d'eau de mer à 25-30 ‰ de salinité, auquel on doit ajouter des engrais. On peut utiliser ceux destinés aux plantes d'appartement, sous forme liquide, la dose étant deux à quatre fois inférieure. Dans ces conditions, la culture des rotifères peut durer plusieurs semaines, si on prend soin de prélever quotidiennement 1/4 ou 1/5 du volume et de le remplacer par une quantité équivalente d'eau de mer. La multiplication des rotifères est très rapide : 24 h après un prélèvement, le stock initial est reconstitué.

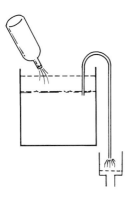

Prélèvement quotidien de 1/5 à 1/4 du volume, par siphon sur un filtre à mailles de 100 microns. Remplacement par un volume d'eau équivalent.

pour les autres poissons, les chances de voir un couple se former augmentent avec le nombre d'individus gardés en captivité. Les géniteurs sont fidèles et se reproduisent régulièrement à quelques semaines d'intervalle (durée variable suivant les espèces).

- *La ponte :* il est préférable qu'elle se déroule dans les meilleures conditions possibles : pour que les poissons ne soient pas trop perturbés, l'environnement extérieur de l'aquarium devra donc être relativement tranquille. La présence de l'anémone habituelle des poissons est indispensable, et les œufs seront déposés à proximité. Lorsqu'ils se préparent à pondre, les géniteurs modifient leur attitude. Devenant plus vifs, ils pratiquent une parade nuptiale et écartent les intrus sans violence particulière. Parallèlement, ils inspectent les alentours de l'anémone pour choisir le lieu de ponte (par exemple, une roche) qu'ils nettoient avec les dents ou les nageoires. Quelques heures avant la ponte, la parade nuptiale s'intensifie, les œufs adhésifs sont déposés par la femelle et fécondés par le mâle lors de plusieurs passages. La ponte dure environ une heure ; les parents vont ensuite s'occuper des œufs (une ponte comprend plusieurs centaines d'œufs de quelques millimètres et occupe quelques centimètres carrés sur le support) et protéger le site de ponte.

- *L'incubation :* elle dure sept à neuf jours pendant lesquels l'embryon se développe dans l'œuf tandis que les parents aèrent la ponte avec leurs nageoires pectorales et continuent à chasser les intrus. Après l'apparition des yeux (visibles à travers la coque de l'œuf), le support et la ponte peuvent être transférés dans un bac d'éclosion. Les œufs y seront mécaniquement aérés par un bullage modéré, afin d'éviter qu'ils ne se détachent du support.

- *L'éclosion :* elle demande de l'énergie aux alevins et est favorisée par les parents qui agitent vigoureusement l'eau aux abords des œufs. Par succion, ils ramollissent leur coque, ce qui va faciliter l'éclosion.

- *Les alevins :* les nouveau-nés (qui mesurent 3 à 4 mm de long) nagent à la recherche de nourriture. C'est un des points

ATTENTION DANGER : DU VENIN DANS VOTRE AQUARIUM

Parmi toutes les espèces de poissons marins, plusieurs sont dangereuses pour l'homme. Un certain nombre sont vénéneuses et provoquent des troubles digestifs ou des empoisonnements, suite à l'ingestion de chair. Cela ne concerne bien sûr pas l'aquariophilie, domaine où les poissons dangereux se classent en deux principaux groupes : ceux qui mordent et ceux qui sont venimeux. La nature les a dotés d'armes pour se défendre, une piqûre ou une morsure n'est donc pas une action inoffensive, le poisson cherche à de débarrasser d'un éventuel danger. En général, c'est la main de l'aquariophile qui est perçue comme tel, et certains cas ont des suites assez graves. En aucun cas, on ne doit manipuler ces poissons à la main, et il faut être extrêmement prudent lorsqu'on travaille dans l'aquarium pour l'entretien courant.

Morsures

Elles sont le fait de poissons possédant des dents fortes et acérées tels que les balistes. En plus de la morsure elle-même qui peut être douloureuse, il y a un risque d'infection ultérieure. Il semblerait même que certaines espèces de murènes puissent, en mordant, libérer des substances toxiques. Dans tous les cas, il est impératif de désinfecter la plaie et de consulter éventuellement un médecin.

Piqûres et venins

Chez certains poissons (poissons-chirurgiens de la famille des Acanthuridés), le venin est produit par des glandes à mucus et injecté lors d'une blessure provoquée par une épine ou un rayon pointu de nageoires. Les blessures sont souvent douloureuses, les suites en général peu graves. D'autres espèces (*Pterois*) possèdent des glandes à venin spéciales. L'injection se fait par des épines, des aiguillons, des rayons de nageoires pointus et pourvus d'un sillon, leur localisation varie suivant les espèces. Les suites de ces piqûres sont parfois assez graves ; elles dépendent des espèces et de la quantité de venin injecté. Quel que soit le poisson qui provoque la blessure, il existe un risque d'infection bactérienne.

Que faire en cas de piqûre ?

Surtout ne paniquez pas, malgré les douleurs que vous ressentez. La plupart des venins étant détruits par la chaleur, on peut, dans un premier temps, tamponner la blessure avec de l'eau chaude. On peut également approcher l'extrémité incandescente d'une cigarette pendant au moins

Le chirurgien rayé (A. lineatus) possède, comme tous les membres de sa famille, une épine sur le pédoncule caudal.

Les Scorpénidés (genre Pterois) *sont potentiellement dangereux, ils peuvent injecter du venin par les rayons épineux des nageoires.*

une minute, à environ 1 cm, cette méthode semble efficace dans certains cas. Il est néanmoins impératif de consulter un médecin, l'injection des produits spécialisés contre le venin et d'antibiotiques est très souvent nécessaire.

Les principales espèces venimeuses

- Les poissons-chirurgiens

Ils sont ainsi surnommés car ils possèdent une épine érectile sur le pédoncule caudal, semblable à un scalpel. Ils appartiennent aux genres *Acanthurus, Paracanthurus, Zebrasoma, Lo, Naso.* La blessure peut être dangereuse et entraîner une augmentation des rythmes cardiaque et respiratoire. Suivant son importance, il peut y avoir des complications infectieuses.

- Les rascasses

Il y a environ une dizaine d'espèces, la plupart appartiennent au genre *Pterois.* Le venin est injecté par les rayons des nageoires, la douleur est immédiatement très vive et s'intensifie pendant quelques minutes. On ressent vertiges, nausées, puis une impression de faiblesse. Le rythme cardiaque et la pression artérielle baissent, il peut y avoir syncope et, rarement, décès.

L'organisme humain met plusieurs jours à éliminer le venin, proche de celui du cobra, et le rétablissement complet dure souvent plusieurs semaines.

délicats de leur élevage, et l'aquariophile doit être prêt pour leur distribuer tout d'abord des rotifères pendant quelques jours, puis des nauplies d'*Artemia* dès que la taille de leur bouche le permet. A défaut de rotifères, on peut utiliser les préparations destinées à la nutrition des *Artemia*, disponibles dans le commerce.

Environ une dizaine de jours après l'éclosion, ils peuvent accepter de très fines poudres, mais il est prudent de les y habituer progressivement, tout en continuant la distribution d'*Artemia*. Lorsqu'ils seront âgés de 3 à 4 semaines, ils vont pouvoir se nourrir d'*Artemia* adultes, de moules broyées et de paillettes.

DONNÉES GÉNÉRALES SUR LA REPRODUCTION DES POMACENTRIDÉS

Les demoiselles

Elles pondent sur un support (roche, corail), mais la présence d'une anémone n'est pas obligatoire. Les parents surveillent et aèrent les œufs (jusqu'à 1 000, parfois plus) qui éclosent en 3 ou 4 jours. Les larves, qui mesurent environ 2 mm, doivent être nourries avec des proies planctoniques de très petite taille. Deux pontes peuvent se succéder à 10 ou 15 jours d'intervalle.

Les poissons-clowns

Ils pondent également sur un support, à proximité immédiate de leur anémone dont la présence est impérative. Un des parents (souvent le mâle) aère les œufs avec ses nageoires pectorales, l'autre partenaire assurant la défense du territoire autour du site de ponte. Le nombre des œufs varie suivant les espèces : quelques centaines à plus de mille, l'incubation dure en moyenne 7 à 9 jours. Dès la naissance, les larves, qui mesurent 2 à 4 mm, doivent être nourries avec des proies vivantes de petite taille (rotifères), éventuellement avec de très fines poudres destinées à l'alimentation des alevins. L'intervalle entre deux pontes est d'environ 15 jours.

Familles et noms scientifiques	Noms communs	Taille max. (cm)	Mode de vie	Alimentation	Observations
ACANTHURIDÉS (poissons-chirurgiens)					
Acanthurus leucosternon	Chirurgien à poitrine blanche	20-30	1A	PV	Danger potentiel.
Aspisurus lineatus	Chirurgien rayé	20-25	1A	PV	Danger potentiel.
Zebrasoma flavescens	Chirurgien jaune	20-25	A	PV	Danger potentiel.
POMACANTHIDÉS (poissons-anges)					
Pomacanthus imperator	Poisson-ange empereur	50	1A	PV	Acclimatation délicate, plus facile avec les jeunes.
Pomacanthus annularis	Poisson-ange à anneau	30	1A	P	Acclimatation délicate, plus facile avec les jeunes.
Pomacanthus semicirculatus	Poisson-ange royal	30	1	POV	Ne sort que brièvement de son territoire.

Le poisson-ange royal (Pomacanthus semicirculatus) est considéré comme une des plus belles espèces marines de nos aquariums. Les adultes n'admettent pas la présence de poissons dont la coloration est proche de la leur. Ce n'est pas le cas des juvéniles de leur propre espèce qui présentent des lignes courbes blanches sur fond bleu nuit, ils peuvent donc cohabiter (voir colorations p. 14).

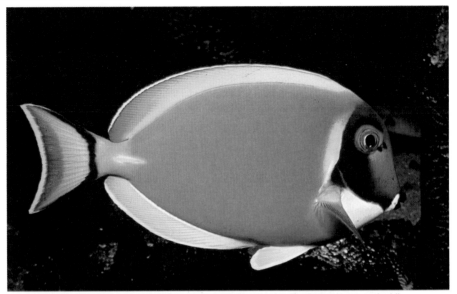

Le chirurgien à poitrine blanche (A. leucosternon) *est courant dans le commerce aquariophile.*
Il appréciera un bac pourvu de cachettes, une eau bien brassée et aérée. Son régime alimentaire est
partiellement végétal, mais il accepte néanmoins de petites proies animales.

L'acclimatation des jeunes chirurgiens jaunes (Z. flavescens) *est plus facile que celle des adultes.*
La base de leur alimentation sera faite de proies vivantes ou congelées, agrémentée de végétaux.
Les adultes peuvent parfois être légèrement agressifs envers d'autres poissons.

Le mérou Grace Kelly (Chromileptes altivelis) *est une magnifique espèce qui peut atteindre 50 cm en captivité. Il lui faut donc un vaste espace pour nager, ainsi que des cachettes. Il chasse des proies vivantes à l'affût, mais accepte également d'autres aliments.*

Le baliste Picasso (Rhinecanthus aculeatus), *un des plus colorés, vit en solitaire dans un territoire qu'il défend. Il ne doit pas être mis en présence d'un autre baliste, mais tolère les grands poissons qui ne le dérangent pas. Il est facile à nourir et à élever dans un vaste aquarium où il pourra disposer de refuges.*

Les rascasses (ici P. radiata) sont des prédateurs actifs : il faut éviter de les placer en compagnie de petites espèces. Leurs déplacements sont calmes et majestueux, mais elles peuvent également rester longtemps immobiles dans des abris, posées sur le sédiment.

Famille et noms scientifiques	Noms communs	Taille max. (cm)	Mode de vie	Alimentation	Observations
BALISTIDÉS					
Balistoides conspicillum	Baliste-clown	30	A	P	Un des balistes les plus délicats.
Balistes vetula	Baliste royal	50	1+	P	Belle espèce atteignant une grande taille.
Pseudobalistes fuscus	Baliste à lignes bleues	30	1+	P	S'acclimate assez facilement.
Rhinecanthus aculeatus	Baliste Picasso	30	1+	P	Espèce appréciée pour sa coloration, plus timide que les autres balistes.
Odonus niger	Baliste bleu	30	1+	P	Facile à adapter, longévité assez grande.
SCORPÉNIDÉS (rascasses)					
Pterois volitans	Rascasse volante	25-30	C	P	Danger potentiel. Préfère les proies vivantes.
Pterois radiata	Rascasse à nageoires blanches	20-25	C	P	Danger potentiel. Préfère les proies vivantes.
Pterois antennata	Rascasse à antennes	20-30	C	OP	Danger potentiel. Préfère les proies vivantes.
SERRANIDÉS (mérous)					
Chromileptes altivelis	Mérou Grace Kelly	50	C	OP	Se déplace plus souvent que les autres mérous.
Cephalopholis miniatus	Mérou rouge	50	C	OP	Plusieurs espèces proches commercialisées.

L'AQUARIUM D'INVERTÉBRÉS MARINS

La maintenance d'invertébrés marins en aquarium soulève plusieurs problèmes.
Tout d'abord, il existe un risque d'incompatibilité avec certains poissons
qui s'en nourrissent ; ensuite, certains invertébrés ne peuvent se déplacer
pour capturer leur nourriture, et il faudra donc la leur fournir à proximité.
Parmi tous les invertébrés, certains sont plus robustes et recommandés
à l'aquariophile qui débute dans ce domaine ; leur présence dans un bac marin
rend celui-ci plus attractif et plus vivant.

LES PRINCIPAUX GROUPES D'INVERTÉBRÉS EN AQUARIUM MARIN

La classification scientifique étant rebutante pour les non-initiés, il est préférable d'adopter des critères plus écologiques. C'est ainsi qu'on distingue les invertébrés fixés, qui ne peuvent se déplacer, et les invertébrés mobiles. Les premiers regroupent les éponges et les coraux et se nourrissent de microparticules planctoniques. Les seconds comprennent notamment les anémones et les crustacés, dont les proies sont de taille plus importante.

Les éponges

Ce sont des animaux primitifs, en forme de sac, qui filtrent l'eau pour y retenir de l'oxygène et des particules nutritives.

Elles ne sont pas très courantes en aquarium, et leur maintien est assez délicat. Elles apparaissent souvent spontanément avec des roches vivantes ou lors de l'introduction d'autres invertébrés, et colonisent certaines zones de l'aquarium où les conditions permettent leur développement, par exemple certains endroits plutôt sombres.

Les cœlentérés

Ils sont caractérisés par leur pouvoir urticant ; certains d'entre eux hébergent des algues vertes microscopiques. Ce groupe comprend les anémones, les cérianthes, les coraux et espèces assimilées. En effet, on regroupe parfois sous le nom de coraux divers organismes proches qui n'en sont pas réellement.
- *Les anémones de mer (ou actinies) :* ce sont des animaux bien connus, puisqu'on

---

ANIMAUX OU PLANTES ?

Certains cœlentérés ont longtemps été considérés comme des végétaux jusqu'à ce que les progrès de la zoologie les classent parmi les invertébrés ; de cette époque nous reste un nom parfois employé : les fleurs de la mer. Pourtant les scientifiques de l'époque n'avaient pas tout à fait tort. Les observations successives des coraux et des anémones ont montré qu'un certain nombre d'espèces vivaient à faible profondeur, dans des eaux très claires et très lumineuses, et que leurs tentacules s'étiraient vers la surface. Des études plus poussées ont permis de résoudre l'énigme : il existe des microalgues vertes, les zooxanthelles, dans les tissus de ces animaux. Grâce à l'énergie fournie par la lumière solaire, elles utilisent certaines substances de leur hôte pour se développer, pratiquant ainsi une sorte d'épuration locale. En échange, elles fournissent d'autres éléments (dont du carbone) qui leur sont indispensables.
Ce type de relation entre deux organismes vivants, avec échanges réciproques, s'appelle une symbiose ; on parle même d'endosymbiose puisque ce phénomène se passe à l'intérieur de l'hôte. Ce phénomène existe chez les coraux bâtisseurs de récifs, chez les coraux mous et chez les anémones. Parmi ces dernières, l'anémone commune de nos côtes (*Anemonia sulcata*) héberge souvent des zooxanthelles. Tous ces invertébrés ont besoin d'une quantité assez importante de lumière pour se développer.

en trouve sur nos côtes, à marée basse. Les anémones se fixent sur un support dur, mais peuvent se déplacer sur de courtes distances. La bouche s'ouvre au milieu d'une couronne de tentacules rétractiles qui capturent les proies. Elles sont carnivores et se nourrissent de petits crustacés, et même de petits poissons. Les plus grandes espèces ont besoin d'un espace vital assez vaste, c'est le cas de celles qui abritent les poissons-clowns, mais qui peuvent vivre sans eux.

- *Les cérianthes :* ils se distinguent des anémones par des tentacules non rétractiles et par la présence d'un tube enfoui dans le sédiment. Ils sont également carnivores et capturent le même type de proies que les anémones.

- *Les zoanthidés :* ils ressemblent à de petites anémones, l'ensemble formant une colonie s'incrustant sur les roches ou autres supports, produisant un bel effet décoratif. Leur nourriture se compose de très fines particules captées par les tentacules.

- *Les «vrais» coraux (ou madréporaires) :* ils possèdent un squelette calcaire (contrairement aux faux coraux qui n'en possèdent pas) et sont utilisés comme éléments de décoration inertes. Ce sont eux qui forment les récifs de corail dont l'exemple le plus connu est la Grande Barrière de corail en Australie, qui s'étend

Les cérianthes, dotés d'une double couronne de fins tentacules, ont besoin d'une certaine épaisseur de sable pour y enfouir leurs tubes. Ces tubes gélatineux, composés de particules de petite taille et de mucus, servent de refuge à l'animal.
Les cérianthes peuvent être nourris avec de petits morceaux de chair animale : moules, crevettes, poissons.

sur plus de 2 000 km de long. Les coraux sont assez délicats à garder en captivité – certaines espèces ne doivent pas se toucher – et ils sont particulièrement sensibles à la qualité de l'eau. Ils se nourrissent de plancton de petite taille.

Les Goniopora *font partie des vrais coraux et participent à la construction des récifs. Ils figurent parmi les espèces les plus fréquemment importées. Dans le bac, il faudra veiller à les placer dans des zones bien éclairées mais pas trop brassées par la filtration. Contrairement à ceux de la plupart des autres espèces, leurs polypes se déploient pendant la journée.*

LES ARMES DES CŒLENTÉRÉS

Plus évolués que les éponges, ils ont néanmoins une structure très simple. Leur principale caractéristique est la présence de cellules urticantes réparties sur le corps et notamment sur les tentacules. Ce sont de minuscules sacs munis d'un cil qui, lorsqu'il est touché, provoque l'ouverture du sac et la projection d'un microdard inoculant du venin. Une grande quantité de cellules déclenchées simultanément entraîne la paralysie des proies, maintenues par les tentacules puis dévorées.

Ce pouvoir urticant s'applique à l'homme; il est donc prudent de manipuler les cœlentérés avec des gants pour éviter des brûlures plus ou moins importantes selon l'espèce et la surface de contact.

En cas de problème lors d'une manipulation à mains nues, il ne faut pas se frotter les yeux et consulter éventuellement un médecin ou un pharmacien.

Les crustacés

Ce sont des invertébrés bien connus, au moins pour leur intérêt alimentaire. Ils possèdent une carapace articulée, dont chaque partie porte des appendices. Les espèces que l'on rencontre en aquarium font partie du groupe des décapodes ; ils possèdent cinq paires de pattes marcheuses, dont la première est transformée en pince.

Les crevettes sont les représentantes les plus courantes de ce groupe, et on rencontre de temps en temps quelques individus très colorés dans les aquariums. Elles se nourrissent de différentes proies animales. Le mouvement de leurs pièces buccales, sous la tête, est un spectacle assez étonnant.

L'ACCLIMATATION DES INVERTÉBRÉS MARINS EN AQUARIUM

Ce sont des animaux exigeants sur la qualité de l'eau, ils sont sensibles aux variations de salinité et aux altérations du milieu.

- *La qualité de l'eau :* il faut être assez strict sur ce point, beaucoup plus qu'avec les poissons. Des changements d'eau fréquents et réguliers sont nécessaires pour éliminer certaines substances à risques, notamment les composés azotés, qui risquent de s'accumuler. De plus, l'eau neuve apporte des oligo-éléments indispensables aux invertébrés.

- *Les mouvements de l'eau :* certains invertébrés étant immobiles, c'est l'eau qui va leur apporter oxygène et nourriture. Elle doit donc être fortement brassée et bien oxygénée, la puissance de la filtration devant permettre un recyclage total de l'eau du bac 5 à 10 fois par heure (un bac de 200 l doit donc être pourvu d'une pompe débitant au minimum 1 000 l/h).

- *La lumière :* pour favoriser le développement des cœlentérés hébergeant des zooxanthelles, l'éclairage doit être puissant. Pour les petits bacs, les tubes fluorescents suffisent, pour les plus grands aquariums, ils doivent être complétés par des lampes à décharge ou à halogène. Si certaines produisent une couleur dominante jaune, elle peut être compensée par un ou plusieurs tubes fluorescents bleus.

- *Le décor :* il est préférable que le relief soit accentué, ce qui permet de placer les coraux assez près de la lumière. Les anémones choisissent souvent elles-mêmes le meilleur emplacement, où elles trouveront des conditions de développement optimales. Les crevettes doivent bénéficier de cachettes ; attention cependant que la nourriture distribuée n'y soit pas abandonnée, au risque de polluer l'eau ; il faut donc prévoir un accès assez facile pour siphonner.

- *Les algues :* la présence d'algues courantes (du genre *Caulerpa*) accentue l'aspect esthétique d'un bac d'invertébrés marins. De plus, elles sécréteraient certaines substances bénéfiques à ces derniers, favorables à leur développement.

Par contre, la prolifération d'algues filamenteuses est un problème important : elles couvrent les invertébrés immobiles et les étouffent progressivement. L'élimi-

Si les algues filamenteuses se fixent sur les invertébrés immobiles, elles risquent de les étouffer progressivement. L'élimination manuelle est la solution la plus raisonnable.

nation manuelle est la solution la plus sage, mais certains poissons, comme les Acanthuridés, peuvent participer à ce «débroussaillage», en complétant leur régime alimentaire.

- *Les poissons :* il y a des cas d'incompatibilité classique (voir encadré ci-dessous), mais certaines espèces cohabitent parfaitement avec les invertébrés.

L'ALIMENTATION DES INVERTÉBRÉS MARINS EN AQUARIUM

On distingue les microphages (éponges, coraux, zoanthidés) qui capturent de très fines particules planctoniques, et les macrophages (anémones, cérianthes, crevettes) qui acceptent des proies plus consistantes.

En milieu naturel, les premiers vont donc capter du plancton ; cet élément étant rare dans les aquariums, deux solutions de remplacement sont envisageables :

- on utilise des algues planctoniques qui se cultivent comme pour nourrir les rotifères, éventuellement ces derniers ou des

---

COHABITATION ET INCOMPATIBILITÉ ENTRE POISSONS ET INVERTÉBRÉS

L'acclimatation d'invertébrés marins entraîne une sélection dans le choix des poissons, certains d'entre eux les appréciant sur le plan alimentaire. Votre revendeur ou la lecture d'ouvrages spécialisés compléteront les informations de ce tableau.

	Cœlentérés	Crevettes
Poissons-anges et poissons-papillons	Incompatibilité totale, les poissons étant friands de certaines espèces.	Certaines espèces peuvent «nettoyer» les poissons.
Rascasses, mérous, apogons	Compatibilité.	Incompatibilité, les crevettes sont très appréciées par ces espèces.
Pomacentridés (poissons-clowns et demoiselles)	Compatibilité. Ils cohabitent parfaitement avec certaines anémones.	Compatibilité.

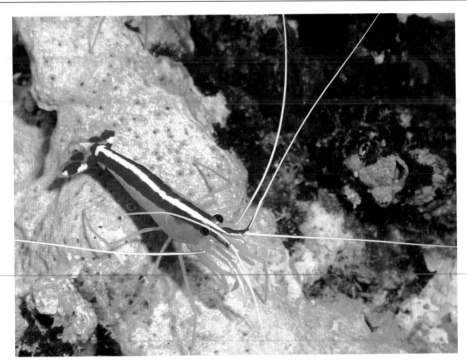

Ci-dessus : cette belle crevette (Hippolysmata grabhami) *anime gaiement un bac d'invertébrés marins.*
Stenopus hispidus *(ci-contre) est également recherchée pour sa beauté et sa silhouette caractéristique.*
Toutefois, elle affiche des mœurs territoriales marquées et est parfois agressive envers
ses congénères. D'autres crevettes peuvent se rencontrer dans le commerce aquariophile.
Elles n'ont pas un comportement nettoyeur, mais leur mode de vie est néanmoins particulier.
Elles peuvent en effet vivre dans de grandes anémones, comme celles qui hébergent les poissons-
clowns, où elles sont à l'abri de leurs prédateurs.

QUELS INVERTÉBRÉS CHOISIR POUR DÉBUTER ?

Il vaut mieux se cantonner aux plus résistants, faciles à nourrir. Dans un premier temps, l'amateur doit donc se tourner vers les anémones et les crevettes. Il faut être particulièrement vigilant lors de l'achat d'invertébrés, les critères de bon état n'étant pas évidents.

Les cœlentérés doivent être déployés, tentacules étendus ; un animal recroquevillé n'est peut-être pas en bonne santé. Les anémones peuvent s'acquérir sans support, mais zoanthidés et coraux doivent être fixés. Les crevettes doivent être actives, leurs appendices entiers et en mouvement.

Les invertébrés étant sensibles à la qualité de l'eau, ils sont donc susceptibles de subir un stress lors de l'introduction dans votre bac. Il est prudent de les isoler auparavant dans un petit aquarium dont l'eau aura des caractéristiques proches de celles de l'eau de provenance. Petit à petit, elle sera remplacée par de l'eau du bac dans lequel ils seront introduits. Ce laps de temps peut également faire office de quarantaine et permet d'effectuer des observations préliminaires sur les animaux.

Deux de ces petits crustacés, aux couleurs plus vives que celles des crevettes de nos côtes, ont un comportement étonnant : elles nettoient les poissons. Elles stationnent à un endroit précis de l'aquarium où ceux-ci viennent bénéficier de leurs soins. A l'aide de leurs pinces, elles débarrassent leur peau des parasites externes et autres particules.

Si, dans ce cas, la compatibilité est bonne, des crevettes de petite taille peuvent néanmoins intéresser certaines espèces (poissons-anges et poissons-papillons) sur le plan alimentaire. *Hippolysmata grabhami*, au dos rouge vif traversé d'une bande blanche longitudinale et aux flancs jaune orangé, peut vivre en groupe et accepte la présence d'autres invertébrés. Active, on la voit souvent en plein jour, elle fréquente parfois les parties inférieures des surplombs du décor, la tête en bas. L'autre espèce, *Stenopus hispidus*, présente des bandes transversales rougeâtres et ne supporte pas la présence d'autres crevettes, sauf si c'est un congénère de sexe opposé. La nourriture de ces deux espèces est à base de chair animale – moules ou poissons – qu'elles mastiquent avec leurs pièces buccales.

nauplies d'*Artemia* ; il existe également une solution pratique, le «jus» de moule : à partir de ces mollusques cuits et finement broyés, on obtient par filtration un liquide suffisamment nutritif. Sa distribution s'effectue à proximité des invertébrés concernés, après avoir coupé la filtration. La fréquence des repas ne doit pas être trop élevée : une à trois distributions hebdomadaires suffisent.

Les cérianthes et les anémones seront nourris une ou deux fois par semaine de chair de poisson ou de moules, que l'on peut compléter par des *Artemia* adultes. Les crevettes acceptent les nourritures carnées, également à base de poisson et de moules, qu'elles dilacèrent avec leurs pièces buccales.

Comme pour les poissons, le risque de suralimentation n'est pas négligeable ; il faut rester prudent sur le dosage des aliments, et toute nourriture non consommée doit être retirée de l'aquarium.

La gestion de l'alimentation des invertébrés marins est facilitée par la préparation préliminaire des proies et leur stockage au congélateur. Les aliments doivent être décongelés avant leur distribution et hors de l'aquarium. L'utilisation d'un distributeur automatique est exclue pour ces animaux.

DONNÉES SUR LA MAINTENANCE DE QUELQUES ESPÈCES D'INVERTÉBRÉS MARINS EN AQUARIUM

Qualité de l'eau
La plus stricte possible. Veiller particulièrement à éviter les variations de salinité et l'élévation du taux de matières azotées. Pas d'éléments métalliques.

Brassage, aération
La puissance de la filtration doit permettre le recyclage de l'eau du bac entre 5 et 10 fois par heure.

Changements d'eau
Fréquents et réguliers, en quantité relativement faible pour éviter un choc aux animaux (jusqu'à 50 % du volume par semaine).

Anémones
Généralement résistantes, mais à longévité courte (rarement plus de deux ans). Alimentation à base de fragments de chair animale, complétée par des *Artemia* adultes. Les anémones symbiotiques des poissons-clowns (voir p. 271) ont besoin d'espace vital : les anémones de mer (genre *Aiptasia*) sont très résistantes ; vivipares, elles se reproduisent rapidement au risque de coloniser l'aquarium.

Cérianthes
Ils ont besoin d'un substrat dont l'épaisseur peut atteindre 20 cm. Nourriture à base de moule, de chair de poisson et d'*Artemia*.

Les *Aiptasia, ou anémones de verre, semblent parfois apparaître spontanément dans les aquariums marins : elles sont en fait introduites avec d'autres invertébrés ou avec l'eau qui les transporte. Très résistantes, elles peuvent rapidement devenir envahissantes et leur développement est à surveiller, voire à juguler.*

Parmi tous les coraux à squelette calcaire, les Fungia sont les plus couramment importés. Ils sont faciles à alimenter, leur bouche étant située au centre de la colonie.
Leurs squelettes sont souvent disponibles dans le commerce comme élément de décoration.

Les Parazoanthus, qui ne possèdent pas de squelette calcaire, ressemblent à de petites anémones mais vivent en colonie. L'espèce figurant sur cette photo est d'origine méditerranéenne, mais peut s'adapter aux aquariums tropicaux.

Coraux vrais

Éviter les contacts entre les différents individus. Ceux qui hébergent des zooxanthelles ont besoin d'une quantité de lumière importante. Il faut donc prévoir un échange puissant, ou les rapprocher de la surface. Ils se nourrissent de jus de moule, de rotifères, de nauplies d'Artemia. Les espèces du genre Fungia et les coraux-bulles (Physogyra par exemple) sont assez faciles à acclimater, les derniers étant toutefois plus urticants (attention aux manipulations !).

Zoanthidés

Fixés sur un substrat rocheux, ils demandent de la lumière. On les nourrit de jus de moule, de rotifères, de nauplies d'Artemia. Les espèces appartenant aux genres Epizoanthus et Parazoanthus sont très décoratives.

Crevettes

L'espèce Stenopus hispidus ne supporte qu'un individu de sexe opposé, tandis que Hippolysmata grabhami tolère la présence d'autres crevettes. Toutes deux se nourrissent de chair animale et ont un comportement nettoyeur envers les poissons (voir p. 317).

Légendes des tableaux concernant les poissons

Noms scientifiques : pour quelques espèces, le nom retenu n'est pas celui reconnu par les scientifiques et les amateurs spécialisés. Nous l'avons cependant gardé, car il est utilisé dans le commerce aquariophile et dans certains ouvrages, avant qu'il ne soit modifié.

Noms communs : la plupart sont très employés et ne prêtent pas à confusion. Quelques poissons ne possèdent pas de nom commun.

Taille maximale : c'est celle que le poisson peut atteindre en aquarium, dans les meilleures conditions.

Mode de vie :
1 : impérativement un seul exemplaire de l'espèce en aquarium. Agressif envers ses congénères et parfois envers d'autres poissons.
1+ : vit habituellement isolé, mais plusieurs spécimens peuvent cohabiter.
G : en groupe ou en petit banc.
C : espèce calme et sociable, respecte les autres poissons et les plantes.
CA : poisson en général sociable avec d'autres espèces, mais parfois (ou souvent) agressif avec ses propres congénères ou avec une espèce proche (cas de certains poissons marins).
A : agressif temporairement (en général, au moment de la reproduction), ou en permanence avec tout autre poisson. A ne garder qu'avec des individus de sa taille, au comportement identique.
A-Pl : comportement identique au cas précédent, mais respecte les plantes (Cichlidés).

Alimentation :
O : omnivore, accepte les nourritures artificielles du commerce. Pour les poissons marins, une période d'adaptation est nécessaire.
P : préfère les proies vivantes (*Artemia*, tubifex) ou la nourriture préparée à base de chair (c'est notamment le cas des Cichlidés et des poissons marins).
V : apport végétal vivement recommandé.

Qualité de l'eau :
Ind : supporte indifféremment les eaux acides, neutres ou basiques (mais bien entendu de bonne qualité).
Ad : eau acide et douce.
B : eau basique et dure (poissons d'eau continentale).
Saum : eau saumâtre.
1022, 1030 : densités optimales pour une température de 25-26 °C (poissons marins).

Type de reproduction :
VI : vivipare.
OV : ovipare, pond des œufs qui tombent.
OVA : ovipare, œufs plus ou moins adhésifs, pondus sur un support (parfois caché).
OVB : ovipare à incubation buccale.
OVN : ovipare à nid de bulles (Anabantidés).

Facilité de reproduction :
F : facile, à la portée du débutant.
AF : assez facile, demande un petit peu plus de précautions, notamment pour la qualité de l'eau.
D : délicate, demande un soin particulier et une expérience préalable sur des espèces plus faciles à reproduire.
TD : très délicate ou difficile, demande en général une eau bien particulière et/ou un matériel un peu spécifique.
R : rare, parfois même inconnue en aquarium. Généralement hors de portée d'un amateur spécialisé.

Recommandé à :
Déb : pour débutant, n'ayant jamais été aquariophile.
Conf : pour amateur confirmé possédant une certaine expérience et ayant reproduit des poissons réputés faciles.
Spé : pour amateur spécialisé possédant une bonne expérience acquise au cours de plusieurs années.

La plupart de ces données ne sont qu'indicatives ; il peut se produire des événements ne correspondant pas aux critères ci-dessus. L'aquariophilie n'est pas une science exacte, beaucoup de choses restent à découvrir. Toute expérience sortant de l'ordinaire, ou des normes précisées dans cet ouvrage et dans les autres, mérite d'être signalée. Si cela vous arrive, contactez les revues et les clubs aquariophiles.

TABLEAU RÉCAPITULATIF DES ESPÈCES (EAU CONTINENTALE)

Familles et noms scientifiques	Noms communs	Taille maxi (cm)	Mode de vie	Alimentation	Qualité de l'eau	Type de reproduction	Facilité de reproduction	Recommandé à
POISSONS D'EAU CONTINENTALE								
ANABANTIDÉS (ou LABYRINTHIDÉS)								
Betta splendens mâle	Combattant	5-8	1	O	Ind	OVN	F	Déb
femelle	Combattant	5-6	1+	O	Ind	OVN	F	Déb
Colisa lalia	Gourami nain	3-5	CG	O	Ind/Ad	OVN	F	Déb
Colisa labiosa	Gourami à grosses lèvres	13	CG	O	Ind/Ad	OVN	AF	Déb
Trichogaster trichopterus	Gourami bleu	15	CG	O	Ind	OVN	AF	Déb
Trichogaster leeri	Gourami perlé	13	CG	O	Ind/Ad	OVN	AF	Déb
CALLICHTHYIDÉS								
Corydoras aeneus	Corydoras	5-8	1+ - C	O	Ind	OV	D	Déb
Corydoras paleatus	Corydoras	5-8	1+ - C	O	Ind	OV	D	Déb
Corydoras trinileatus	Corydoras	5-8	1+ - C	O	Ind	OV	D	Déb
CICHLIDÉS AMÉRICAINS								
Cichlasoma nigrofasciatum	Nigro	15-20	A	OP	Ind	OVA	AF	Conf
Cichlasoma meeki	Meeki, gorge de feu	13-15	A	OP	Ind	OVA	AF	Conf
Papiliochromis ramirezi	Apisto ramirezi	8	C	P	Ad	OVA	D	Conf
Nannacara anomala	-	6	C	OP	Ad	OV	AF	Conf
Aequidens curviceps	-	8	A	OP	Ad	OVA	AF	Conf
Aequidens pulcher	Acara bleu	15-20	A	OP	Ad	OVA	AF	Conf
Aequidens maroni	Acara maroni	13	C	OP	Ad	OVA	AF	Conf
Cichlasoma octofasciatum	-	20	A	OP	Ad	OVA	AF	Conf
Cichlasoma festivum	Festivum	15	C	OP	Ad	OVA	D	Conf
Cichlasoma synspilum	-	30	A	OP	B	OVA	AF	Spé
Astronotus ocellatus	Oscar	30 et +	A	P	Ad	OVA	D	Spé
Uaru amphiacanthoides	-	30	C	POV	Ad	OVA	D	Spé
Pterophyllum altum	Altum	8-9	CG	P	Ad	OVA	TD	Spé
Pterophyllum scalare	Scalaire commun	8-9	CG	OP	Ad	OVA	D	Spé
Symphysodon discus	Discus de Heckel	15	CG	OP	Ad	OVA	TD	Spé
Symphydodon aequifasciatus	Discus	15	CG	OP	Ad	OVA	TD	Spé
CICHLIDÉS AFRICAINS								
Astatotilapia burtoni	-	13	A-Pl	OP	B	OVB	AF	Conf
Neolamprologus elongatus	Princesse du Burundi	13	CG	OP	B	OVA	D	Conf/Spé

Familles et noms scientifiques	Noms communs	Taille maxi (cm)	Mode de vie	Alimentation	Qualité de l'eau	Type de reproduction	Facilité de reproduction	Recommandé à
Julidochromis sp.	Julido	13	A-PI	P	B	OVA	D	Conf/Spé
Pseudotropheus zebra	-	13	A	PV	B	OVB	AF	Conf
Melanochromis auratus	-	13	A	PV	B	OVB	AF	Conf
Labeotropheus fuelleborni	-	13	A	P	B	OVB	AF	Conf
Aulonocara nyassae	-	13	A-PI	OP	B	OVB	AF	Conf
Nimbochromis livingstonii	Cichlidé-léopard	20	A-PI	P	B	OVB	AF	Conf
Hemichromis bimaculatus	Cichlidé-joyau	13	A-PI	P	Ad/Ind	OVA	AF	Conf
Pelvicachromis pulcher	-	13	C	OP	Ad/Ind	OVA	AF	Conf
Oreochromis mossambicus	-	30 et +	A	OP	Ind	OVB	AF	Conf
Tilapia buttikoferi	Tilapia	30	A	OP	Ind	OVA	D	Conf
COBITIDÉS								
Acanthophthalmus kuhli	Kuhli	7-8	1+ - C	O	Ind	OV	R	Déb
Botia macracantha	Loche-clown	10-13	1+	O	Ad	OV	R	Conf
CYPRINIDÉS								
Brachydanio rerio	Danio rerio	5	CG	O	Ind	OV	F	Déb
Brachydanio frankei	Danio-léopard	5	CG	O	Ind	OV	F	Déb
Brachydanio albolineatus	Danio rosé	6-8	CG	O	Ind	OV	F	Déb
Puntius conchonius	Barbus rosé	10-12	CG	O	Ind	OVA	AF	Déb
Capoeta schuberti	Barby doré	7-8	CG	O	Ind	OVA	AF	Déb
Tanichthys albonubes	Faux-néon	3-4	CG	O	Ind	OVA	F	Déb
Capoeta tetrazona	Barbus de Sumatra	8	CG	OP	Ind	OVA	AF	Déb/Conf
Capoeta titteya	Barbus cerise	5	CG	O	Ind/Ad	OVA	AF	Déb/Conf
Rasbora heteromorpha	Arlequin	5	CG	O	Ad	OV	D	Déb/Conf
Rasbora trilineata	Rasbora-ciseaux	10-13	CG	O	Ind	OV	D	Déb/Conf
Rasbora borapetensis	Rasbora à queue rouge	5	CG	O	Ind/Ad	OV	D	Déb/Conf
Labeo bicolor	Labéo	10-13	1+	OV	Ad	OV	R	Déb/Conf
CHARACIDÉS AMÉRICAINS								
Hemigrammus ocellifer	Feux-de-position	5	CG	OV	Ad	OVA	D	Déb/Conf
Hemigrammus erythrozonus	Néon rose	5	CG	O	Ad	OVA	D	Déb/Conf
Gymnocorymbus ternetzi	Tétra noir, veuve	5	CG	O	Ad	OVA	D	Déb/Conf
Paracheirodon innesi	Néon	5	CG	OP	Ad	OV	D	Conf
Cheirodon axelrodi	Cardinalis	5	CG	OP	Ad	OV	D	Conf
Hyphessobrycon herbertaxelrodi	Néon noir	5	CG	OP	Ad	OVA	D	Déb/Conf
Hyphessobrycon callistus	-	5	CG	OP	Ad	OVA	D	Déb/Conf

Familles et noms scientifiques	Noms communs	Taille maxi (cm)	Mode de vie	Alimentation	Qualité de l'eau	Type de reproduction	Facilité de reproduction	Recommandé à
Hyphessobrycon erythrostigma	Cœur saignant	10-12	CG	OP	Ad	OVA	TD	Déb
Hyphessobrycon pulchripinnis	Tétra citron	5	CG	OP	Ad	OVA	D	Déb
Carnegiella strigata	Poisson-hachette	5	CG	OP	Ad	OV	R	Déb
CHARACIDÉS AFRICAINS								
Phenacogrammus interruptus	Tétra du Congo	13	G	OP	Ind/Ad	OV	D	Conf
CYPRINODONTIDÉS OVIPARES								
Aphyosemion australe	Cap-lopez	5-8	C	OP	Ad	OV	F	Conf
Notobranchius guentheri	-	5	C	OP	Ad	OV	AF	Conf
Cynolebias bellottii	Perle d'Argentine	5-8	A	OP	Ad	OV	D	Conf
CYPRINODONTIDÉS VIVIPARES (PŒCILIIDÉS)								
Poecilia reticulata	Guppy	5	CG	O	Ind/B	VI	F	Déb
Xiphophorus helleri	Xipho	8-13	CG	OV	Ind/B	VI	F	Déb
Xiphophorus maculatus	Platy	6-7	CG	OV	Ind/B	VI	F	Déb
Xiphophorus variatus	Platy varié	7-8	CG	OV	Ind/B	VI	F	Déb
Poecilia velifera	Molly-voile	8-13	CG	OV	Ind/B	VI	F	Déb
Poecilia sphenops	Black, black molly	8-13	CG	OV	Ind/B	VI	F	Déb
Poecilia latipinna	Black, black molly	13	CG	OV	Ind/B	VI	F	Déb
ESPÈCES DIVERSES								
Pantodon buchholzi	Poisson-papillon	13	1+	P	Ind	OV	TD	Conf
Gnathonemus petersii	Poisson-éléphant	15-20	1+	P	Ind	OV	R	Conf
Synodontis nigriventris	-	13-15	1+	OP	Ind	OVA	R	Conf
Kryptopterus bicirrhis	Silure de verre	13	CG	O	Ind	OV	R	Conf
Chanda ranga	Perche de verre	8	CG	O	B	OV	TD	Conf
POISSONS D'EAU SAUMATRE								
Monodactylus argenteus	Mono	20	G	OP	Saum	OV	R	Conf
Scatophagus argus	Scato	15	G	OV	Saum	OV	R	Conf
Tetraodon fluviatilis	-	7-9	1+	P	Saum	OV	R	Conf
Brachygobius xanthozona	Gobie-abeille	4-5	1+	P	Saum	OV	R	Conf
Toxotes jaculator	Poisson-archer	10-12	1+	P	Saum	OV	R	Conf

Familles et noms scientifiques	Noms communs	Taille maxi (cm)	Mode de vie	Alimentation	Qualité de l'eau	Type de reproduction	Facilité de reproduction	Recommandé à
POISSONS MARINS								
ACANTHURIDÉS (poissons-chirurgiens)								
Acanthurus leucosternon	Chirurgien à poitrine blanche	20-30	1A	PV	1022	OV	R	Spé
Aspisurus lineatus	Chirurgien rayé	20-25	1A	PV	1022	OV	R	Spé
Zebrasoma flavescens	Chirurgien jaune	20-25	A	PV	1022	OV	R	Spé
BALISTIDÉS								
Balistoides conspicillum	Baliste-clown	30	A	P	1022	OV	R	Spé
Balistes vetula	Baliste royal	50	1+	P	1022	OV	R	Spé
Pseudobalistes fuscus	Baliste à lignes bleues	30	1+	P	1022	OV	R	Spé
Rhinecanthus aculeatus	Baliste Picasso	30	1+	P	1022	OV	R	Spé
Odonus niger	Baliste bleu	30	1+	P	1022	OV.	R	Spé
CHÉTODONTIDÉS (poissons-papillons)								
Chaetodon auriga	Poisson-papillon cocher	20	CA	P	1022	OV	R	Conf/Spé
Chaetodon collare	Poisson-papillon à collier	20	C	P	1022	OV	R	Conf/Spé
Chaetodon lunula	Poisson-papillon rayé	20	CA	PV	1022	OV	R	Conf/Spé
Chaetodon vagabundus	Poisson-papillon vagabond	20	CA	POV	1022	OV	R	Conf/Spé
POMACANTHIDÉS (poissons-anges)								
Pomacanthus imperator	Poisson-ange empereur	50	1A	PV	1022	OV	R	Spé
Pomacanthus annularis	Poisson-ange à anneau	30	1A	P	1022	OV	R	Spé
Pomacanthus semicirculatus	Poisson-ange royal	30	1	POV	1022-1028	OV	R	Spé
POMACENTRIDÉS (demoiselles)								
Chromis caerulea	Demoiselle bleu-vert	8	C	PO	1022	OVA	D	Conf
Chrysiptera cyanea	Demoiselle bleue à queue jaune	8	C	PO	1022	OVA	D	Conf
Glyphidodontops cyaneus	Demoiselle bleue	8	C	POV	1025	OVA	D	Conf

Familles et noms scientifiques	Noms communs	Taille maxi (cm)	Mode de vie	Alimentation	Qualité de l'eau	Type de reproduction	Facilité de reproduction	Recommandé à
Dascyllus trimaculatus	Demoiselle à trois taches	8	A	PO	1020 -1030	OVA	D	Conf
(poissons-clowns)								
Amphiprion akallopisos	Poisson-clown à bande dorsale	8	C	OPV	1022-1025	OVA	D	Conf
Amphiprion bicinctus	Poisson-clown de mer rouge	11	C	OP	1022-1025	OVA	D	Conf
Amphiprion clarkii	Poisson-clown à queue jaune	10	C	OP	1022-1025	OVA	D	Conf
Amphiprion ephippium	Poisson-clown à selle de cheval	9	C	OP	1022-1025	OVA	D	Conf
Amphiprion frenatus	Poisson-clown rouge	11	CA	OP	1022-1025	OVA	D	Conf
Amphiprion ocellaris	Poisson-clown à trois bandes	8	C	OP	1022-1025	OVA	D	Conf
Premnas biaculeatus	Poisson-clown épineux	11	C	OP		OVA	D	Conf
SCORPÉNIDÉS (rascasses)								
Pterois volitans	Rascasse volante	25-30	C	P	1022-1025	OV	R	Spé
Pterois radiata	Rascasse à nageoires blanches	20-25	C	P	1022-1025	OV	R	Spé
Pterois antennata	Rascasse à antennes	25-30	C	OP	1022-1025	OV	R	Spé
SERRANIDÉS								
Chromileptes altivelis	Mérou Grace Kelly	50	C	OP	1022	OV	R	Spé
Cephalopholis miniatus	Mérou rouge	50	C	OP	1022	OV	R	Spé
AUTRES ESPÈCES								
Apogon nematopterus	Apogon pyjama	8	C	P	1022	OVB	R	Conf
Anthias squamipinnis	Barbier rouge	8	C	P	1022	OV	R	Conf
Coris aygula	Labridé-clown	30+	C	OP	1022	OV	R	Conf
Coris formosa	Labridé rouge	20	C	P	1022	OV	R	Conf
Labroides dimidiatus	Labre-nettoyeur	13	C	P	1022	OV	R	Conf
Oxycirrhites typus	Bécasse à long nez	12	1+ - C	P	1022	OV	R	Conf

LES POISSONS - LES INVERTÉBRÉS MARINS - LES TORTUES

LES DIFFÉRENTS TYPES D'AQUARIUMS

Les techniques - Le matériel - Les éléments du décor

Les associations aquariophiles

Un club d'aquariophilie est l'expression de l'esprit associatif au travers des passionnés de poissons d'aquariums. Ses membres se réunissent pour compléter leurs connaissances et parfaire leur expérience ; les anciens forment les nouveaux, ils construisent ensemble des bacs, fabriquent filtres et décors.

Les diverses associations locales, régionales ou spécifiques à un groupe de poissons peuvent intégrer une des deux fédérations françaises.

L'appartenance à un club entraîne divers avantages parfois inaccessibles à l'amateur isolé. Les membres peuvent ainsi bénéficier de bibliothèques, vidéothèques, diathèques, prêt de matériel ; les échanges de poissons ou de plantes sont courants. Les rencontres interclubs, les voyages permettant la découverte d'aquariums publics ouvrent souvent de nouveaux horizons. Cependant, rien ne remplace les échecs et les réussites de chacun ; mises en commun, ces expériences constituent la richesse d'une association aquariophile.

Un nouveau concept : l'aquarium associatif

Les clubs réalisent, une ou plusieurs fois par an, des expositions temporaires d'aquariums destinées à mieux faire connaître leurs activités au public.

Au cours des dernières années, des associations ont créé des expositions permanentes, de taille parfois modeste, on parle alors d'aquariums associatifs. Ils peuvent être hébergés dans des locaux municipaux mis à la disposition de l'association, fonctionnent avec des subventions ou en percevant un droit d'entrée.

Le responsable doit avoir prouvé sa compétence ; il s'entoure d'une équipe qui participe à la construction et à l'entretien des aquariums en fonction des capacités et du temps libre de chacun. Cela nécessite un engagement personnel et régulier, qui conduit à une recherche dans la reconstitution des biotopes ou dans la mise au point et l'utilisation des techniques aquariophiles, afin de présenter des aquariums de qualité.

L'accueil du public est complété par des exposés ou des projections.

Le nombre d'aquariums associatifs en France ne cesse d'augmenter, ils sont soumis aux mêmes règles de fonctionnement que leurs aînés, les aquariums publics. L'autorisation d'ouverture garantit la maintenance des animaux dans les meilleures conditions possibles, et l'accueil du public en toute sécurité.

A.D.I.A. : Association pour la diffusion d'informations concernant l'aquariophilie. 61 rue de Bagnolet, Appart. 48 - 75020 Paris (Minitel : 36-16, code AQUATICA).

A.F.A. : Association française des aquariophiles. Muséum national d'histoire naturelle. 43 rue Cuvier - 75231 Paris cedex 05.

Association France Cichlid : J.-P. Hacard, 11 bis rue de la Plaine - 91530 Saint-Maurice Montcouronne.

Comité International pour les Labyrinthidés : Jacques Nicolas, 39 rue A. de Condorcet - 18000 Bourges.

Discus Club Internatinal : 47 rue Gerthoffer - 68800 Thann.

F.A.F. : Fédération aquariophile de France. Secrétariat général : 136 A boulevard de Dijon - 10800 Saint-Julien-les-Villas (Minitel : 36-16, code AQUATICA).

F.F.A.A.T : Fédération française d'associations d'aquariophilie et de terrariophilie. Musée de zoologie, 34 rue Sainte-Catherine - 54000 Nancy.

France-Vivipares : 4 avenue des Favignolles - 41200 Romorantin

K.C.F. : Killi club de France. Le Bignon-Lavernat - 72500 Château-du-Loir.

LES AQUARIUMS PUBLICS

Bien que certains soient plus renommés ou plus récents, ils méritent tous une visite, chacun possédant son style propre et s'attachant à présenter la faune dans de bonnes conditions, avec des efforts méritoires de présentation et de pédagogie.

Répartis dans toute la France (et pas seulement sur nos côtes, comme on le pense souvent), ils voisinent parfois avec un musée à vocation maritime ou zoologique.

Les aquariums que l'on peut y admirer sont généralement d'une taille nettement supérieure à ceux des amateurs, la visite des coulisses (lorsque cela est possible) est souvent riche d'enseignements.

La faune présentée est très diversifiée (eau douce et eau de mer tropicale ou européenne), quelques aquariums publics sont spécialisés dans les animaux de nos régions.

ARCACHON (33) - Musée-aquarium, 2 rue du Professeur-Jolyet - 33120 Arcachon.

BANYULS (66) - Musée-aquarium du laboratoire Arago - 66650 Banyuls-sur-Mer.

BIARRITZ (64) - Aquarium du musée de la Mer, esplanade du Rocher-de-la-Vierge - 64200 Biarritz.

BOULOGNE (62) - Centre national de la mer - Nausicaa, boulevard Sainte-Beuve, 62200 Boulogne-sur-Mer.

BREST (29) - Océanopolis, port de plaisance du Moulin blanc, BP 411 - 29275 Brest cedex.

BRIOUDE (43) - Maison du saumon, 1 place de la Résistance - 43100 Brioude.

CANET (66) - Musée-aquarium, 1 boulevard de la Jetée - Canet-Plage - 66140 Canet-en-Roussillon.

CONCARNEAU (29) - Aquarium du musée de la Pêche, rue Vauban, Ville close - 29110 Concarneau.

DINARD (35) - Aquarium du laboratoire maritime, 17 avenue George-V - 35800 Dinard.

GRANVILLE (50) - Aquarium du Roc, pointe du Roc - 50400 Granville.

LA GRANDE-MOTTE (34) - Aquarium, quai d'Honneur - 34280 La Grande-Motte.

LA ROCHELLE (17) - Musée-aquarium, port des Minimes - 17000 La Rochelle.

LE BUGUE-SUR-VÉZÈRE (24) - Aquarium du Périgord noir, route du Camping - 24260 Le Bugue.

LE CAP D'AGDE (34) - 11 rue des Deux-Frères, quartier de l'avant-port, Le Cap d'Agde - 34300 Agde.

LE CROISIC (44) - Musée-aquarium, 6 quai du Port-Ciguet - 44490 Le Croisic.

LE GRAU DU ROI (30) - Seaquarium, avenue du Palais-de-la-Mer, BP 106 - 30240 Le Grau-du-Roi.

MARSEILLE (13) - Aquaforum, aquarium du Prado, place A.-Muselier, 13008 Marseille.

MONACO - Musée océanographique, avenue Saint-Martin - Principauté de Monaco.

NANCY (54) - Aquarium tropical et musée de Zoologie, 34 rue Sainte-Catherine - 54000 Nancy.

NICE (06) - Aquarium et galerie de malacologie, 3 cours Saleya - 06300 Nice.

PARIS (75) - Centre de la mer et des eaux, Institut océanographique, 195 rue Saint-Jacques - 75005 Paris.
Cité des sciences et de l'industrie de la Villette, 26 avenue Corentin-Cariou - 75019 Paris.
Aquarium du musée des Arts africains et océaniens, 293 avenue Daumesnil - 75012 Paris.

ROSCOFF (29) - Aquarium-musée de la station biologique - 29211 Roscoff.

SAINT-MALO (35) - Aquarium, place Vauban - 35400 Saint-Malo.

SIX-FOURS-LES-PLAGES (83) - Musée-aquarium de l'institut océanographique Paul-Ricard, île des Embiez, le Brusc - 83140 Six-Fours-les-Plages.

TROUVILLE (14) - Aquarium écologique, promenade des Flandres - 14360 Trouville-sur-Mer.

VANNES (56) - Musée-aquarium, la Ferme des marais, parc du Golfe - 56000 Vannes.

QUI PEUT VOUS RENSEIGNER SUR LA QUALITÉ DES EAUX MARINES NATURELLES ?

Il existe sur nos côtes des organismes dont l'activité est liée à la vie marine, ils peuvent donc fournir des informations sur les caractéristiques physiques, chimiques et biologiques des eaux susceptibles d'être utilisées en aquariophilie marine.
Un certain nombre de ces laboratoires (*) voisinent avec un aquarium public, et même s'ils sont consacrés à la faune locale, une visite ne peut être que profitable.

- L'IFREMER (Institut français de recherche pour l'exploitation de la mer, 66, avenue d'Iéna, 75016 Paris) qui possède plusieurs stations côtières : Boulogne-sur-Mer, Ouistreham, Saint-Malo, Roscoff, Brest, Concarneau, Lorient, La Trinité-sur-Mer, Nantes, Noirmoutier, La Rochelle, La Tremblade, Arcachon, Hendaye, Sète, Palavas-les-Flots, Marseille, Toulon, Bastia. Il existe également des stations dans les DOM-TOM : Saint-Pierre-et-Miquelon, Martinique, Guyane, La Réunion, Nouvelle-Calédonie, Tahiti.

- Les laboratoires ou centres de recherche en biologie et écologie marine (certains sont rattachés aux universités ou à d'autres organismes, quelques-uns sont privés) :
• station marine de Wimereux (62) ;
• station marine de Luc-sur-Mer (14) ;
• laboratoire du Muséum d'histoire naturelle de Dinard (35) * ;
• station biologique de Roscoff (29) * ;
• laboratoire de biologie marine du Collège de Concarneau (29) ;
• centre de recherches et d'aquaculture marine de L'Houmeau (17) ;
• station biologique d'Arcachon (33) * ;
• observatoire océanologique de Banyuls-sur-Mer (66) * ;
• station de biologie marine et lagunaire de Sète (34) ;
• centre d'océanologie de Marseille (13) ;
• fondation océanographique Ricard, sur l'île des Embiez, Six-Fours-les-Plages (83) * ;
• centre d'études et de recherches de biologie et d'océanographie médicale de Nice (06) ;
• observatoire océanologique de Villefranche-sur-Mer (06) ;
• centre scientifique Monaco, situé dans le même bâtiment que l'aquarium bien connu *.

Certains de ces organismes ou laboratoires sont particulièrement chargés de la qualité des eaux pour les élevages marins (notamment les coquillages). Ils peuvent donc fournir des données sur les caractéristiques microbiologiques des eaux (présence ou absence de bactéries pouvant poser des problèmes), ainsi que sur la présence de polluants (pesticides, détergents, hydrocarbures, métaux).

OÙ S'ADRESSER POUR CONNAÎTRE LES CARACTÉRISTIQUES DES EAUX CONTINENTALES ?

Pour l'eau de distribution (eau du robinet) :

- Direction départementale des affaires sanitaires et sociales (DDASS). Il en existe une dans chaque département, en général dans la ville préfecture.
- Laboratoires municipaux d'analyses (agréés par l'État), présents dans de nombreuses grandes villes.

Ces organismes pourront également vous préciser quels traitements l'eau a subi pour devenir potable.

Pour les eaux naturelles :

- Pour chaque réseau hydrographique (par exemple la Seine, tous ses affluents, les affluents des précédents, et ainsi de suite), il existe une Agence de Bassin :

- Agence de Bassin Adour-Garonne (située à Toulouse, avec délégation à Bordeaux) ;
- Agence de Bassin Artois-Picardie (à Douai) ;
- Agence de Bassin Loire-Bretagne (à Orléans, avec délégation à Nantes et Clermont-Ferrand) ;
- Agence de Bassin Rhin-Meuse (à Metz) ;
- Agence de Bassin Rhône-Méditerrannée-Corse (à Lyon, avec délégation à Marseille) ;
- Agence de Bassin Seine-Normandie (à Paris).

- D'autres organismes sont susceptibles de fournir des informations sur les eaux continentales proches de leurs laboratoires :

- l'INRA (Institut national de la recherche agronomique) ;
- le CEMAGREF (Centre d'études du machinisme agricole et du génie rural des eaux et forêts).

Pour terminer, signalons que la qualité des eaux est également suivie dans les stations d'épuration.

GLOSSAIRE

Albinos : qui a perdu toute pigmentation (yeux rouges).

Alevin : jeune poisson, après le stade larvaire, nageant et capable de s'alimenter.

Aquarium d'ensemble : aquarium où plantes et poissons sont élevés sans souci de regroupement par famille ou par région et co-habitent.

Aquarium régional : aquarium reconstituant l'environnement d'une région géographique donnée.

Aquarium spécifique : aquarium où l'on élève une seule espèce ou une seule famille de poissons.

Artemia : crustacé assez primitif fréquentant les milieux sursalés et se nourrissant de phytoplancton. A l'éclosion, les larves sont appelées nauplies et mesurent environ un tiers de millimètres.

Biotope : endroit où vit un animal. Cette notion inclut les aspects topographiques, hydrologiques, etc.

Commensalisme : dépendance favorable ou nécessaire d'une espèce vis-à-vis d'une autre, cette dernière ne souffrant pas de la présence de la première.

Dichromatisme sexuel : différence de couleur entre le mâle et la femelle de la même espèce.

Dimorphisme sexuel : différence de forme entre le mâle et la femelle de la même espèce.

Eau douce : eau continentale dont la dureté est faible, qui contient donc peu de sels minéraux.

Eau dure : eau continentale dont la dureté est élevée, qui contient donc des sels minéraux en quantité notable.

Eaux continentales : eaux non salées, d'origine terrestre (par opposition aux eaux de mer).

Endémique : qui n'existe que dans une seule région ou une seule zone du monde.

Genre : unité de classement zoologique, regroupant des espèces proches ayant des caractéristiques communes (ex. : *Poecilia reticulata, Poecilia latipinna*).

Incubation : laps de temps s'écoulant entre la ponte et l'éclosion des œufs.

Juvénile : jeune poisson qui ne s'est pas encore reproduit.

Killies : nom courant désignant les poissons de la famille des Cyprinodontidés (genre *Aphyosemion, Notobranchius, Cynolebias*, etc.).

Larve : très jeune poisson au premier stade de sa vie, juste après l'éclosion, avant la nage libre et la première prise de nourriture.

M'bunas : poissons de la famille des Cichlidés, originaires des côtes rocheuses du lac Malawi, et pratiquant l'incubation buccale.

Omnivore : qui accepte plusieurs sortes de nourritures (pas forcément toutes).

Ovipare : qui pond des œufs (par opposition à ovovivipare ou vivipare).

Ovovivipare (ou vivipare) : espèce donnant naissance à des petits vivants (au cours de leur développement dans le ventre de la mère, ils n'ont pas de relations nutritives avec celle-ci). Les espèces de la famille des Pœciliidés sont ovovivipares.

Rhizome : tige rampante pourvue de racines.

Sels marins : ensemble de plusieurs sels nécessaires pour reconstituer de l'eau de mer de bonne qualité, à partir d'eau douce.

Sels minéraux : substances diverses dissoutes dans l'eau, servant d'engrais pour les plantes.

Stolon : tige particulière portant une plantule à son extrémité (mode de reproduction végétatif).

Vésicule vitelline (réserve vitelline) : poche ventrale de réserves nutritives (vitellus) où l'alevin puise la nourriture des premiers jours.

BIBLIOGRAPHIE

Ouvrages

Allgayer R. et Teton J., *Plantes et décors d'aquarium* - Bordas
Breitenstein A., *L'aquarium* - La Maison Rustique
Breitenstein A. et Sérusier P., *Les poissons d'aquarium* - Guide vert Solar
De Graaf F., *L'aquarium marin tropical* - Elsévier
Favré H., *Le guide Marabout de l'aquarium d'eau douce* - Marabout
Favré H. et Tassigny M., *Le guide Marabout de l'aquarium d'eau de mer* - Marabout
Louisy P., Maitre-Allain T. et Gourdon G., *Les poissons d'aquarium* - Éditions du Rocher, guide pratique, collection nature
Masson C., *Poissons et aquariums* - Larousse
Petrovicky I., *La grande encyclopédie des poissons d'aquarium* - Gründ
Terver D., *Manuel d'aquariologie*. Tome 1 : *l'aquarium, eau douce et eau de mer*. Tome 2 : *les plantes*, 1ère partie : généralités - Réalisations éditoriales pédagogiques.

Périodiques

Aquarama - 24 rue de Verdun - 67000 Strasbourg (bimensuel)
Aquarium magazine - 41-43 rue Paul-Bert - 92100 Boulogne (mensuel)
Revue française aquariologie-herpétologie - Musée de zoologie, 34 rue Sainte-Catherine - 54000 Nancy (trimestriel)

De nombreux clubs, associations et fédérations publient des périodiques, et parfois des brochures thématiques, complémentaires de l'abondante bibliographie relative à l'aquariophilie.

CRÉDIT PHOTOGRAPHIQUE

Berthon/NATURE : 40 - **Berthoule/NATURE :** 73 d, 104, 131, 146 h, 146 b, 147 hd, 165 - **Breitenstein :** 253 h - **Breitenstein/NATURE :** 303 h - **Chaumeton/NATURE :** 12, 13, 25, 137 b, 138 hg, 138 hd, 138 b, 139 h, 139 m, 140, 150 h, 150 m, 151 m, 151 d, 153 b, 155, 157 hg, 157 hd, 157 mg, 157 b, 160 h, 160 m, 160 b, 180, 183, 202 g, 205 h, 206, 209 h, 210 h, 210 b, 213 h, 216, 219 b, 220, 226, 232 h, 234, 235 b, 237 b, 239 h, 242 hg, 242 b, 269 h, 272 h, 272 b - **Chaumeton-Lanceau/NATURE :** 14 m, 19, 26, 150-151, 159 h, 159 bg, 168, 209 b, 211, 214 h, 229 b, 237 hg, 238, 239 b, 241, 243, 287 - **Gohier/NATURE :** 240 - **Grospas/NATURE :** 253 b - **Guerrier/NATURE :** 43, 59 h, 59 b - **Lanceau/NATURE :** 14 d, 24 b, 58, 75 g, 83, 264 - **Louisy :** 14 h, 101, 153 h, 156, 198-199, 205 b, 208, 214 b, 215, 223 b, 227 bg, 228, 233, 235 h, 267 d, 271, 284, 290 g, 291 b, 293, 296, 300, 301 h, 313 b, 316, 317, 318, 319 h, 319 b - **Maitre-Allain :** 14 b, 99, 146 m, 195, 251, 301 b, 310 h, 313 h, 315 - **NATURE :** 8, 157 md, 161, 204, 212, 213 b, 218, 237 hd, 268, 269 b, 270, 273, 308, 310 b - **Piednoir M.-P. et C. :** 10, 15, 71, 72 hg, 72 hd, 72 b, 73 g, 75 d, 81, 94-95, 96, 97, 100, 102, 144-145, 147 hg, 147 b, 149, 177 h, 178, 181, 196, 202 d, 203, 219 h, 221 h, 221 b, 223 h, 224, 225 h, 225 b, 232 bg, 232 bd, 244 b, 245, 248, 249, 262, 266-267, 275 h, 275 b, 276-277, 290 d, 291 hg, 291 hd, 294-295, 303 b, 307 - **Piednoir/NATURE :** 14 g, 159 bd, 217 b, 227 h, 227 bd, 236, 242 hd, 244 h, 274, 278, 282-283 b, 283 h, 306, 309 h, 309 b, 311 - **Polking/ NATURE :** 68 - **Prevost/NATURE :** 162 - **Sauer/NATURE :** 24 h, 304 - **Sera :** 176, 177 bg, 177 bd - **Teton :** 76, 78, 84, 94 h, 98-99, 136 h, 136 b, 137 h, 139 b, 192, 194, 217 h, 229 h.

REMERCIEMENTS

L'auteur tient à remercier pour leur gracieuse collaboration :
- Christian Chamfort ;
- Patrick Louisy.